Scrittori italiani e stranieri

Ugo Riccarelli

IL DOLORE PERFETTO

Romanzo

MONDADORI

Dello stesso autore

Nella collezione Scrittori italiani e stranieri
L'angelo di Coppi

Nella collezione Oscar
Le scarpe appese al cuore

www.librimondadori.it

ISBN 88-04-52411-1

Il dolore perfetto

*Alla memoria di mia madre
e di mia nonna Maria Maddalena Rinaldini,
per noi semplicemente l'Annina.*

Gadda non è barocco.
Barocco è il mondo.

CARLO E. GADDA

Appena qualche attimo prima di morire, appoggiata al nocciòlo del giardino, l'Annina emerse dall'ombra in cui la sua mente si era nascosta da molti anni e, all'improvviso, in quei brevi istanti che la morte ancora le concesse, come se fosse in volo rivide la casa col pino e la Mena che pregava appoggiata a un angolo della madia, e di fronte alla Mena vide sua madre partorirla urlando di un dolore che le sembrò perfetto, e solo alla fine, quasi spiando, scorse la propria testa uscire da quel corpo rosso e gonfio dallo sforzo, e sentì per l'ultima volta l'odore di viole del suo fratello gemello che da dentro la pancia la spingeva nel mondo.

Fu come un lampo, uno starnuto di una forza così intensa che l'Annina si dovette appoggiare con tutte e due le mani al nocciòlo per non cadere, e il suo ultimo respiro le uscì in una voce flebile, quasi un sussurro.

«Ma guarda…» disse, sorpresa da quello spettacolo stupefacente.

Poi lasciò che un sorriso le ammorbidisse la bocca, scivolò lentamente verso la base del tronco, e là si fermò per sempre.

Quando il Maestro arrivò al Colle, verso la pianura stavano finendo di costruire la stazione, e attorno a quella già nascevano le prime case del nuovo borgo. Nascevano come funghi, e la gente sembrava eccitata dall'arrivo della ferrovia che avrebbe portato il treno e il progresso. Ancora l'edificio principale non era pronto, cosicché i passeggeri dovevano scendere molto più indietro, verso il Padule Lungo, e potevano raggiungere Colle Alto cogliendo al volo qualche rara carrozza o la gentilezza di un contadino per un passaggio su un carro trainato dai buoi.

Dalla strada che saliva verso il paese arroccato da millenni sulla collina si potevano vedere con chiarezza i campi tagliati in due dalla ferrovia: una ferita trasversale che dal Padule si ficcava in mezzo alla geometria dei poderi, delimitati dai fossi e dalle file di cipressi. Sembrava che il mondo fosse diviso nettamente: a sinistra, lungo il nastro ancora bianco della massicciata, una moltitudine di persone, carri, attrezzi, una certa confusione di formiche che andavano e venivano fra il tracciato della ferrovia e le case in costruzione. A destra, poco oltre la stazione, dalla parte in cui già era stata posata la striscia ferrata il mondo era in pace, e sui campi divisi dal sentiero del treno si poteva al massimo scorgere qualche debole ricciolo di polvere sollevato da un aratro.

Il Maestro aveva chiesto un passaggio a un fattore sul suo carro, dopo averlo aiutato a caricare gli ultimi sacchi di fagioli sul treno che sarebbe subito ripartito verso la città. Figlio di contadini, l'odore dei legumi e il contatto con la juta rasposa per un momento l'avevano fatto sentire di nuovo a casa, mitigando una certa sensazione di essere in qualche modo un traditore perché era l'unico, della sua famiglia, ad aver studiato.

Era arrivato da sud, da un paesino vicino a Sapri non troppo diverso da Colle, arroccato anch'esso sopra una collina, ma senza ferrovia e con più miseria. Era arrivato con due valigie: nella prima qualche mutanda, qualche paio di calze, due camicie e un vestito nero uguale a quello che indossava. L'altra era piena di libri, e pesava come un morto.

Non appena il treno si mosse, il Maestro si sentì affogare per un istante, e rimase a guardare il convoglio dei vagoni scivolare lentamente verso la direzione dalla quale era arrivato finché il fattore, le valigie già sul carro, non lo chiamò per partire. Allora si avvicinò, si pulì i palmi sui pantaloni e allungò la mano per presentarsi, come si fa tra uomini. Disse il proprio nome e il cognome, e ringraziò per la cortesia.

Il fattore non era uomo di grandi discorsi. A sentire quella parlata strana, che mai aveva risuonato in quei luoghi, pensò che la ferrovia, oltre a portare semi e verdure, avrebbe scaricato laggiù chissà quale gente. Il mondo era grande, e ora Colle si era agganciato a qualcosa che non conosceva. Comunque quel giovane sembrava a posto. Parlava con un accento strano ma corretto. Aveva aiutato, come si usa tra persone civili, e ora alla mano che porgeva bisognava rispondere anche per l'ospitalità che, tra uomini, si deve.

Fecero il viaggio in silenzio, l'uno per l'imbarazzo verso uno straniero, l'altro perché immerso nella malinconia e intento a osservare quel mondo sconosciuto nel quale la sua nuova vita sarebbe presto cominciata.

Solo quando ormai, assieme alle prime case del Colle, fu prossima la porta delle mura, il fattore domandò dove avrebbe potuto lasciarlo, e il Maestro rispose:

11

«Dov'è un albergo, o qualcuno che dia a pigione una stanza.»

Poi fece qualche secondo di pausa e, come vergognandosi di quello che stava per dire, abbassando lo sguardo quasi sussurrò:

«Sono il nuovo maestro, vengo a insegnare.»

Il conducente si voltò di scatto verso di lui:

«Il Maestro» disse, «i miei complimenti!» Poi aggiunse: «La vedova Bartoli vi potrà ospitare», e tacque fino a che non si fermò di fronte a una casetta di pietra, appena prima delle mura.

Scese in fretta, bussò e avvertì la donna che era arrivato il nuovo maestro. Quindi strappò dalle mani del giovane il bagaglio che questi si era affrettato a scaricare.

«Maestro, non vi scomodate. Lasciate fare.»

Gli posò le valigie sul marciapiede e si tolse il cappello. Con una certa deferenza gli porse ancora la mano.

«Vedrete, vi troverete bene qui al Colle. Siamo gente semplice, ma amiamo la vita. La vita tranquilla, lo stare in pace. Vedrete, sono convinto che vi piace.»

Se ne andò toccando la tesa del cappello, lasciando l'altro nelle mani della vedova Bartoli, l'affittacamere.

Dall'alto della scala l'uomo si sentì chiamare:

«Signor Maestro, entrate che ormai si fa fresco.»

Lui guardò ancora un attimo verso la pianura, verso il sole che tramontava, e dietro al Padule Lungo gli sembrò per un istante di veder brillare il suo mare.

La vedova Bartoli era una donna piacente, sulla trentina, rimasta sola dopo che il marito, capomastro, era morto durante i lavori del viadotto, giù al Padule, schiacciato dalle ruote della locomotiva che lo avevano agganciato per il mantello mentre controllava la tenuta di uno scolatoio durante un temporale. Il coniuge le aveva lasciato quella casa di sei stanze, nella quale viveva col figlio Bartolo, di otto anni, il dolore per quella morte improvvisa e straziante, e la fobia perenne per ogni mezzo di locomozione con le ruote. Il treno in testa.

Quando il fattore scaricò il Maestro davanti alla sua porta, nella casetta di pietra vicino alle mura alloggiavano a pensione due capisquadra del cantiere che stava erigendo la stazione. La terza stanza fu occupata dal nuovo venuto, una sistemazione che gli piacque subito: il locale non era ampio, ma era arredato con sobrietà e gusto. Un piccolo letto, un comodino, un armadio di ciliegio e un tavolo accostato al muro. Svuotata in un attimo la valigia degli indumenti, egli ripose con cura i suoi molti libri nello spazio che avanzava nell'armadio. La casa era posta sul limite della collina, così dalla sua finestra poteva vedere quasi tutta la pianura, con la ferrovia che avanzava, le case in costruzione, i campi, le strade.

La vedova era una persona discreta, ordinata e puntuale. Per una cifra accettabile si accordarono sulla pigione della stanza, la colazione e il pasto serale che consumavano tutti insieme nella grande cucina, i tre ospiti, la padrona di casa e il piccolo Bartolo. Subito dopo cena i capisquadra uscivano per un giro all'osteria, dal quale tornavano non troppo tardi, per il letto, mentre il Maestro non era solito uscire, e rimaneva in camera tra i libri e la scrittura fitta che riempiva una gran quantità di fogli.

Era molto preso dal nuovo lavoro, dai trenta ragazzi della scuola, e quel che restava del tempo impiegato a preparare lezioni e correggere compiti ai bimbi lo spendeva nella lettura e negli scritti che vergava di notte, fino a ora tarda. La domenica poi, non solo non andava come gli altri alla messa, ma si dedicava a passeggiate solitarie lungo la ferrovia, un libro in una mano, e nell'altra un toscano.

Questa sorta di isolamento colpì la vedova Bartoli, forse la incuriosì. Di certo lo reputò strano. Qualche volta, timidamente, tastò il terreno, si informò con discrete domande se il Maestro avesse bisogno di qualcosa, se

13

tutto funzionasse, a casa e alla scuola, ma sempre ottenne cortesi risposte tranquillizzanti.

Un giovane così prestante, istruito e gentile, perché si ostinava a stare in disparte? Certo, Colle Alto non era una Mecca, ma pur c'erano un paio di buone osterie, e una sala, sotto il Comune, dove ogni settimana una Filarmonica suonava per il ballo. E poi, quella maledetta ferrovia avvicinava di molto la città, e con la città le delizie e i divertimenti che un giovane sano non avrebbe evitato.

Così, giorno dopo giorno, quasi senza accorgersene, la vedova iniziò a pensare alla vita del Maestro, un'abitudine che come una goccia leggera su una roccia scavò una piccola grotta dentro la sua solitudine. Infatti, pur se presa dai ritmi pieni delle sue incombenze di madre e di pensionante che aveva da badare a tre persone, dal giorno della morte del marito la sua esistenza era segnata dalla solitudine.

Fosco Bartoli non era mai stato uomo di tante parole. Spirito piuttosto pratico, gran lavoratore e di carattere un po' ombroso, per la sua donna era stato comunque un marito leale e paziente. Soprattutto era un uomo capace di ascoltare, e negli anni in cui aveva diviso il tetto con lei aveva sempre avuto per la moglie un momento di attenzione, uno sguardo di complicità, fosse anche soltanto un rapido cenno di intesa che a lei bastava per sentirsi parte di qualcosa di forte, di quanto fosse necessario per affrontare la fatica di un'esistenza semplice, le cattiverie della vita, un dolore grande come la perdita della loro prima figlia che un torcibudello si era portata via in un amen.

Dalla sera maledetta in cui vennero a prenderla per portarla di corsa giù al viadotto di fronte al suo uomo strapazzato a morte dal ferro della locomotiva, non era più riuscita a trovare da nessuna parte, in nessuna persona, qualcosa che le potesse ridare almeno un po' di quel senso di pienezza.

Erano passati i mesi, e lei si industriava a tirar su un

povero bimbo che del padre avrebbe serbato un ricordo lontano, riempiva le ore a pulire, tenere in ordine la casa e a occuparsi degli ospiti, e in quel modo il tempo delle giornate, messo in fila con il ripetersi di scadenze sempre uguali, se ne andava velocemente e si perdeva nell'orizzonte azzurro e grigio del Padule. Ma la notte, quando i due capisquadra si erano ritirati, il piccolo Bartolo già perso tra i sogni, nella casa calava il silenzio e sulla vedova piombava il peso della solitudine.

Allora rimaneva a lungo con gli occhi aperti nel buio, ad ascoltare quel silenzio, pensando, più che alla sua vita passata, a quella che avrebbe potuto passare assieme al suo uomo se quelle ruote maledette non l'avessero stritolato, e questo pensiero era diventato il compagno delle sue notti, l'unico testimone di un sottile dolore che le impediva il riposo o, a volte, la sola tisana che la portasse dolcemente verso il sonno.

Fu con un certo stupore, dunque, che nel mezzo di una notte si sorprese a pensare alla vita del Maestro, immersa com'era nel desiderio di scoprire qualcosa di più su di lui, sulle sue abitudini schive, su quelle lunghe passeggiate solitarie. Quasi si spaventò nel constatare che già da molte notti questi pensieri l'accompagnavano per le stanze della casa, o giù per la discesa verso il Padule, dove immaginava il Maestro a passeggiare non più da solo ma in sua compagnia, leggendole un libro e raccontando di sé, del suo lavoro.

Se ne rese conto. Il cuore le fece un salto nel petto, e subito si rigirò tra le lenzuola come per scansare quel pensiero, e allontanarlo, e lasciarlo affogare nel pesante senso di colpa che già sentiva salirle dentro, neanche avesse tradito il marito e questi l'avesse sorpresa a far qualcosa di indecente con un altro uomo. Nella sua casa. Nei suoi pensieri.

Eppure, nonostante cercasse il sonno, e nel cercarlo si sforzasse di tornare all'antica abitudine di immaginarsi Fosco Bartoli e una vita che mai sarebbe stata accanto a lui, dentro quei sogni l'imponente figura del marito

15

pian piano si mutava, e il suo volto finiva per prendere sempre i contorni giovani e gentili del Maestro e, addirittura, talvolta questi si stemperavano, si addolcivano ancor più e scivolavano assieme a lei dentro il conforto di un sonno caldo e ristoratore nel quale, non poche volte, il suo pensionante aveva osato rivolgerle lo stesso sguardo d'intesa con cui il defunto la sapeva tranquillizzare.

Vivere e sognare, confondersi in un'immagine avvicinandosi lentamente verso un volto. Alzare la mano in un saluto, che è una speranza fantasticata nel buio. Vivere e sognare a volte è tutt'uno, e così la vedova, senza quasi rendersene conto, sovrappose al ricordo dolce di un marito che più non aveva il viso ormai abituale del Maestro, le sue mani grandi, i suoi gesti garbati. Persino il suo odore, misto dell'afrore di toscano, dell'inchiostro e delle carte che ingombravano la piccola camera affittata. La goccia dei suoi pensieri aveva scavato una grotta e lei la colmò ben presto con l'amore, con una nuova gentilezza, una radiosità e una luce che la fecero fiorire.

I pigionanti stessi si resero conto di quella primavera, di una leggera elettricità che contagiò anche il piccolo Bartolo e lo rese per sempre quel bimbo agile e allegro che sarebbe stato. Persino il Maestro rimase confuso da quella manifestazione di amore vitale, e pur nell'imbarazzo di una situazione delicata, una domenica pomeriggio trovò il coraggio per invitare la vedova a unirsi alla sua consueta passeggiata lungo la ferrovia. Lui, un uomo ormai fatto, barba, panciotto e il suo bel fiocco nero sulla camicia immacolata, le porse l'invito quasi sottovoce mentre con le mani tormentava la tesa del cappello che si era levato in segno di rispetto.

La vedova accettò con un sorriso, con tanta naturalezza da far apparire al Maestro eccessivo il suo timore, e con altrettanta naturalezza gli porse il braccio appena fuori di casa, mentre con l'altra mano badava che Bartolo si mantenesse al suo fianco. Nel breve tratto di strada che dalle mura scendeva verso i campi e poi ancora più giù fino alla ferrovia, agli occhi pigri dei pochi abitanti del Colle che fuori dagli usci si godevano il tepore di una primavera precoce l'andare tranquillo di quelle tre persone parve davvero una cosa naturale.

Avvolta dall'alone magico di un amore temperato in tante notti di solitudine, la felicità che la vedova Bartoli sparse attorno a sé acquietò in un istante ogni possibile scandalo o pettegolezzo per quell'unione tra il giovane Maestro e una donna ben più vecchia e che ancora vestiva il lutto. Forse fu un incantesimo, forse un improvviso buon senso che precipitò sul Colle, ma dal momento in cui con quella passeggiata il nuovo amore si dimostrò palese, questo venne salutato senza alcuno stupore, come l'evidenza di un'unione naturale, persino antica. L'unico vezzo che il paese si concesse, senza mai perderlo, fu quello di continuare a chiamare la donna, anche se ormai ufficialmente unita alla vita del Maestro, come "vedova Bartoli".

Se per il Maestro il viaggio dalle coste campane al Colle era stato lungo e pesante, più pesante ancora gli parve la lontananza dai luoghi in cui era nato, si era formato e aveva la famiglia.

E anche se considerava una missione l'andare lontano da casa verso un nuovo lavoro e verso un nuovo mondo, ogni volta che il tramonto sul Padule Lungo accendeva l'acqua di luce una mano l'afferrava stretto per la gola e quasi non lo lasciava respirare. Una presa dalla quale riusciva a liberarsi con lo strattone di un solo pensiero: la convinzione che questo suo viaggio fosse necessario.

Sul cielo rosso che incendiava la pianura, oltre la finestra, rivedeva in un attimo i giorni passati con i compagni di scuola tra gli studi e le discussioni, il cugino Salvatore partito con Pisacane e ucciso con una fucilata alle spalle dal contadino che avrebbe dovuto liberare, e questo nuovo Stato italiano che era nato nel Nord ma nelle campagne di Sapri si manifestava soltanto coi suoi soldati prepotenti.

Suo padre era aiuto fattore nel feudo dei Baroni Portillo, e l'aveva voluto maestro perché non conoscesse la fatica del sudore mal pagato di chi coltiva la terra. A Sapri a studiare, tutti i giorni un tratto a cavallo e dopo a piedi, a cercare sui libri una strada che non fosse quella piena di polvere e fango della cascina, ma quella della rispettabilità data da un titolo, da un pezzo di carta col tuo nome scritto in bella calligrafia in nero e oro e con gli svolazzi degni di chi è dottore.

Ma a lui sui libri pareva di leggere altre cose. O meglio, quello che leggeva sui libri gli confermava l'impressione che i Baroni Portillo, coi loro vestiti di raso e le carrozze, fossero soltanto dei pagliacci prepotenti. E così la miriade di lacchè che si portavano dietro quando passavano tra i campi per la caccia. E così i loro scagnozzi, e pure i notabili di Sapri che pendevano dalle loro labbra per un sorriso o per un cenno di saluto tenuti molto più in conto di tutti i disgraziati che gli facevano fruttare la terra per un pezzo di pane.

Poi un giorno il suo amico Mannuzzu era arrivato da Napoli coi libri di un filosofo tedesco che si interessava ai destini dei poveracci, e insieme avevano cominciato a incontrarsi con altre persone a parlare di terra data ai contadini, di sfruttamento, di gente che accumulava il capitale usando il lavoro degli altri, di lotta sociale.

Lui era per tutti il cugino del Salvatore di Pisacane accoppato alle spalle da chi avrebbe dovuto liberare, e gli amici gli si rivolgevano con quel tono di rispetto dovuto a uno che, in fondo, già conosce certe cose.

Furono mesi di letture feroci, continue ed estenuanti, tanto che suo padre nel vederlo sempre chino sulle pagine, assorto nei pensieri, cominciò a dubitare della sua intelligenza. E che mai sarà questa scienza, pensava, possibile che sia così complicata e lunga da consumarti gli occhi e il sonno? Che cosa c'è di così misterioso nel sapere da doverlo nascondere dentro libri grossi come casse di frutta, pesanti come mattoni? A volte di notte si alzava, e si avvicinava in silenzio alla stanza del figlio per spiarlo mentre, ricurvo sul tavolo, scriveva al lume di una candela fogli su fogli, copiando complicati disegni pieni di numeri da libri scritti da persone con nomi stranieri.

Che il figlio e quegli studi fossero cose strane gli fu confermato il giorno del suo diploma, dopo la grande festa alla quale invitò tutti i contadini per celebrare il grande evento, perché in fondo era davvero qualcosa di eccezionale che il figlio di un semplice aiuto fattore, di uno di loro, fosse riuscito a dimostrare che anche i cafoni hanno un cervello. Eppure, di fronte ai visi allegri di quei poveracci, ai loro complimenti, alla loro allegria, il suo figlio così istruito seppe soltanto spiccicare poche parole imbarazzate, per poi scappare a nascondersi nella sua stanza dove lo scovò a notte fonda, naturalmente intento a leggere i suoi libri.

«Basta coi libri, ora sei maestro e devi festeggiare» gli disse con la voce malferma per il troppo vino. Nella sua mente soddisfatta lo vedeva con un bel vestito, in città, a passeggiare nel corso col giornale in mano, mentre i passanti gli rivolgevano cenni di saluto, rispettosi sorrisi. E questo, invece, rannicchiato sul letto, con gli occhi stanchi dalla lettura, lo guardò senza allegria e gli disse:

«Non sono maestro di niente, padre, e festeggerò soltanto quando i cafoni che stanno urlando giù di sotto come scemi urleranno contro i Baroni e si faranno dare la terra che lavorano, e che non è di nessuno se non di chi ci seppellisce dentro il cuore a colpi di zappa.»

«Insegnare non è una festa» continuò, «c'è molto da fare là fuori, in questa Italia nuova, fatta dai piemontesi pei loro interessi. Vedrete padre, io insegnerò a scrivere e a leggere, insegnerò alla gente di domani a fare di conto ché guardino al mondo com'è fatto da chi comanda. Abbiamo un futuro, e abbiamo una speranza: che questa gente capisca, e tocchi l'ingiustizia profonda che comporta avere sempre un Dio, un Re, o un Barone, o uno Stato a dirci come siamo, a dirci in tutti i modi cosa fare, come vivere, come morire, come pensare. Dobbiamo andare a vedere, conoscere, darci da fare. L'Italia, Napoli, Roma, Firenze, Genova, Milano sono al di là della porta, piene di persone che devono imparare a leggere, a scrivere e a far di conto per non essere più imbrogliate.»

L'uomo non capì, forse fu l'ebbrezza del vino, forse il tono deciso con cui il figlio gli si rivolse quella notte, ma per la prima volta sentì che qualcosa gli sfuggiva per sempre, e che quel ragazzo rannicchiato sul letto ormai non gli apparteneva più. Era un vitello sciolto, anzi, un puledro pronto a correre oltre la pianura come il vento. Il Re e il Barone, signori con la marsina e il cilindro, e poi una pianura enorme piena di grano, e nel grano una città che si chiamava Italia Nuova, zeppa di gente sconosciuta che parlava una lingua perfetta ma senza senso. Vide tutto questo in un attimo ed ebbe paura. Al futuro aveva sempre pensato soltanto come a un figlio maestro, agiato e rispettato; a Sapri, perché Salerno già sarebbe stato troppo. Ma ora quel ragazzo, che un tempo era stato suo figlio, stava parlando di Genova e Firenze, parlava di Milano, città che quasi neanche aveva sentito nominare, dove c'era l'Italia che stava ad aspettare proprio lui, quello che era stato suo figlio e che ora doveva andare a insegnare.

Chiuse con delicatezza la porta e si avviò verso la sua camera, a passi lenti, per non disturbare. La moglie già lo aspettava nel letto, aggrappata a un rosario mormorando sommesse preghiere, gli occhi raggianti, lo sguardo quasi estasiato. Tra i fumi della sbornia e l'emozione per il dialogo con il figlio, tutto quanto all'uomo sembrò un'immagine ridicola della sua vita, sospesa tra i rumori della festa che ancora arrivavano da sotto casa e il borbottio monotono di quella cantilena.

Avrebbe voluto fuggire, vincere la stanchezza, le vertigini che lo facevano vacillare e andarsene da quella stanza, magari verso Milano, magari anche solo verso il mare, trovare una barca e allontanarsi per sempre da quei posti. Appena pensò al mare gli tornò in mente il nipote Salvatore, il corpo di Salvatore con la schiena squarciata dai pallettoni per i lupi. Era disteso sulla spiaggia, le braccia tese in avanti come se stesse tuffandosi nell'acqua per andarsene, fuggire nuotando dalla rabbia dei cafoni che avrebbe voluto liberare. Vedeva il nipote e sentiva suo fratello piangere e urlare, maledire Pisacane e i rivoluzionari, inginocchiato accanto a quel corpo straziato.

Aveva capito.

Salvatore sparì e al suo posto vide il suo ragazzo, bello, giovane, col diploma di maestro e la schiena squarciata da un colpo di fucile. Perché quella è la fine di chi vuole cambiare il mondo, mettere i cafoni al posto dei padroni, e perdere la ragione e il sonno, la propria libertà per la libertà degli altri, che sia maledetta. Vide il suo ragazzo rigido di morte, disteso su una spiaggia di Milano, e le lacrime gli riempirono gli occhi.

Fu la voce della moglie a riportarlo nella stanza, lei che lo toccava con dolcezza.

«Anto'» gli domandò, «che fai, piangi? Non sei contento?»

L'uomo guardò la moglie, ma in realtà i suoi occhi guardavano qualcosa di molto più lontano.

«Sapessi» disse con voce rotta, «sapessi che tristezza il mare di Milano...»

Quando venne il momento il Maestro, come concordato coi suoi compagni, fece in modo di avere l'insegnamento in un'altra sede che non fosse vicino a Sapri. Non fu difficile accontentarlo, poiché in quell'Italia dove ancora mancava tutto non mancavano certo le cattedre per un giovane maestro che avesse voglia di viaggiare. Del resto quello era il progetto del suo piccolo gruppo di rivoluzionari: sparpagliarsi per il Paese a portare le loro idee lontano da quel covo di serpi che aveva trucidato la rivoluzione. In tre maestri, due ferrovieri e un promettente esperto in meccanica industriale, si salutarono scambiandosi la promessa di tenersi in contatto con lettere frequenti, una volta raggiunte le loro destinazioni. Sarebbe arrivato un giorno il tempo di tornare, più forti e più organizzati, anche alle loro case, a parlare di giustizia sociale e di libertà.

La vita al Colle gli apparve subito diversa da quella dura con la quale era sempre stato in contatto. Il lavoro non gli mancava, ché badare a trenta bambini non è un gioco da niente, ma era ascoltato e rispettato, e di tempo per continuare i suoi studi, scrivere e annotare le sue osservazioni sulla gente del posto, ne aveva a sufficienza. Guardava tutto con molta attenzione. Spesso, con la scusa di conoscere meglio le famiglie faceva domande, si informava sulla qualità del lavoro e sul trattamento degli occupati.

Si fece accompagnare dai capisquadra al cantiere della ferrovia, a conoscere gli operai, e anche tra i pescatori giù al Padule Lungo, e alla fornace dove preparavano i manufatti per le nuove case che nascevano come funghi attorno alla stazione. Colle viveva in un grande fermento, la zona nuova gremita di formiche che tiravano su gli edifici, tracciavano strade e allungavano il percorso della ferrovia, mentre su, al borgo vecchio, i negozianti e gli artigiani preparavano quanto sarebbe stato necessario a vestire e sfamare la gente che quel pezzo di futuro stava trascinando con sé nella sua corsa al galoppo.

Dalla sua finestra sulla pianura, oppure seduto fuori di casa accanto alle mura, il Maestro restava molto tempo a osservare quell'attività, cercando di carpirne i segreti movimenti, le tensioni, gli sbocchi e le prospettive, formulando ipotesi che poi annotava sui quaderni e verificava sui libri. Tutto quel fervore gli sembrava esprimere qualcosa di nuovo, uno spirito diverso che lui, cresciuto tra le campagne di Sapri, non aveva mai conosciuto se non per le descrizioni di Marx o di Bakunin. E proprio da loro sapeva che quella era solo un'infima parte del lavoro dell'uomo, di quell'immensa quantità di lavoro che altrove obbligava centinaia di persone nel chiuso di enormi fabbriche a tessere fibre o fondere acciaio. A volte, quel pensiero gli provocava dei brividi bloccandogli il respiro: vedeva enormi costruzioni brulicanti di uomini schiavi di un lavoro il cui frutto non era loro, nascosti dal buio, sepolti dai fumi, assordati dal rumore, immersi nella produzione di un comune destino di fatica che gli parve un dolore enorme e perfetto.

Questo pensava il Maestro, pensava alle fabbriche, anche mentre attraversava i campi che gli stavano intorno, altri luoghi di tremende fatiche, anche se dalle forme e dai colori splendidi come quelli del Colle. Certo, i contadini e la povera gente erano povera gente qui come dalle sue parti, ma i volti erano meno spigolosi, le facce più aperte al sorriso, quasi che la bellezza del paesaggio, la dolcezza dei poggi che digradavano verso una pianura tenera come bambagia avesse mitigato anche i suoi abitanti, avesse spalancato loro la porta della vita più di quanto non fosse per la gente del feudo dei Portillo. E poi i colori, quella terra rossa e bruna, chiazzata di verde dove il lavoro aveva fatto crescere prati ordinati, e il giallo del grano che si arrampicava lungo i declivi, e l'acqua azzurra del Padule Lungo, d'oro quando brillava sotto il sole calante.

Persino la loro lingua aveva il colore dei prati, era musica dolce, suono di flauto o di violino. Più larga la parlata del Colle Alto, piena di ritmo endecasillabo, quasi un poetare, più incostante e disordinata verso la Stazione, misto di gente di passaggio che là veniva giorno dopo giorno a vivere e a lavorare.

Ma tra tutte le cose del Colle, il Maestro fu colpito dalla gentilezza delle donne. Non che quelle delle sue parti non fossero gentili, ma mantenevano sempre, in ogni circostanza, un riserbo, quasi una scontrosità che le isolava in una sorta di mondo a parte, persino quan-

23

do diventavano mogli o nonne. Le donne del Colle invece non temevano di sorridere, di parlare a sconosciuti con un garbo e una dolcezza che incantava.

Il Maestro di quella dolcezza quasi si impaurì e così, nelle prime settimane che vi trascorse, se da un lato godeva dell'affabilità con cui la vedova Bartoli lo trattava, dall'altro la accettava con la diffidenza e la cautela tipiche di chi era abituato a vedere nei modi familiari concessi a uno sconosciuto se non un secondo fine certamente qualcosa di inusuale. Ma con il passare del tempo, osservando e vivendo a contatto con le altre donne del paese, abbandonò sempre di più quella sorta di sospetto e cominciò ad apprezzare il piacere di un colloquio, di uno scambio di saluti, di un racconto anche minimo, ma colorato da quel loro parlare ampio e solare che lo rendeva epico.

A un certo punto, dunque, le giornate trascorse tra il lavoro e lo studio, completate dalle passeggiate con cui condiva la pausa della domenica, cominciarono a sembrargli troppo solitarie e lunghe e si accorse che avrebbe desiderato addolcirle con qualche contorno di parole che fossero per lui, e per lui soltanto. Non era tipo da osteria, né da ballo di piazza come invece erano i suoi due coinquilini. Del resto, anche la sua condizione di maestro gli impediva di andare in giro per il paese ad attaccar bottone più di quanto non fosse necessario per un cortese scambio di battute durante il passeggio.

Una possibilità ci sarebbe stata. La vedova Bartoli era lì, a portata di mano, sempre gentile e interessata a lui. Domande discrete, piccole attenzioni quotidiane che prima egli aveva scansato con educazione, ma poi lo avevano pian piano accarezzato e, con il passare del tempo, addirittura messo di buon umore. Si destava la mattina sbrigandosi per scendere a colazione, soprattutto per poter godere della cordialità che la vedova gli riservava, per respirare anche solo per un quarto d'ora quell'aria di felicità e di primavera che scaturiva dai suoi movimenti e dalle sue parole mentre serviva al ta-

24

volo i commensali. Pareva nulla, un biscotto speciale cucinato per lui, un leggero tocco sulla sua giacca per togliere un bruscolo qualsiasi, un frusciare di gonna contro la sedia, eppure sazio di un qualsiasi minuscolo gesto il Maestro sentiva di poter uscire di casa per il lavoro con la forza sufficiente per affrontare il mondo.

Così, il pomeriggio di una domenica di febbraio insolitamente tiepida, non appena la vedova ebbe terminato di rigovernare, il Maestro si fece coraggio e decise di farsi avanti. Aveva pensato e ripensato durante tutta la mattina cosa dire, un piccolo preambolo per scusare l'ardire e introdurre il discorso – quasi un proemio, si era detto tra sé – e poi la richiesta di una passeggiata insieme, così per discorrere in compagnia, lasciando alla donna la via di fuga di un rifiuto molto probabile. Avrebbe capito, certo, la sua posizione di vedova, la sconvenienza di un mostrarsi insieme, tutto quanto. Aveva considerato tutto più volte e, dunque, si ritenne pronto alla prova.

Era la prima volta che affrontava una donna adulta in un simile frangente. L'amore che aveva conosciuto nelle sue campagne era fatto di sguardi furtivi, di rapidi gesti rubati ai padri o ai mariti, consumati di fretta. Neanche un respiro. Qui si trattava di giocare allo scoperto, di prendersi cura di non commettere offesa. Una donna già fatta, vedova e sola. Così, la testa ingombra di tutte queste considerazioni, il Maestro si accostò alla vedova Bartoli mentre lei si accingeva al ricamo e si era appena seduta accanto alla porta della cucina, aperta sul cielo e sulla pianura.

Col cuore in gola e le mani che martoriavano la tesa del cappello si presentò di fronte alla donna, al cielo e alla pianura, e cercò di parlare, di mettere tutto il suo coraggio contro il muro di bellezza che lei e il paesaggio gli costruirono davanti. Non aveva esitato a lasciare la sua casa e la sua gente, avrebbe voluto fare la rivoluzione e cambiare il mondo, eppure dalla sua bocca nemmeno quelle poche parole meditate, poche semplici parole di invito uscirono al cospetto dello sguardo della vedova Bartoli che gli sorrideva.

Il Maestro rimase muto ancora qualche secondo. Considerò che tutto era troppo bello e profondamente ingiusto, ingiusto solo quanto può esserlo troppa bellezza in confronto alle parole di un uomo. Il sorriso di una donna innamorata, il cielo azzurro e, sotto il cielo, la pianura che si perdeva nel luccichìo lontano del Padule. Tutto era là, ed era troppo per un discorso cortese di invito, pensato per ore costruendo, parola dopo parola, frasi adesso inadeguate.

Il Maestro si arrese. Guardò ancora un momento verso il cielo, poi si tuffò dentro gli occhi della vedova e, sottovoce, riuscì solo a dirle:

«Usciamo?»

L'amore avvolse la vedova Bartoli e il Maestro in modo talmente inevitabile che nessuno, dal Colle fino alla Piana e oltre, si stupì mai di quell'unione che avrebbe invece potuto essere causa di pettegolezzi e chiacchiere d'ogni tipo, se non altro per la marcata differenza d'età degli amanti e, comunque, per lo scandalo che essa avrebbe potuto rappresentare visto che, nei molti anni del loro amore, anche quando nacquero figli e le difficoltà non mancarono, essi non manifestarono mai neppure la minima intenzione di regolarizzare quel rapporto attraverso il matrimonio.

Del resto, per le sue convinzioni anarchiche, il Maestro non riconosceva autorità né allo Stato né alla Chiesa e, in ogni caso, dal giorno della sua prima passeggiata assieme al giovane uomo, la vedova Bartoli non aveva mai fatto cenno alcuno all'eventualità di un loro matrimonio. Semplicemente, appena rientrati a casa sul far della sera, servita la cena ai pensionanti e finito di rigovernare, lei e il Maestro iniziarono la loro vita coniugale, dormendo nella camera matrimoniale e trasformando la vecchia stanza di lui in uno studio zeppo di carte e di libri che fu, per sempre, il rifugio tranquillo delle sue letture.

Nel tempo, quando la stazione fu terminata e la ferrovia si allungò ben oltre il Padule Lungo, verso altre pianure e altre città, i figli che nacquero dalla loro unione occuparono le stanze che erano state dei due capisquadra, e la casa vicino alle mura sembrò ringiovanire tra la confusione di quella insolita famiglia e l'amore che i due seppero sempre mantenere intatto.

In una camera dormiva Ideale, il loro primogenito, e in seguito vi dormì anche Mikhail, di diversi anni più giovane, mentre la più piccola, Libertà, avrebbe occupato la stanza accanto a quella di Bartolo che, molti anni più tardi, sarebbe stata di Cafiero.

I ragazzi crebbero respirando la serenità che la vedova seppe sempre manifestare, anche nei momenti più difficili che la vita riserbò loro, e nonostante le lunghe assenze del padre.

In quel paese arroccato sulla collina da secoli, avvolta dall'alone magico dell'amore tra la vedova Bartoli e il Maestro, la casa accanto alle mura fu, per molti anni, quasi un porto franco in cui la loro vita e quella dei figli poté svolgersi al riparo dalle malignità e dalle spietate regole delle istituzioni. Finché tra il Colle e il Padule il tempo scorse lento, la particolare indole degli abitanti di quei luoghi evitò ai due amanti ogni tipo di problema che sarebbe potuto sorgere da quell'unione e da quelle nascite al di fuori di ogni regola, soprattutto per chi, come il Maestro, doveva sostenere un ruolo così autorevole come quello di insegnante.

E anche quando la Storia e il Progresso arrivarono come una bufera sopra quella famiglia, pretendendo di dare una forma rigida a quello che era, in fondo, solamente il prodotto di un sogno, gli effetti devastanti provocati dal peso dell'ordine non riuscirono a cancellare completamente dalla memoria di Colle Alto il senso di felicità che l'unione di quelle persone aveva comunque generato.

Quando tutto fu stato, transitando nel punto dove al posto di una stazione di servizio un tempo sorgeva la casa accanto alle mura, i figli dei figli dei figli di chi aveva conosciuto da vicino quella felicità non riuscivano a trattenere un sorriso o una parola gentile verso il luogo dove s'era svolta una storia che i più ricordavano come una bella favola, come un momento di tranquilla luce nel turbinare dei loro giorni affrettati.

L'unico che all'epoca dei fatti ebbe qualcosa da ridire fu il parroco di San Venanzio, don Ubaldo, che una settimana circa dopo la nascita di Ideale, una sera con un tempo da lupi scese dalla canonica di fronte alla Rocca per benedire quella nuova pecorella, visto che nessuno della famiglia si era degnato di presentarsi a iscrivere la piccola anima al registro parrocchiale.

Il prete era giunto alla casa vicino le mura con un certo sospetto generato dalla coscienza di un'unione irregolare che andava comunque sanata. In qualche modo e senza scandalo, visto che il Maestro era uomo garbato e benvoluto da tutto il Colle Alto. Ma non appena l'uscio gli fu aperto, anche lui fu avvolto dall'atmosfera felice di quel luogo, dalla gentilezza della nuova madre e dall'allegria di ogni persona, compresi i due pensionanti capisquadra. L'anziano prete fu attratto dal calore che regnava, piacevole ristoro dopo una camminata tra la pioggia e la tramontana. Vide il piccolo Ideale dormire sul seno della vedova più dolce che mai, e per un attimo gli sembrò di assistere a una scena sacra, forse un Leonardo, forse una Madonna di Raffaello, e a stento si trattenne dal farsi un segno della croce; e poi vide Bartolo che saltellava contento sulle gambe del Maestro e gli altri due uomini che gli versavano del vino per festeggiare il lieto evento.

Non avrebbe potuto dire come capitò, ma tutto ben presto si confuse: si confusero le parole, si confusero i gesti, si confuse persino il tempo che scorse con una lentezza impressionante affinché lui si unisse a quella festa, ai canti e alle discussioni che seguirono i bicchieri

28

colmi e i biscotti appena sfornati. Certamente si confusero molte cose, e si srotolarono lunghi discorsi sulla giustizia, sui poveri e su Cristo, sui vescovi e sui parroci, su chi comanda e chi ubbidisce, così che don Ubaldo alla fine di tutto si scordò del motivo reale per cui era sceso fino alla casa accanto alle mura.

Se ne ricordò all'improvviso, quando la pioggia e la tramontana lo sorpresero di nuovo in cammino verso la parrocchia, per cui ritornò sui suoi passi nel modo più veloce che le gambe malferme per l'età e il vino gli permettevano. Ma ormai aveva conosciuto l'amore di quella casa, e il vero sacrilegio lì per lì gli sembrò farsi riaprire la porta e imporre una regola che in fondo avrebbe soltanto complicato le cose.

Così si mise ritto di fronte all'uscio, e nel buio di quella notte da lupi alzò un braccio e tracciò nell'aria gelida una croce in segno di benedizione. Quindi voltò le spalle e, borbottando contro il freddo, iniziò lentamente a risalire verso la canonica.

Mentre la Rosa urlava per il dolore delle doglie, l'Ulisse stava ancora sognando accanto al tavolo dell'Osteria Etrusca, accarezzato dalla mano calda del molto vino con cui aveva festeggiato la vendita di una coppia di maiali.

Sebbene da quelle grida scomposte sarebbe nato il suo primo figlio, egli si comportò con lo stesso distacco con cui la maggior parte dei mariti del Colle si comportava in occasione della nascita della prole, essendo il parto una questione esclusivamente femminile.

E poi, anche se la vendita era andata a buon fine, neppure i primi tre bicchieri gli avevano fatto sbollire il malumore per quella donna che non era mai puntuale nelle sue incombenze, fosse preparare il desinare come partorire entro i nove mesi che Cristo aveva disposto per gli esseri umani.

La Rosa, se aveva pronta la zuppa, allora sulla tavola mancava il vino o il pane, e se il marito aveva bisogno della camicia pulita per il mercato, lei l'aveva sì preparata lavata e stirata, ma aveva scordato il panciotto sul quale l'Ulisse esibiva la catena argentata dell'orologio da cui non si separava mai.

Allo stesso modo, con un enorme cocomero al posto della pancia, la Rosa continuava a girare per casa ben oltre la scadenza prevista, lamentandosi per il mal di schiena e mangiando per almeno tre persone.

Dal sonno nel quale era sprofondato, un sonno in

cui una coppia di maiali stava pascolando in un campo di viole, l'Ulisse si svegliò per gli strattoni con cui sua cognata Mena lo richiamava in una realtà dove il puzzo e il rumore erano senza ombra di dubbio più intensi del pungente odore di viole che il sogno gli stava regalando.

«Rosa sta figliando» furono le prime parole che sentì riemergendo dal profondo di un fiume d'acqua calda. Forse proprio per la sensazione di trovarsi immerso in un liquido, l'Ulisse si alzò dalla tavola mulinando le braccia quasi stesse davvero nuotando, e attraversò la sala dell'osteria con un incedere che parve a tutti una vera e propria danza.

Quella santa donna della Mena lo seguì e, così come era entrata segnandosi, lo scialle stretto sulle spalle, se ne uscì facendo un altro segno della croce verso i pochi avventori che a quell'ora tarda ancora si intrattenevano tra carte, fumo, chiacchiere e vino, congedandosi in fretta da quel posto che era, ai suoi occhi grigi di vergine, un luogo di pura perdizione.

L'aria fresca di gennaio, seppur per le poche centinaia di metri del tragitto fino a casa, fu sufficiente all'Ulisse per recuperare un passo dignitoso e composto, sicché quando arrivò aveva ancora quell'aspetto distinto che appena dieci mesi prima aveva fatto innamorare la Rosa.

In realtà, se di amore si può parlare, si dovrebbe riferirlo alla sola Rosa, che almeno una stretta alla bocca dello stomaco e un insensato galoppare del cuore li aveva provati già dalla prima volta in cui lo sguardo dell'Ulisse l'aveva squadrata dalla sedia del Caffè della Stazione, durante il passeggio domenicale. Da parte dell'uomo, invece, si era trattato più che altro di un affare, una transazione portata a termine più o meno come egli era abituato a fare nel suo mestiere di commerciante di maiali. I cardini di questo contratto erano stati infatti attentamente considerati dall'Ulisse, prima di formulare la sua offerta.

Si trattava innanzi tutto della sua età, di quei quarantuno anni che non lo potevano certo far considerare giovane, del suo stato di bisogno aggravatosi ora che la Zi' Sparta era così vecchia e malata e l'Euridice, appena maritata, non poteva più tenergli in ordine le cose. E poi, inutile negarlo, c'era la voglia di compagnia, di avere qualcuno ancora per casa, a colmare quel buco nello stomaco ch'egli provava ogni volta si trovasse a rientrare tardi, dopo il lavoro.

Così l'Ulisse considerò la sua condizione, e si decise a tastare il mercato: dalla sedia del Caffè della Stazione guardava il passeggio domenicale, osservava le donne, ne apprezzava le qualità fisiche, ne scrutava il passo. In questo osservare era senz'altro influenzato dalla sua competenza di commerciante di maiali, dal fatto insomma che sposare una donna poteva assimilarsi, nel suo pensiero, all'acquisto di un buon capo di bestiame. Le qualità principali che la sua sposa avrebbe dovuto avere sarebbero state dunque quelle di un aspetto forte, di una costituzione robusta da buona fattrice per assicurargli figli numerosi e sani. Non era importante, agli occhi dell'Ulisse, un fisico attraente. Non è con l'estetica che si forma una buona famiglia, pensava. È con la fedeltà e con la serietà della femmina, capace di allevare i figli e curare il marito.

La Rosa gli parve subito adatta: non era bella, ma il volto paffuto e roseo, le caviglie robuste, i fianchi rotondi emanavano un'impressione di solidità e di tranquillità, oltre ad assicurare una certa facilità di parto. Le informazioni che fece prendere con discrezione confermarono l'appartenenza a una famiglia seria e laboriosa, in cui il padre, Cesco, era manovratore alle ferrovie e la madre, Ida, prima di morire aveva messo al mondo due femmine: la Mena, di dieci anni più vecchia della sorella, sembrava avere il destino di zitella.

Una domenica di inizio marzo, la primavera già nell'aria, l'Ulisse dunque arrivò col suo calesse alla casa della Rosa, scese e, toccandosi appena la tesa del cappello, chiese alla Mena che si era sporta dalla finestra se fosse possibile parlare un momento col signor Cesco.

La Rosa era al piano di sopra, a rigovernare le camere, e sentendo la voce dell'Ulisse salutare con calore suo padre avvampò, mentre il cuore le saliva in gola.

Non sapeva, ma sperava.

D'altronde, quella visita così improvvisa, da cosa mai altro poteva essere provocata se non dagli sguardi ripetuti che l'Ulisse le aveva dedicato nelle domeniche precedenti, durante il passeggio sulla piazza della stazione?

Fu quando il padre la chiamò, da sotto, che la Rosa credette di svenire. Si portò le mani sul capo, se le passò sul viso stirandolo quasi in una carezza disperata, e scese. I capelli riuniti a crocchia dietro la testa, ai piedi aveva un paio di vecchie pantofole, e indossava lo stesso grembiule che era già stato di sua madre. Non si sarebbe potuta definire una bella donna, ma l'amore non ha altri occhi che quelli di chi lo riconosce e l'Ulisse, in fondo, da questo punto di vista era cieco: davanti a sé vide solo il capo che, tra la mandria delle donne del Colle, aveva scelto per se stesso. E gli sembrò ancora, da vicino, un buon affare.

L'accordo venne concluso in piedi, non appena il signor Cesco ebbe comunicato alla Rosa l'intenzione dell'Ulisse di prenderla in moglie. La donna, le guance rosse per l'emozione, sussurrò una parola di assenso con lo sguardo rivolto in basso, mentre passava e ripassava le mani sul grembiule, neanche stesse facendo il bucato. L'Ulisse s'era tolto il cappello ma, nonostante quel gesto di reverenza, non aveva perso il suo aspetto austero e sicuro che piaceva così tanto alla Rosa. Non disse nulla, accettò solo la mano che il signor Cesco gli allungava, la stessa stretta tra uomini di parola che usava al mercato, nella vendita dei capi.

Così avvenne, senza fronzoli o cerimonie. L'Ulisse passò a prendere la sua donna il giorno dopo, una domenica, per portarla al passeggio e offrirle il lusso di un gelato, e poi andare in calesse fino alla piana del mulino

33

a bere un rosolio dalla vecchia Zi' Sparta che per lui, orfano sin da bambino, era stata madre, sorella, zia e chissà cos'altro.

Durante quella visita parlò quasi solo lei: disse alla Rosa della data delle nozze che non sarebbe stata troppo lontana perché non era bene buttar via il tempo, poiché le cose da fare erano molte. Le parlò, appunto, delle necessità di una casa che, da quando il peso degli anni le aveva schiantato la schiena, si erano ammucchiate come monti di letame. E poi dell'Euridice che se ne era andata, e di un uomo, un commerciante, che deve sempre essere in ordine, lavato e stirato, e col panciotto, perché nel commercio è importante la parola, certo, ma quale valore ha la parola di uno straccione?

Tutto avvenne in fretta. Da quando l'Ulisse chiese la sua mano a quando la Rosa si presentò all'altare di San Venanzio vestita di bianco e sottobraccio al padre non passò più di un mese. Del resto la casa era già pronta e non aspettava altro che quella ragazza rubiconda che non aveva conosciuto mai gli abbracci degli uomini. Diciannove anni aveva la Rosa, e di quello che un uomo e una donna avrebbero dovuto fare nell'intimità dopo che il prete aveva celebrato il matrimonio sapeva un grumo confuso di informazioni e dicerie, frutto delle chiacchiere, delle risatine e degli ammiccamenti che si spendevano al fosso, durante il bucato, con mezze frasi e allusioni delle più anziane, maritate e vedove, lanciate in aria soprattutto per prendersi gioco della Mena, lei che di certe cose non voleva nemmeno sentir parlare.

Non essendo, comunque, una persona maliziosa, della questione del matrimonio, dei doveri coniugali e tutto il resto alla Rosa importava poco più di nulla. A lei importò soltanto quella mezz'ora passata in San Venanzio, sul banchetto ornato di fiori di campo che era stato preparato proprio per lei, come per lei don Ubaldo si era messo i paramenti della festa, e per lei i parenti avevano indossato il vestito migliore.

Per questo, non per altro, quel giorno aveva provato

felicità, perché da che aveva memoria quello le sembrava davvero l'unico giorno in cui era stata lei a muovere il mondo, lei il centro di un piccolo universo che per quel breve momento girava attorno a lei.

Terminata la funzione, l'Ulisse la fece montare sul calesse, appena fuori dalla chiesa, mentre il piccolo gruppo dei parenti lasciava partire un applauso. Come d'uso, il pranzo si consumò a casa della sposa, con una trentina tra familiari e amici, felici di avere l'occasione di una libagione completa. Non era un tempo, infatti, in cui si potesse sedere a tavola ogni giorno con il bendidio che un matrimonio comandava, tenuto conto che la tradizione faceva seguire al pranzo dalla sposa la cena dallo sposo.

Dal momento che nessuno aveva l'intenzione di rinunciare a tanta benedizione, il sole appena tramontato, la piccola legione di festeggianti si incamminò verso casa dell'Ulisse con il passo appesantito da un pranzo generoso che comunque il lungo tragitto contribuì ad alleggerire cosicché, quando i convitati furono pronti a iniziare la cena, molti di loro avevano riacquistato la baldanza e l'entusiasmo necessari per intraprendere la nuova, pantagruelica impresa.

Abbracci, brindisi, e poi canti che col passare del tempo e del vino diventarono meno leggeri e congrui, fino a quando la maggior parte dei commensali non fu così sfinita da dimenticarsi, assieme al momento in cui quella lunga giornata era cominciata, persino il motivo di tanto festeggiare. Iniziò in questo modo confuso la cerimonia dei saluti che, nonostante gli auguri, i baci, i sorrisi, apparve a tutti una sorta di ritirata da una pesante sconfitta, e il ritorno definitivo alle proprie schiavitù.

Perlomeno, questo fu quello che apparve alla Rosa, mentre una tristezza assoluta si impadroniva di lei nel momento stesso in cui la Mena si congedò tra le lacrime, abbracciata al padre, e più che a un matrimonio pareva aver partecipato a un funerale. Il signor Cesco, le pupille velate da un'ombra di commozione e di vino, da parte sua allungò la mano verso l'Ulisse e improvvisò un breve discorso dal filo logico piuttosto oscuro, parlando di sposi, di doveri, di treni e capistazione, fino quando pronunciò un'ultima, definitiva frase, ancora con la mano serrata a quella del nuovo genero:

«Ricordatevi che un uomo è sempre un uomo.»

La porta di casa si chiuse sull'eco di queste parole, lasciando la Rosa alla sua tristezza e a un marito all'improvviso silenzioso: l'Ulisse la guardava, fisso, da dietro uno sguardo tutt'altro che lucido. Era un uomo fatto, e di tutto quanto poteva accadere tra un maschio e una femmina conosceva abbastanza e abbastanza aveva praticato a pagamento. Ma forse, stordito anche lui dal silenzio in cui era piombata la casa dopo l'uragano delle feste, dritto di fronte alla moglie che lo osservava, sentì la tristezza che la avvolgeva così come un cane può sentire da due passi, nitido, un odore forte e conosciuto. Lo percepì, e l'atto con cui avrebbe dovuto, come dire, inaugurare quella nuova unione gli si presentò come una forzatura violenta, come un tramestare indebito tra le cose di una persona lontana.

Nella sua profonda natura di commerciante aveva sempre provato piacere nel contrattare, nell'arrivare per le vie lunghe all'obiettivo. Nel parlare, nel sapiente gioco del prendere e concedere, fino alla stretta finale. Quella tristezza che aleggiava, l'ora tarda, il vino e le libagioni rendevano quel percorso di una difficoltà eccessiva. Non amava la fretta e il tempo, tutto di un tratto, si rovesciò sulle sue spalle come un macigno insuperabile. Cosicché, muovendosi lentamente, oppresso da una stanchezza infinita, rivolse alla donna che aveva scelto per costruire la sua famiglia le parole che segnarono per sempre la loro intimità:

«Il sonno è la parte più importante della vita.»

Il matrimonio fu comunque consumato il mattino seguente, la testa sgombra dai festeggiamenti e dal vino.

All'inizio Ulisse cercò di essere cauto, premuroso, così come pensava si convenisse con una donna, la sua, che mai si era accostata a un uomo.

Infatti la Rosa era impaurita, spaventata dalla sostanza di quell'approccio di cui tanto si parlava tra le donne, al fosso, senza in realtà darne conto con precisione. Aveva nozioni vaghe circa l'armeggiare cui si andava accingendo il marito, e i dubbi erano amplificati dalle parole generiche e fuorvianti della sorella, che con mezze frasi, rossa in volto, rispondendo il giorno prima delle nozze alle sue domande, le aveva detto cose contrastanti e senza senso. Di tutto quel discorso, la Rosa ebbe chiaro solo che l'uomo avrebbe avuto l'incombenza di rovistare attorno alle sue parti basse, con l'arnese che il Signore gli aveva fornito in mezzo alle gambe e del quale aveva un'idea un po' spaventosa, riferita ai muli o ai cavalli in monta.

E poi la preoccupavano i modi strani dell'Ulisse, che all'improvviso si era fatto tenero e gentile, quasi mellifluo, prodigandosi in rassicurazioni e carezze così insolite da farle venire in mente quelle che lei, bambina, aveva visto ammannire dal signor Cesco suo padre al loro maiale prima di condurlo a scannare. La stessa intonazione, le stesse belle parole, e le carezze sul groppone forse a dispiacersi dell'assassinio, ma anche a pregustare il piacere di carne e salsicce, e prosciutti e altro da parte per un inverno duro.

Nella penombra della stanza illuminata solo dalla luce del lumino acceso al ritratto austero del suocero, Laerte, che appoggiato sul comò sbirciava verso il letto aumentando l'imbarazzo, la Rosa cercò in qualche parte di se stessa il senso del dovere che la convincesse a sposarsi al suo novello marito, e nello stesso tempo si ritrasse avendo davanti agli occhi la lama del macellaio e le urla strazianti lanciate dopo le carezze; questo finché la gentilezza dell'Ulisse scemò, e trascinato dalla natura che ormai inesorabile montava l'uomo si rovesciò addosso alla sua carne bofonchiando qualcosa di eretico circa le pie donne.

La Rosa sentì un bruciore forte dentro, una specie di strappo, chiuse ancor più forte gli occhi e quasi pianse, mentre il suo uomo si muoveva all'interno e fuori di lei. Le sembrò vento, un temporale, un cavallo che andasse incontro al mare da sopra una scogliera. Ebbe paura e si aggrappò più forte alle spalle dell'Ulisse che sbuffava, per un istante pensò ancora al maiale scannato e provò pena, una pena immensa, quasi un dolore che in quel momento lunghissimo le parve perfetto.

Poi la locomotiva fece una sorta di fischio, ringhiò qualcosa che sembrò un annuncio, una stazione, un rumore di freni. Quindi più nulla. Tutto quanto durò pochi minuti, ma quando il marito si ritrasse dicendole ancora di star tranquilla, che tutto era andato bene, ed era solo la prima volta, poi invece avrebbe provato il gusto per cui tutti lo fanno e lo rifanno, la gente tradisce, si ammala, persino s'ammazza per quello, alla Rosa parve di aver fatto una cavalcata eterna, scomoda e dolorosa, un lungo viaggio nel buio dal quale era finalmente emersa. A dispetto della gente che per quello s'ammazzava, pensò che il mondo davvero era una cosa storta, che non valeva la pena di dannarsi per tanto. Se Dio aveva stabilito le cose a quel modo aveva avuto certo le sue ragioni, ma erano troppo distanti, e oscure. Ragioni che, come diceva il prete all'altare, erano misteriose e strane.

Così come erano misteriose tante, troppe altre cose, pensò la Rosa dopo la sua prima volta d'amore. Il fatto che un bambino impari a parlare, e parlare in un modo a Colle Stazione e in un altro a Colle Alto, dove i discorsi avevano quell'andare piano, quasi una poesia, che li distingueva nel mondo. Anche i bambini erano strani. E i sogni. E le piante, come crescevano. E i temporali. La nebbia che a lei faceva paura. Il giorno e la notte, la terra che girava mentre tutti stavano fermi. Le parole, come si scrivono e come si leggono. E che cosa vogliono dire, che se metti in fila una C, una A, e poi una S e una A ancora fai una casa, e sai cos'è una casa. E il dolore, come ti arriva e come sparisce. La vita. La morte.

In quella stanza, tra il ritratto del signor Laerte e l'an-
simare del suo figlio steso vicino a lei, il suo fresco marito dal quale si alzava comunque, nonostante ogni bagno, un lieve sentore di suino, la Rosa venne assalita da
quei pensieri, e l'esser diventata donna, moglie fatta,
ormai definitivamente sposa, non le sembrò importante
come invece i destini delle cose che le giravano intorno,
eterne e misteriose.

Così si voltò verso l'Ulisse, e con una supplica, le lacrime agli occhi, gli espresse un solo desiderio, un unico
favore. Un giuramento.

«Prometti che non mangeremo mai più i maiali» gli
disse. «Giuramelo. In questo momento.»

Quando l'Ulisse arrivò dall'osteria portando dentro il
caldo della casa una ventata di aria gelida, carica di neve, la Rosa aveva appena spinto fuori da se stessa un
grumo rosso e bagnato che subito aveva cominciato a
muoversi e a belare come un capretto. La Maddalena, la
levatrice che per prima l'aveva preso in mano in questo
mondo, lo aveva capovolto, sculacciato con una pacca
in una parte cui solo un occhio esperto poteva dare un
senso, e poi aveva sentenziato con un sorriso:

«È una femmina, Rosa, una bella bambina.»

Poi, quasi assorta in una preghiera, aveva continuato:

«Femmina, donna, dolce sposina. Sia vita leggera per
questa piccina.»

Dalle urla che subito si erano levate, la Rosa ebbe
l'impressione che la sua nuovissima figlia avesse proprio bisogno di quell'augurio, per affrontare i primi minuti di una vita che in quel momento non sembrava per
nulla leggera. Il caldo, il freddo, il dolore che sentiva
dentro il ventre, la stanchezza. E al pensiero che anche
solo una piccola parte di tanto peso potesse gravare su
quel piccolo fagotto di carne le si strinse il cuore con
una fitta così forte da farla piangere.

La Maddalena invece sembrava raggiante e ora, lavata e asciugata quella salsiccia, l'avvolgeva in un panno, e la baciava, e la carezzava. Poi consegnò quel pallotto di cencio alla Mena e tornò a guardare tra le gambe della Rosa.

«Dio Benedetto» disse, «fatevi coraggio, avete qualcos'altro nascosto qui dentro, e questo vuole uscir come gli pare.»

Le altre donne si segnarono, qualcuna disse che bisognava andare a cercare un dottore, qualcuna iniziò a lamentarsi neanche stesse lei distesa a partorire. La Rosa era stravolta, all'idea di ricominciare da capo principiò a urlare e piangere disperata.

Per un attimo fu il caos, finché la Maddalena, probabilmente piccata per una così lasca dimostrazione di fiducia, alzò la voce più dei berci e delle preghiere, delle suppliche e dei pianti, e pur con il ritmo elegante con cui parlava la gente di Colle Alto, i pugni appoggiati sui fianchi urlò:

«Andate a belare dentro altre aie, che a far nascere i pulcini sono capace. Di culo, di chiappe, pure di traverso, ho colto cittini come fosser funghi. Lasciatemi da sola, che l'arte mia è cosa seria, e vuole silenzio, e pazienza, e conosce maniera.»

Poi allargò le braccia e le mosse sbattendole, così come faceva verso le galline in cortile per farle rientrare in pollaio dopo il pastone. Il viso rosso, borbottando miserie, lei che era grossa come un armadio di ciliegio cacciò in un momento le altre donne dalla stanza:

«Far nascere i cristiani non è una burla come il raccontare in tondo di comari. Dopo parlerete, dopo starete a dir della Maddalena che dalle donne cavava i figlioli come patate.»

Le cacciò tutte, in malo modo, anche la Mena che si stringeva la neonata al petto come fosse un tesoro suo, e restò sola con la Rosa, spaventata e stanca. Era una donna esperta, energica e capace, e in anni e anni passati a far nascere la gente da Colle Alto a Colle Stazione, fino alla Piana, al Padule Lungo e anche oltre, aveva imparato quanto strette e larghe fossero le vie che Cristo sceglieva per mandare le anime a tribolar nel mondo. Fin dal principio. In quel naufragio, dunque, non si aggrappò né alla disperazione né alle preghiere querule verso madonne o santi, e neppure ricorse ad arti magiche o alla forza che talvolta usano i medici dottori quando aprono la donna da sopra o estraggono il figlio con attrezzi strani, neanche fosse un turacciolo di botte incastrato, da tirare.

Usò dolcezza, carezze, parole di miele. Si sedette accanto alla Rosa che piangeva e le asciugò il volto con le mani, l'accarezzò, le massaggiò la pancia e intanto cominciò a raccontare con la sua cantilena dolce. La fasciò di parole in rima, di verbi lunghi e strani che si baciavano con aggettivi caldi come braccia di madre. La circondò di strofe, onde che pareva scendessero dall'alto e cadessero sul corpo disteso della Rosa come fa il mare quando gioca; e poi petali di viole, tante parole di viola che la coprirono con il loro profumo fino a pungerle il naso.

E intanto che raccontava, maneggiava la pancia della donna come fosse un rotolo di pasta frolla, morbido e molle, e così, tra le parole, il profumo di viole e le mani calde che le carezzavano il ventre, la Rosa smise di frignare e si abbandonò completamente a quel racconto strano nel quale lei si innamorava di un bambino chiamato Sole che sapeva raccontarle storie, lei vecchia, anziana e senza denti, e quel piccino biondo come il granoturco a raccontare cose che scioglievano le angosce.

Perse così il senso del tempo e il motivo per cui, fino a poco prima, era una donna sfatta e disperata, stesa su quel letto sudato e distrutta dal dolore che le mangiava la pancia, dallo sforzo, il sonno e la fatica.

Galleggiava in quello stato, come su una nuvola leggera, e solo quando la levatrice le mise accanto un batuffolo di lana grigia profumato di viole ritornò nella stanza, e vide spuntare dal mucchietto di lana un volto corrucciato e serio, il volto del figlio che aveva appena partorito, uscito da lei al contrario, tutto storto, annodato ma senza alcun danno.

La Rosa ebbe un tuffo al cuore, come se una discesa improvvisa l'avesse fatta precipitare in un baratro, un abisso senza fine. Era un abisso d'amore che le tolse il fiato, perché il volto di quel bambino era lo stesso che le parole della Maddalena avevano evocato durante il racconto del parto: un viso dolcissimo e antico, come di qualcuno che avesse da sempre conosciuto, contornato da un ciuffo dorato come il granoturco.

Lei lo guardò un momento, quel volto di parole, e nel guazzabuglio di confusione che quella vista le causava ebbe la certezza di esserne interamente innamorata, bagnata, inzuppata come una ciambella nel latte. Uccisa dall'amore.

Nel veder uscire dalla stanza la Mena con un fagotto in braccio, l'Ulisse sobbalzò e pensò "Ecco mio figlio", sicuro com'era che dal suo seme forte, e da una fattrice come quella che aveva scelto per moglie, sarebbe stato generato un maschio. L'avrebbe chiamato Achille, come suo nonno, appassionato d'epica, di Omero e di Grecia, che quella passione aveva imposto e tramandato alla famiglia durante le sere d'inverno passate attorno al camino a leggere l'*Odissea* o l'*Iliade*, o a declamarle ad alta voce nelle aie e nei cortili, i bimbi e le donne in religioso silenzio a immaginarsi battaglie e guerrieri, dèi e ciclopi.

Così l'Ulisse, alla vista del corpo minuto del suo primo figlio, vide invece di fronte a sé un uomo forte, alto, giusto come l'eroe delle cui gesta si era nutrito sin da piccino, lo vide nel luccichìo di scudi e di corazze, ritto di fronte a Ettorre; pronto a scagliare la lancia. S'avvicinò alla Mena e schiarita la gola, la mano destra sul fagotto che la cognata tremante ancora stringeva al petto, con voce forte parlò:

«A quella vista
saltò di gioia Achille, e baldanzoso,

Ecco l'uom, disse, che nel cor m'aperse
sì gran piaga, colui che il mio m'uccise
caro compagno: or più non fuggiremo
l'un l'altro a lungo pei sentier di guerra.
Disse, e al divino Ettòr bieco guatando,
gridò: T'accosta, ché al tuo fin se' giunto.»

Poi, rivolto alle donne ancora piangenti, la voce incrinata dall'emozione di quel momento per lui così solenne, disse:

«Non piangete, donne. La nuova stirpe è nata. Costui si chiamerà Achille, e sarà uomo forte e leale come suo nonno.»

Quindi levata in alto la mano che stringeva un invisibile calice, urlò:

«Lunga vita ad Achille Bertorelli, figlio d'Ulisse!»

L'augurio si perse nel silenzio appena rotto da un'eco flebile di singhiozzi di donna. Era la Mena che mugolava come un gattino, debolmente, ma non così tanto da impedire all'Ulisse di carpire la tremenda verità che gli andava svelando.

«È una bambina» mormorava la donna, «è solo una bimba.»

Il silenzio allora si fece totale, e molte paia di occhi scrutarono l'Ulisse con pena e apprensione. L'uomo avvicinò la mano al fagottino, tranquillizzò con un cenno la Mena che si ritraeva temendo chissà quali cruente vendette, e sollevò un lembo del panno svelando un viso raggrinzito che gli sembrò di vecchia.

Nella sua mente crollarono all'improvviso le corazze e gli scudi, le lance si infransero a terra con un fragore di tuono. "Una femmina" pensò, "dopo l'Euridice, e la Sparta, e poi la Rosa e la Mena, un'altra femmina a ingombrar la casa e la famiglia." Avrebbe pianto dalla delusione, avrebbe urlato se non fosse stato per quelle donne, sempre le donne, che lo circondavano di sguardi in attesa di una sua parola.

Da qualche nascondiglio della memoria, proprio come un demiurgo, gli apparve davvero l'Achille suo nonno, mentre con lo sguardo rivolto verso l'alto, quasi sognando, gli descriveva la bellezza di una donna per la quale si era combattuta una dura guerra. Elena, moglie di Menelao, rapita da vili troiani, Elena la cui bellezza l'aveva fatto innamorare quando era ancora un bambino incosciente dei mali del mondo, incolpevole, quasi quanto lei, oggetto di sventura e di vendette, così onesta da maledirsi per le colpe di altri.

Oh m'avesse il dì stesso in che la madre
mi partoriva, un turbine divelta
dalle sue braccia, ed alle rupi infranta,
o del mar nell'irate onde sommersa
pria del bieco mio fallo!

Di fronte al piccolo viso di sua figlia, quell'immagine di sventura lo turbò, lo turbò l'ingiustizia di quella punizione, e la forza di quella donna condannata dalla sua bellezza, e così gli sembrò di fare un atto di giustizia, un omaggio a colei che per prima lo aveva appassionato.

«Se è femmina si chiamerà Elena, come la più bella donna del mondo» disse senza far trapelare alcuna delusione. E mentre le donne, e la Mena, allargavano sorrisi di sollievo, aggiunse quasi tra sé una frase che nessuno comprese a fondo in quel momento felice. «E di questo non avrà colpa» disse l'Ulisse, «proprio per niente.»

La Rosa intanto, stordita dal parto e dall'amore, restava ancora coricata carezzando il secondo figlioletto, mentre la Maddalena l'accudiva nelle ultime cose dopo il travaglio delle nascite.

«Portiamo al padre e alle donne questo secondo angiolino» disse la levatrice «per scegliere il nome con cui attraverserà questo mondo, ché se la nascita è cosa dura, pesante è la strada e più pesante il cammino. Un bel nome può alleviare la fatica, è una finestra sull'anima, un segno divino.»

La Rosa rimase sorpresa. Al nome di un figlio non aveva mai pensato. A come poteva essere, quello sì, a lui da grande, alla preoccupazione che dovesse continuare il mestiere del padre e del nonno, cioè commerciare i maiali e portarli ai mercati, all'ingrasso e poi allo scannatoio. Aveva immaginato le sue mani, l'odore e la voce, una voce bella e squillante, e le risa. Ma il nome no, al nome non aveva proprio pensato.

Guardò la donna che l'aveva assistita in quelle ore, che le aveva tolto ogni paura, guardò le sue spalle forti, sentì la voce chiara come un violino o una tromba. Ricordò le parole, la dolcezza e le storie con cui la levatrice aveva ammorbidito il sangue di quel parto e provò commozione. Suo figlio avrebbe dovuto essere un omaggio a quelle onde gentili. Avrebbe dovuto sapere, conoscere la magìa del raccontare. Avrebbe portato il nome di chi l'aveva ammaliata.

«Si chiamerà come voi» disse la Rosa alla levatrice, e questa lasciò partire una risata. Le disse:

«È un maschio, Rosa. Sarebbe buffo col nome da donna. Il panciotto, i baffi, la pipa e il cappello e un bel nome di donna per star dietro ai maiali. Non sarebbe bello.»

«Allora si chiamerà Maddalena l'altra figlia. Ve lo giuro.»

Lo giurò baciando le dita in croce sopra le labbra, nonostante la Maddalena tentasse di fermarla.

«Aspettate il padre prima di giurare» le disse. «L'Ulisse avrà piacere di chiamarli come s'usa in famiglia, ché i Bertorelli son tutti come gli eroi dell'epica di Grecia.»

Ma la Rosa già non l'ascoltava. Vedeva un ragazzo biondo, alto, col panciotto, la barba, che le raccontava le storie davanti al camino, mentre lei sprofondava nel caldo, avvolta di parole.

«Sole. Lui si chiamerà Sole come il bimbo di cui mi avete raccontato» disse alla Maddalena, e questa si fece il segno della croce, e le disse che era fuori di senno, che le favole non sono la realtà e un nome è un nome, è

45

un fardello da portare nella vita, di fronte alla gente e al Signore.

«Appunto per questo, Maddalena» disse la Rosa decisa, «io voglio che il suo nome sia caldo, forte e pieno di luce.» Lo disse con fermezza, con una decisione che la donna non le conosceva.

La Maddalena la vide stesa, al chiarore del lume che la colorava di oro, lei e quel bambino che, se l'esperienza magica della maieutica non la tradiva, sarebbe stato senz'altro un bimbo speciale. Pensò alla fatica con cui era nato. Pensò al sangue. Pensò all'amore che lo sguardo della Rosa spargeva intorno davvero come il sole, e al profumo di viole che aveva invaso la stanza. Si sentì improvvisamente stanca. Tanto dolore, tanta fatica per far venire al mondo qualcosa che le pareva ogni volta un mistero, un intreccio di storie, un destino nascosto. Carne che avrebbe riso, sofferto, dormito, mangiato. Quel qualcosa era in quei bambini, e loro sarebbero cresciuti, avrebbero cantato e pianto, avrebbero corso e fatto altri figli e tutte le altre cose della loro vita, mentre alla Rosa sarebbe rimasto solo l'amore.

E un nome. Maddalena, che ora dormiva sul petto della Mena, mentre gli occhi delle donne e del padre la guardavano.

Sole, accanto alla madre, ignaro di tutto. La levatrice pensò che sarebbe stato forse un soldato come il suo primo figlio, morto fucilato in guerra di fronte a un muro. Di quel suo figlio le era rimasta una medaglia portata a cavallo da un bell'ufficiale, con sopra inciso un nome che non le era mai piaciuto. Il nome del suocero, come era d'uso, e così ora nel suo ricordo viveva stampato il suo bel viso assieme a un nome che lei non aveva partorito.

Si alzò dalla sedia, ancora asciugandosi le mani, si avvicinò alla puerpera e la sfiorò con una carezza.

«Sole è un bellissimo nome, Rosa, e voi fate bene. Gli illuminerà la strada durante il passo. Lo scalderà, lo porterà nel mondo non come un sasso ma come la luce che tiene lontani i mali.»

La Rosa annuì. «E state certa» disse alla Maddalena «che il mio ragazzo mai commercerà maiali.»

Alle mattane della Rosa l'Ulisse era avvezzo, ma questa dei nomi non gli andò proprio giù. Quando la Maddalena uscì dalla stanza con quell'altro fagotto in mano, la sua felicità raggiunse le stelle. Un maschio davvero. Dunque la sua esperienza non lo aveva tradito: la Rosa era davvero una buona fattrice e di figli gliene aveva dati addirittura due, per non sbagliare. La bimba, Elena, con viso da vecchina, e questa pannocchia bionda che profumava di viola, l'Achille con cui tramandare la stirpe.

I pianti delle donne s'erano tramutati in risa e lui aveva declamato versi di Omero e già attaccava l'aria di qualche bella romanza per festeggiare il momento solenne, quando saltò fuori quella storia dei nomi. La Maddalena disse del giuramento, di Elena e Achille che avrebbero dovuto essere altre cose.

L'umore gli si guastò, le urla sostituirono i canti. Da quando in qua s'era vista una cosa del genere, nel mondo? La donna che sceglieva i nomi dei figli! E l'uomo che stava là a fare? A rigovernare il macello di quella stanza piena di cenci sfatti e di sangue? E poi di questi giuramenti ne aveva piene le tasche e oltre, ché già doveva sopportare di non poter mangiare nella sua casa salsicce e prosciutti e coste di porco per la promessa fatta agli occhi umidi della moglie, la prima volta d'amore. Ma i nomi no, ora si passava il segno.

Così si piazzò di fronte al letto della puerpera e puntandole contro un dito come fosse un coltello le disse:

«Moglie, non s'han da fare altri scherzi, ché queste sono cose serie di molto. Il nome dei nostri figli sarà Achille come il mio avo ed Elena di Menelao, cantata da Omero. I giuramenti tuoi non contan nulla, sono refoli di vento, ragli di una giovenca spaventata che teme di morir per via del parto. Dei figli ti ringrazio, grazie per avermeli fatti. Ma sia ben chiaro: appena albeggia io salgo in paese e li scrivo col nome da cristiani che ho detto. Elena e Achille, figli d'Ulisse Bertorelli e di Rosa Baglini.»

Dopo di che girò i tacchi e uscì dalla casa senza neppure salutare i presenti, sparendo nel buio pieno di neve, verso l'osteria che ormai era chiusa da un pezzo.

Dove passò la notte l'Ulisse non si seppe mai, restò un mistero, ma alla prima messa dell'alba, lo scuro e il gelo ancora attorno alla canonica, era già lì a tirar la tonaca di don Ubaldo per obbligarlo a scrivere in fretta e furia i nomi dei figli sul registro della parrocchia, e a raccomandarsi per fissare il battesimo, neanche al Colle ci fossero centinaia di bambini che aspettavano impazienti l'acqua santa.

E allo stesso modo, non appena più tardi l'usciere del Comune aprì il portone per iniziare la giornata si trovò di fronte alla sua furia, a essere quasi spinto sulle scale fino all'anagrafe per fare da testimone alla dichiarazione di nascita dei suoi due eredi, che vennero iscritti dunque alla famiglia Bertorelli coi nomi di Achille ed Elena, come aveva promesso.

Quando l'ufficiale d'anagrafe ebbe finito di scrivere, l'Ulisse firmò con uno svolazzo a ricciolo in fondo alla *i* del cognome – come una coda di maiale, pensò – e solo allora distese un sorriso, sotto la barba lunga e l'aria disfatta. Strinse la mano all'impiegato che si congratulava e sentì tutta insieme la stanchezza e la gioia di quelle ore, di una notte agitata, dello spavento.

Sentì in mezzo allo stomaco un buco divorargli la forza e dovette sedersi un attimo sulla panca, all'ingresso. Una colazione allegra, pensò, e un bel bicchiere di vino per festeggiare il fatto. Così si rimise in piedi e a passo deciso scese fino all'Osteria Etrusca, ancora semivuota. Salutò l'oste, abbracciò il vinaio Morelli che già aveva saputo, e si sedette con lui al tavolo d'angolo, il suo preferito. Quindi ordinò del rosso generoso, «Quello rubino che tieni nascosto, vecchio furfante» disse rivolto all'oste, mentre alla moglie di questi che ritta di fronte al tavolo attendeva di prendere l'ordine comandò un piatto grande di prosciutto giovane, e un po' di lardo. Poi, non contento, verso la donna che già guadagnava la cucina urlò:

«E una bistecca alta. Che sia di maiale, mi raccomando.»

Quando il treno arrivò alla stazione del Colle, Ideale si nascose dietro le gambe di suo padre, e mentre sul marciapiede la gente si salutava, scendeva e saliva sulle carrozze, lui rimase immobile a sbirciare con sospetto le ruote della locomotiva che gli parvero enormi e tremende, avvolte com'erano dagli sbuffi caldi del vapore.

Anche il Maestro le guardava, e pensava a come le ruote avessero cambiato la sua vita; le ruote, forse addirittura le stesse che ora aveva di fronte, avevano fatto a pezzi Fosco Bartoli e il suo possibile futuro insieme alla moglie. C'era qualcosa di sinistro e tremendo in esse, eppure anche un fascino pieno di magìa nascosto dentro l'acciaio luccicante, nella forza misteriosa che poteva farle diventare lame mortali oppure ali per viaggiare veloci. La vita, la morte: tutto in quelle ruote fiammanti che avevano annullato spietatamente un uomo e avevano regalato a un altro l'opportunità di vivere assieme alla sua vedova.

Il Maestro provò una sorta di disagio, così scacciò dalla mente l'ombra di un sentimento indefinito, forse un rimorso, e alzando lo sguardo dalle ruote vide la gente ormai quasi tutta salita sulle carrozze, vide il macchinista sporgersi dal finestrino e parlare al capostazione e sobbalzò, rendendosi conto che avrebbe dovuto affrettarsi per non perdere la corsa.

Si voltò un attimo sperando di poter vedere da qualche parte il sorriso della sua donna, ma capì che nulla avrebbe potuto mai infrangere la paura verso i treni, le carrozze e qualsiasi mezzo provvisto di ruote. Così, con la mano libera dal bagaglio cercò di spingere Ideale verso lo sportello ancora aperto ma il bimbo, obbediente alle raccomandazioni della madre, rimase immobile e ben distante dal vagone.

Dovette prenderlo in braccio e ammansirlo con due baci su una guancia, e stringendolo salire prima che il capostazione lacerasse l'aria con un fischio acuto, salutato dalla risposta della locomotiva, un suono prolungato che parve a tutti un urlo.

Il treno si mosse quasi subito con il suo carico di gente, verso un'altra città. L'atmosfera era buona, persino festosa, soprattutto per la novità di scivolare su una strada ferrata, quasi un evento magico per molti passeggeri. Si potevano riconoscere anche prima di partire, i neofiti del treno: rigidi o curiosi, ciarlieri oppure muti per la tensione, affrontavano quel pezzo di futuro per la prima volta consapevoli di far qualcosa se non di temerario, certamente di strano.

Soprattutto quando, appena oltre il viadotto, il macchinista lanciò la locomotiva verso la campagna aperta, la sensazione di toccare una velocità che forse neanche al più sfrenato galoppo su un cavallo un essere umano si era sognato di raggiungere li rendeva tesi e attenti a ogni scossone, a ogni strappo che il traino trasmetteva alle ruote del treno.

Le persone già esperte di viaggi ferroviari se ne stavano invece tranquille, alcune sorridendo per i timori degli altri, o rassicurandoli con spiegazioni su come e quando il convoglio avrebbe accelerato, sulla velocità raggiunta, il tipo di locomotiva, la durata del tragitto. Anche il Maestro, non nuovo al treno, si premurò di parlare a Ideale, di indicargli le cose, raccontargli del viaggio appena iniziato verso la grande città di Milano e, poi, verso un Paese lontano chiamato Svizzera, verso un lago così grande che altro del Padule... E monti, monti altissimi come dalle parti del Colle neanche si sognavano. Un posto per la gente libera, dove stavano cavalieri della libertà e della giustizia: loro sarebbero andati a trovarli, e forse avrebbero parlato anche con il più importante di questi cavalieri.

Il Maestro parlava al suo piccolo figlio, ma in realtà parlava soprattutto a se stesso, raccontava a se stesso di Milano e della Svizzera per vincere la paura di andare in posti che non conosceva. Perciò, guardando dal viadotto lo specchio tranquillo del Padule, si immaginò un lago incastonato tra i monti, l'acqua profonda, di un azzurro così scuro da far paura, e le pareti di roccia che dal lago salivano fino alla neve, fino a toccare il cielo.

Guardando oltre il vetro del finestrino, il gioco dei riflessi fuse il profilo di Colle Alto che si allontanava con l'immagine del lago e dei monti, e il Maestro provò una stretta al cuore. Abbracciò ancora più forte Ideale, e capì che la propria vita non sarebbe mai stata tra quelle antiche case.

Ideale guardava le enormi ruote, e vedeva sua madre piangere mentre gli parlava, mentre lo pregava di non avvicinarsi mai a quei cerchi assassini. «Le ruote uccidono» ripeteva a lui e a Bartolo mentre uscivano per Colle Alto nel passeggio, e mentre lo diceva il suo volto esprimeva l'angoscia che l'assaliva. Al passare di un calesse, o anche soltanto di un carro lento trainato da un paio di buoi tranquilli, sua madre li attirava a sé come per difenderli dall'assalto di un nemico o, se i bimbi giocavano da soli sulla strada di fronte alla casa, li richiamava con urla che terminavano solo quando li aveva sottocchio, al sicuro.

I suoi figli, condizionati da quel terrore, svilupparono ovviamente una diffidenza verso le ruote, ma nello stesso tempo, così come succede spesso verso il proibito, accompagnarono la diffidenza a una buona dose di curiosità, in questo sostenuti dal padre che con la vedova era giunto all'accordo di permettere loro di usare carri, calessi o altro a patto che fossero accompagnati.

Così, se da bambini era abbastanza normale veder girare attorno al Colle quei fanciulli stretti a fianco del padre, quando le vicende che occorsero allontanarono il Maestro dalla famiglia ogni loro spostamento divenne complicato e persino ridicolo. I ragazzi, infatti, furono costretti a farsi accompagnare sempre da qualcuno per assicurare la tranquillità della madre finché lei, per amore del suo uomo, non immolò la propria serenità rassegnandosi ad accostarsi a quelle circonferenze che continuò comunque a considerare strumenti assassini.

Ideale, dunque, montò sul treno per il suo primo viaggio accompagnato dalla diffidenza ma, grazie alla voce pacata del padre che gli parlava di Milano e di laghi, della Svizzera e dei suoi cavalieri, il bambino iniziò a immaginare il luogo della loro destinazione come qualcosa di incantato e di affascinante, un giudizio che certamente contribuì a rendere quel viaggio per lui indimenticabile.

Quando poi, nel seguito degli anni, ebbe modo di verificare come anche i cavalieri della sua infanzia fossero uomini certo intrepidi e leali, ma comunque uomini, rimase pur sempre affascinato dall'idea che potesse esistere una speranza, un sentimento, un luogo, a volte anche soltanto un nome, come la Svizzera, che spingesse le persone a sognare, a desiderare, a battersi per raggiungerlo. E a viaggiare, come stavano facendo lui e suo padre, in mezzo a tutta quella gente, stretti uno accanto all'altro, dondolandosi su un vagone, per ore e ore.

Viaggiarono lambendo l'acqua del Padule, in mezzo alla campagna, dentro la pianura su fino alla città di Milano, e poi da lì in carrozza fino a un grande lago. Ideale vide i monti alti di quel misterioso Paese, vide la neve, ci passò in mezzo come in un sogno, fino alla casa dei cavalieri dove si abbandonò nel letto a un riposo che gli parve eterno. Di quel viaggio gli piacque tutto, persino quel vagone stretto e affollato nel quale il tempo gli sembrò infinito. Gli piacquero la voce profonda, i modi e l'odore dei cavalieri, e poi l'avventurosa salita con la carrozza sul monte della Svizzera che per tutta la sua vita ricordò come il posto più vicino al cielo dove fosse mai stato.

Nel momento in cui giunsero al valico, il conducente fermò i cavalli alla stazione di posta, e lui, assieme al Maestro e agli altri passeggeri, si avviò verso il belvedere da dove si vedeva la valle stendersi in basso, ai loro piedi, come se stessero volando. Ideale si strinse al padre, fasciandosi dentro il suo mantello per ripararsi dal freddo e dall'emozione.

«Guarda qui sotto, figliolo» gli disse il Maestro, «la terra dura, fatta di roccia e ghiaccio, dove l'uomo suda la sua vita, vive e lavora. Là sopra il cielo, sede delle speranze, dei sogni leggeri come l'aria e le nuvole che lo compongono, casa di tutti i falsi dèi. Questa è la nostra condizione, sospesi tra la terra e il cielo, piccoli e dispersi, incantati dall'alto dalla luce eppure destinati a guadagnare il pane nel basso suolo.»

Ideale non capì quel discorso fino in fondo. Seguì soltanto il braccio del padre che indicava e vide, dal basso di una valle stretta, rigata dall'acqua di un fiume, dove le alte pareti dei monti nascondevano alle poche case il sole che stava tramontando, salire l'oscurità e spandersi man mano che la gola si apriva verso il cielo, e poi il cielo esplodere dallo scuro alla luce di un azzurro di matite colorate, e dentro quell'azzurro due nuvole di cotone bianco, incendiate di arancio nella parte superiore.

Vide tutti quei colori e non ebbe dubbi: tra quella fossa scura e l'azzurro denso del cielo, casa di tutti i falsi dèi, scelse per sempre il cielo e le sue nuvole d'ovatta.

A Lugano e a Locarno il Maestro incontrò alcuni dei suoi amici di un tempo, e molti degli altri anarchici che con Bakunin progettavano un'insurrezione. Aveva del denaro e materiale da inoltrare a Milano, nascosto nel bagaglio e nel mantello del bambino: un padre e un piccolo bimbo che non avrebbero dato troppo nell'occhio durante il lungo viaggio e i controlli.

Tutto andò per il verso giusto, e qualche giorno dopo furono di ritorno al Colle ad abbracciare Bartolo e la vedova, ad accrescere l'amore e la famiglia. Per diverso tempo la loro vita scivolò tranquilla, allietata, qualche anno più tardi, dalla nascita di un altro figlio al quale venne imposto il nome di Mikhail: la vedova era felice, e allo stesso tempo preoccupata per quello strano senso che hanno le madri e le mogli nell'annusare i pericoli incombenti sulla felicità della loro famiglia. Con gli anni aveva imparato a conoscere le idee, la sostanza degli studi del Maestro, della sua fitta corrispondenza, e le sue assenze dal Colle.

L'amore con cui l'aveva abbracciato non le permise di portare nessuna obiezione a quell'attività che avrebbe potuto procurare guai e disagi. Ella comprese nel suo sconfinato sentimento l'amore per ogni azione che quell'uomo profuse in nome della dignità e della giustizia sociale.

Quando infatti, qualche anno più tardi, il Maestro ebbe il fondato sospetto di essere coinvolto in una serie di arresti che stavano seguendo le inchieste poliziesche sull'attività degli anarchici, parlò con franchezza alla sua donna per svelarle una preoccupazione che ormai non lo lasciava riposare. Svegliò la vedova, la notte ancora alta, per confidarle il suo presentimento.

«La polizia non tarderà a venire» le disse, «hanno arrestato già molti miei compagni e presto arriveranno fino a me, ne sono certo. Forse dovrei fuggire e tentare di riparare in Francia, piuttosto che subire la carcerazione, ma non ho l'animo di lasciarti, di lasciare te e i bambini. Come potrete fare da soli, come vivrete senza me a fianco?»

La risposta della donna lo lasciò di stucco.

«Amore mio, il pensiero che tu te ne vada mi strugge, è chiaro, nello stesso modo in cui preoccupa te e non ti lascia dormire. Ma più mi struggerebbe vederti costretto in carcere, e torturato, privato della libertà e ridotto schiavo. Dunque non esitare, e fuggi prima che arrivino

55

ad arrestarti. Ho affrontato la solitudine e un figlio piccolo dando a pigione le stanze della casa, e così faremo in futuro, non te ne dar conto.»

Poi lo strinse in un abbraccio, un bacio d'amore lungo quasi tutta la notte, mentre lui la carezzava piano, le rivolgeva promesse, rassicurazioni per un domani felice insieme che sarebbe presto arrivato. Prima che l'alba schiarisse l'aria si levarono, prepararono in fretta un leggero bagaglio e quindi il Maestro si avviò verso il cancello della casa. Mentre l'uomo si apprestava a partire la vedova Bartoli lo abbracciò con una forza disperata e, con una voce rotta che incrinava la fermezza con cui aveva fino allora affrontato quella difficile separazione, gli disse a un orecchio:

«Di una cosa sola ti scongiuro: fai attenzione alle ruote.»

Dal giorno successivo alla nascita dei gemelli, la Rosa dimostrò un cambiamento evidente persino agli occhi del più distratto passante della Piana. Infatti, dal momento in cui la Maddalena estrasse dal suo ventre la piccola dal muso di vecchina e quella pannocchia lucente profumata di viola, il suo volto perse la ruvidezza di ragazza di campagna quale era stata fino ad allora, per addolcirsi in lineamenti così delicati da ricordare il profilo delle colline coricate dietro il Padule Lungo. E anche il suo corpo, dalle caviglie massicce ai fianchi larghi e ancora su, fino al petto forte e alle spalle, quasi avesse subito con la maternità una sorta di maturazione, sbocciò in una pienezza e in un equilibrio di forme tali da illustrare a tutti, e in modo chiaro, che cosa si intende parlando di splendore.

Così non fu raro che, approfittando del tepore della primavera come scusa, un passante si soffermasse di fronte alla casa col pino per ammirare la Rosa mentre riposava sulla panca accanto alla porta, seduta al sole tiepido dopo la fatica di allattare due bocche voraci, o soltanto si avvicinasse a lanciarle un saluto cortese, o addirittura tentasse di sbirciare tra le persiane socchiuse sperando di incrociarne furtivamente lo sguardo.

Il fatto fu che, accanto a questa fioritura di bellezza, la Rosa mutò anche di carattere e di modi, pur continuando a mantenere una certa cortesia e una timidezza di fondo. Al marito, se pur distratto dai suoi affari, e soprattutto alle donne di casa, per prima la Mena che le era sorella, fu facile notare come, nel giro di un tempo così breve, la ragazzotta quasi goffa e incerta di prima si fosse tramutata in una persona diversa, che racchiudeva in sé i toni dolci e comprensivi di una novella madre assieme alla sfuggevolezza e al fascino di una grazia nuova e improvvisa tale da renderla, da quel giorno, senz'altro una bella donna.

L'Ulisse era troppo preso dai suoi commerci e dall'entusiasmo per la nascita della prole per dar peso a qualità che, in ogni caso, non avrebbe mai saputo apprezzare. Fu invece decisamente più colpito dall'accentuarsi dell'incapacità organizzativa che la moglie aveva dimostrato fin dai primi momenti del loro matrimonio. Da quando la famiglia si era accresciuta, era stato quasi impossibile sedersi a tavola all'ora canonica del desinare, e allo stesso modo la confusione e il disordine della casa erano state arginate soltanto nei momenti in cui la Mena si era attardata a rigovernare e sbrigare le faccende.

Se in un primo tempo l'Ulisse aveva attribuito tali inefficienze alla novità della maternità e alla difficoltà nell'abituarsi ai ritmi che due creature affamate imponevano, ben presto cominciò a temere che lo sforzo del parto avesse decisamente turbato la Rosa visto che non era insolito sorprenderla a osservare un bicchiere colmo d'acqua per interi minuti oppure, dentro il buio più nero, trovarla intenta a spiegare al gatto il funzionamento della lanterna, senza contare la fermezza con la quale, nonostante proibizioni o preghiere, lei si ostinava a non chiamare i figli con i loro nomi di battesimo, ma con quelli che aveva deciso in un momento di mattana.

L'Ulisse ricordava di aver sentito di puerpere impazzite per via del parto, donne energiche divenute all'improvviso una sorta di meduse umane, acquose e inconcludenti; o altre, tenere e affettuose madri che si erano scagliate su figli o mariti compiendo le più orribili nefandezze. Con questo stato d'animo, l'uomo si impose di pazientare, sorvolando sulle manchevolezze domestiche della moglie, accettando l'aiuto che la Mena e la Zi' Sparta offrirono in quei frangenti.

La situazione precipitò una notte di primavera tiepida e illuminata da una luna d'argento. L'Ulisse si svegliò solo nel grande letto, mentre un rumore strano, come una cantilena di piccoli grugniti, attraversava la casa.

«Rosa...» chiamò, quasi sussurrando per il timore di svegliare i piccoli. La mente ancora impastata dal sonno, si sforzò di capire da dove provenissero i rumori. Come quasi sempre gli capitava quando era felice, aveva sognato di fare una buona vendita di maiali, ma il senso di contentezza che quel sogno gli procurava era ora incrinato da quella situazione misteriosa e inusuale.

L'Ulisse si alzò, come un sonnambulo allungò le braccia di fronte a sé e si avviò in direzione del brusio. Quando arrivò con la punta delle dita a toccare l'uscio l'aprì con cautela, e trattenne il respiro.

La grande cucina era deserta, la luce della luna penetrava dalle finestre come un faro, tagliando di netto il buio e gettando sugli oggetti di casa un alone misterioso che glieli rese all'improvviso estranei. All'esterno, seduta sulla panca, se ne stava la Rosa, neanche fosse al sole del pomeriggio. Pareva cantasse, anzi borbottasse, anzi facesse strani versi gutturali prima, e poi parole, e poi un fischio o che altro diavolo l'Ulisse, ancora frastornato, non sarebbe riuscito a dire.

L'uomo, davvero come in un sogno, si avvicinò lentamente alla finestra per capire, e quasi svenne per quello che vide. Vide la moglie, illuminata d'argento, cullare un piccolo maiale come fosse un suo figlio, e accanto, nella cullina, i loro figli veri, umani, sgambettare felici al suono della cantilena allegra della madre.

E se già quella scena lo riempì di spavento e di orrore, le parole della Rosa furono una pugnalata al petto, un tonfo al cuore, e si tramutarono, all'istante, in una rabbia sorda e una voglia di vendetta per quel dispetto che la donna stava facendo alla sua persona e alla sua stirpe. Perché la filastrocca, la cantilena, l'ignobile canzonetta che coronava quella scena da pazzi raccomandava a suo figlio di non commerciare né ammazzare i maiali, di amare gli animali e aver pietà dei suini che vengono uccisi da barbari assassini con un colpo alla gola, dissanguati e mangiati, senza avere una colpa.

La misura era colma. Qualcosa dentro l'Ulisse si ruppe con uno schianto di ferro. Sentì le vene diventare di fuoco e la testa scaldarsi come per una sbornia improvvisa, ma di vino cattivo. Poi, proprio un attimo prima che la rabbia scoppiasse come un temporale, illuminata da una luce maligna, e tra i grugniti, l'Ulisse chissà perché non vide la Rosa ma la bella Circe, perfida, e attorno gli itacensi tramutati in maiali per magìa e così, fendendo la lama di luna, partì all'attacco a difendere i suoi e l'onore.

«Vile creatura, torbido essere che tenti di ammaliare gli innocenti con pratiche ignobili al chiaro di luna, ora ti faccio assaggiare io il sapore del sangue, che tu possa una volta per tutte capire qual è dell'uomo e quale dell'animale!», e intanto saltò il davanzale con un balzo, avventandosi sulla moglie.

Spuntato all'improvviso, avvolto dal candore della camicia da notte, alla Rosa apparve quasi come un fantasma, e dunque urlò di terrore, lasciando cadere il maialino che sparì nel buio, mentre i neonati iniziarono subito a strillare. Ma l'Ulisse le era già sopra e aveva cominciato a strattonarla e darle ceffoni con quelle sue mani grandi come pale.

«Altro che follia e altro che parto. Io ti ravvedo a manate, donna ingrata e malsana» urlava l'uomo menando come un ossesso.

Dal casotto dietro la stalla, dove dormiva, arrivò di corsa il Mero, l'uomo di fatica, che a stento riuscì a sottrarre la Rosa a quella furia, mentre l'Ulisse era rientrato in casa a vestirsi.

Chiamarono il signor Cesco e la Mena, che si occupò di tranquillizzare i piccoli e di accudire la sorella. Quel che si dissero i due uomini restò un mistero, si chiusero in un parlare fitto che durò tutto il resto della notte e anche un po' del mattino, finché il signor Cesco, gli occhi cerchiati dalla stanchezza e dall'umiliazione, salutò con una stretta di mano l'Ulisse ed entrò nella camera dove le sue figlie si erano ritirate insieme ai nipoti.

Da quel buon uomo che era, aveva intenzione di fare una dura filippica alla Rosa, per richiamarla una volta per tutte ai suoi doveri e alla realtà. L'Ulisse era una persona onesta, benestante e lavoratore. Avevano casa e quanto necessario per crescere i figli, e dunque niente più mattane, in nome del cielo e della buonanima di sua madre, che Dio sa quanti sacrifici aveva fatto per tirar su le figlie come si deve. Questo e altro le avrebbe voluto dire, ma quando fu di fronte alla Rosa e vide la perfezione della sua nuova bellezza oltraggiata dagli effetti dei ceffoni, e il suo sguardo che nonostante le botte e la mortificazione si manteneva asciutto e alto, le si avvicinò e la baciò con una delicatezza inaspettata, quasi avesse timore di rompere un vaso prezioso, fragile e incrinato. Quindi, scansò la Mena, si fermò di fronte al lettino dove riposavano i nipoti e, dopo un buon paio di minuti durante i quali sembrò essersi come assopito, partì di scatto verso l'uscio gettandosi nella stanza dov'era l'Ulisse.

Nonostante le porte e due spesse pareti a dividerli, le donne udirono la voce del signor Cesco tuonare come una tromba del Giudizio, affossare quella dell'Ulisse, avvinghiarsi a essa, circondarla e soffocarla con una passione e una forza che la Rosa non scordò più per tutta la vita.

Un treno, una caldaia a vapore, un ringhiare d'acciaio che in certi momenti fece temere l'esplosione, ma che invece filò dritto e spedito, accelerò e rallentò, usò sentimento e ragione, usò giustizia e minacce, usò vagoni di dignità, alzò la pressione e cambiò binario e alla fine, rallentato e tranquillo, arrivò alla stazione.

A mattino fatto, dalla stanza uscirono il signor Cesco e

l'Ulisse che lo seguiva in silenzio, il volto rosso come un peperone. L'uomo arrivò sull'uscio, e si voltò, con voce decisa e secca puntò il dito verso il genero che gli stava di fronte:

«E ricordatevi» disse con piglio inequivocabile «che se un uomo è sempre un uomo, una donna è sempre una donna.»

Se fino ad allora i rapporti tra l'Ulisse e la Rosa non erano mai stati appassionati, quanto accadde in quella notte contribuì a rendere ancora più lontane le loro vite. Del resto non avrebbe potuto essere altrimenti, considerato che l'uno era uno spirito essenzialmente pratico, amante della compagnia, del vino, del buon mangiare e del commercio, e l'altra era invece una persona timida, riflessiva, incline al dubbio e al sentimentalismo.

Né, dopo la prima notte di nozze, la Rosa cambiò più di tanto il suo giudizio sulla questione dell'amore. Aveva un bel sdilinquirsi, l'Ulisse, in paroline dolci e carezze subdole, flautando la voce nel buio, e ricamando coroncine di «Rosina, Rosina mia bella regina» con le quali invitare la moglie ad abbracci vogliosi. Quel mutarsi in falsetto, quell'ammannire bacini e frasette non servì mai a convincere la Rosa della bontà del susseguente assalto alla sua carne, del grugnire e sbuffare del marito fino al liberatorio ultimo soffio dalle narici a segnalare l'arrivo della corsa.

Se l'Ulisse, dunque, cominciò a passare l'intera giornata per le stalle e per i mercati, seguendo un commercio che la moglie continuò sempre a ritenere un massacro, la Rosa spendeva il suo tempo nella cura dei loro figli. Fu una madre attenta, gentile e, per le abitudini di allora, originale. Non erano anni, infatti, in cui ai bambini si prestassero attenzioni e cure particolari, per lo meno non come quelle con cui la Rosa crebbe i suoi figli. La mentalità, la durezza della vita, le conoscenze e lo spirito del tempo gettavano i fanciulli nel mezzo di un'esistenza che era difficile e faticosa sin dall'inizio. Avrebbero dovuto guadagnarsi rispetto e voce negli anni, per essere uomini e donne fatti, ma prima erano foglie al vento, fragili cose in balìa del mondo.

Per la Rosa no. I suoi figli furono persone, furono lo specchio nel quale raccontare se stessa e crescere assieme a loro, attraverso gesti e parole, attraverso oggetti, ricordi e sensazioni, e li crebbe così, usando quella particolare attenzione che è l'amore, l'ascoltare ogni voce, il vento, il buio, l'attesa, l'infinito complesso di piccoli momenti preziosi grazie ai quali condusse i suoi figli fin dentro la vita.

La gente della Piana, all'inizio, e poi di Colle Stazione quando la grande casa dei Bertorelli fu pronta, pur giudicando la Rosa come una donna eccentrica, dovette convenire della bontà delle sue capacità di madre, visto che la Maddalena, e il biondo Sole finché rimase tra quelle case, si comportarono sempre con generosità e rispetto verso tutti e in ogni frangente, anche il più delicato che la storia decise di far vivere loro.

L'Ulisse non approvò mai i contatti stretti, affettuosi e pieni di attenzione che la madre aveva coi figli, non tanto per una sorta di gelosia, come talvolta succede tra gli adulti, ma per la lontananza del suo carattere da certe promiscuità. In breve, giudicò sempre una perdita di tempo tutto quanto la Rosa spese in premura e dolcezza verso la loro prole. Quello che il signor Cesco gli disse durante il loro furibondo colloquio la notte dell'incidente forse gli impedì di interrompere con brusche maniere l'operare della moglie e così si limitò a ritenerlo, fino alla morte, una stramba fissazione pedagogica, l'ennesima espressione delle sue mattane. Al di là di ogni ulteriore discussione, semplicemente rinunciò a interessarsi più di tanto all'educazione dei figli, con l'unico, cocente, indigeribile rammarico di non poter trasmettere l'eredità del suo commercio al figlio maschio, che per tutta la sua vita non cessò di chiamare col nome che aveva scelto la prima volta in cui la levatrice glielo aveva mostrato arrotolato in un grumo di lana. Achille, lo chiamò, sempre, e nonostante il bimbo, avvezzo al nome con cui lo voleva la madre, si ostinasse a non dar cenno o a tardare una risposta.

Soltanto per la femmina i coniugi sembrarono arrivare a un accordo sia per il nome che per una parte della sua educazione. Il padre iniziò a chiamare la piccola Elena col diminutivo di Elenina, mentre la madre, per la quale la bimba fu sempre e soltanto Maddalena, visto anche che questa cresceva con lentezza e si dimostrava piccola e minuta, principiò ben presto a chiamarla Maddalenina, con un'assonanza verso l'appellativo paterno che entrambi, nel tempo, quasi per tacito accordo, congiunsero in un comune Annina che mise fine per sempre alla questione.

E quando la bimba ebbe circa quattro anni, la sua indole generosa fu fondamentale per la soluzione di una penosa situazione, in una maniera salomonica e pacifica. Successe una sera d'inverno fredda di vento, quando l'Ulisse rincasò più tardi del solito spalancando la porta ed entrando con passo malfermo nella grande cucina dove la Mena, come da ormai molto tempo era usa, si era trattenuta a rigovernare e preparare i piccoli per la notte.

«Un uomo incapace e finito, ecco cosa sono» disse borbogliando, pieno di lacrime.

«Non ho un futuro, e non ho niente. Sono una nullità senza tempo» mugolava l'uomo accasciandosi in singhiozzi sopra una sedia. La Rosa frattanto era sbucata dalla porta a vedere che diamine stesse capitando, e di chi fosse quel pianto a dirotto. Rimase stupita, la Rosa, nel vedere l'uomo, che pur un tempo aveva amato per il suo portamento austero, ridotto ora a un cencio disfatto dalle lacrime.

Il marito piangeva il destino, piangeva la sorte di non avere un figlio da portare al mercato, di essere solo come un cane.

«Negletto, meschino, reietto» così si dannava l'Ulisse, affranto, col capo riverso su un braccio, quasi per nascondersi al mondo, alla gente, persino a se stesso.

Seppure perso nella disperazione guardò, forse sbirciò verso la luce e vide la moglie stupita, ferma sull'uscio a osservare lo sfacelo di un uomo, di un padre, di un commerciante stimato che in preda al filtro del vino leggeva il suo futuro di fallimento. Così ebbe un moto di orgoglio, o forse volle solo fuggire. Si alzò dalla sedia, si mise con fatica diritto e fissò negli occhi la donna, scambiando con questa un'attesa di sguardi.

La Mena ebbe vera paura. Tremò nel suo intimo temendo sfracelli, pensando a un ritorno della notte famosa in cui l'Ulisse aveva visto Circe davanti e cercato giustizia menando fendenti. Si strinse a Sole, e con la mano cercò ti tirarsi vicina l'Annina.

Tutto fu immobile, sospeso nel tempo per un lungo momento, come se un incanto avesse gelato le vite di tutti. Statue, la Rosa e l'Ulisse, a fissarsi dritti negli occhi, la Mena stretta a Sole, la mano protesa, l'Annina da un lato. Un monumento.

Quel silenzio tombale, un'attesa di guerra, fu rotto dal rumore dell'Ulisse che si muoveva, ma non per partire verso la Rosa in un atto d'offesa. Soltanto scivolò a terra, si mise in ginocchio, e dal profondo di quel corpo accucciato emerse un pigolìo che nessuno, mai, avrebbe potuto attribuire, durante la vita normale, a quell'uomo imponente e austero.

«Un figlio, Rosa, almeno una mano che mi accompagni per strada dopo il mercato» implorò biascicando.

La donna lo guardò, e pensò ancora ai misteri di cui ogni giorno parlava con Sole e l'Annina. Pensò alla solitudine. All'azzurro perduto del cielo. "L'azzurro nasconde linee infinite" si disse "e gli uomini si riempiono di solitudini e di niente." Si propose in quell'attimo di parlarne ai figli e le venne voglia di dipingere di azzurro le porte della casa per dare una speranza di fuga alle pareti, al bianco dei muri che il fumo a poco a poco stava trascinando nel grigio.

Guardò il marito e non provò amore, però non provò neppure rabbia o risentimento. Provò dolore, un dolore fulminante e perfetto che scivolò lentamente nella pena. Avrebbe voluto parlare, ma sentì con nettezza che nessuna parola le sarebbe spettata. E neppure un gesto. Un martello forse, ecco, forse un martello sarebbe appena bastato a scalfire il muro di vita che li divideva.

Fu l'Annina a sapere. Fece appena tre passi, cambiare la vita a volte costa solo tre passi, e fu di fronte all'Ulisse, al quale disse con la sua voce di vecchina:

«Non piangete, padre, che domani per andare a Portale la strada è lunga e presto s'ha d'andare. Vengo io con voi, non temete, e vi do la mano a farvi compagnia, e vi recito la filastrocca. Ora a dormire, perché la notte è buia, profonda e fa spavento.»

Così dicendo si sporse per aiutare il padre ad alzarsi, poi si voltò verso il fratello, e insieme corsero veloci verso il caldo del letto.

Pur non essendone del tutto felice, la Rosa accettò di buon grado le conseguenze della generosità dell'Annina, e finché i maiali furono il provento principale dell'economia familiare rispettò la scelta della figlia di andarsene per mercati dietro un branco di porci.

Dal canto suo l'Annina si mostrò sempre contentissima di quella sua offerta, pur con tutte le difficoltà e i problemi che, anche per la sua tenera età, dovette affrontare.

Nei giorni di mercato l'Ulisse, infatti, era solito levarsi molto presto per preparare i capi da trasportare e dunque anche la piccola, specialmente nella stagione invernale, dovette adattarsi a sveglie scomodissime. Inoltre la meta era in genere abbastanza distante e, comunque, data la lentezza dei suini, occorrevano sempre parecchie ore per raggiungerla.

Nonostante tutto questo, l'Annina mostrò di amare moltissimo quei momenti, non rinunciando mai una volta agli inviti del padre e sopportando senza lamenti le fatiche di quelle giornate nelle quali, anzi, mostrava un entusiasmo e una serietà ammirevoli. Per la sua indole e per la sensibilità appresa dalla madre, la bimba colse ognuno di quei giorni come un'occasione nuova di conoscenza e di piacere.

Conobbe così il gelo dei mattini di febbraio, e i disegni folli e perfetti della galaverna sui rami. Vide albe e tramonti stendersi sopra le colline appena segnate dalle strade polverose, sentì profumi sublimi e puzze nauseabonde, osservò la fatica del lavoro e la miseria degli animali condotti alla morte. Assistette al teatro del commercio, ascoltò litigi e consigli, chiacchiere insulse e discussioni profonde, carpì ogni sfumatura e osservò ogni dettaglio di quello che gli uomini fanno in un mercato.

E anche quando quei viaggi si complicarono a causa dell'Ulisse, e ancora oltre, quando le cose della vita le serbarono ben altre prove, l'Annina continuò a considerare il periodo in cui accompagnava il padre al mercato come uno dei più belli che avesse mai vissuto.

Così crebbe l'Annina, quasi unico tramite tra il mondo del padre, fatto di maiali, di mercati, di osterie, di durezza e odori forti, e quello della madre e di Sole, tutto casalingo, pieno di sogni e di parole. Quella minuta bambina poteva indifferentemente accompagnare una mandria di suini per i tratturi delle campagne cavalcando a pelo un cavallo come passare tranquille ore in riva al Padule divertendosi a seguire i percorsi misteriosi delle formiche o dei girini; essere capace di sostenere lunghe ore di cammino con ogni tempo e assistere a risse e feroci discussioni come trascorrere piacevoli pomeriggi assieme al fratello ad ascoltare la Rosa e la Mena raccontare le vite insignificanti e magnifiche della gente che da millenni abitava al Colle, prima ancora che quel posto vedesse arrivare la ferrovia e le diavolerie che si stava trascinando dietro.

L'Annina pareva viaggiasse leggera tra quei due

mondi distinti, senza contrapporli, senza afferrare la frattura che si apriva dentro una tranquillità che lei sola viveva. Fu soltanto molto più tardi, ormai ragazzina, un giorno di primavera che se ne stava in silenzio, distesa sul prato a guardare dentro il cielo. La Rosa era assopita al suo fianco, avvolta in un largo vestito celeste, e Sole aveva appena finito di raccontare la storia di un medico vestito d'una marsina azzurra, che girava il mondo curando i balocchi. Tutto, attorno, pareva essersi zittito, e l'Annina era intenta a respirare la preziosa sospensione in cui le parole e le immagini riempiono l'aria. Colori, forme, musica del silenzio.

In quel preciso momento, dal fondo della collina, dov'era la grande casa dei Bertorelli, un refolo di vento portò un rumore aspro, condito dall'afrore pungente dei suini. Un urlo, un'imprecazione e infine una bestemmia forte. L'Annina volse lo sguardo verso il basso, e vide l'Ulisse e il vecchio Mero agitarsi in una discussione: questioni di soldi, pareva, una vendita errata, uno sgarbo a un cliente. Capì l'argomento, si trattava del Bondi e della scrofa che l'Ulisse gli aveva promesso. L'indomani al Portale il padre si sarebbe trovato in un grande imbarazzo. Ormai lei conosceva bene il mercato, e immaginò il vociare, e gli insulti, l'ira dell'Ulisse, la foga con cui avrebbe dovuto difendere l'onore del commercio, per una promessa che non poteva mantenere.

L'Annina si voltò, vide la madre e il fratello assopiti. Di sopra il silenzio, di sotto maiali. Pensieri, fantasie e cose sognate, ma anche realtà, il sangue, l'odore dell'uomo. Parevano opposti, eppure, quel giorno, lei li sentì uguali. Due facce del mondo, materia e astrazione. Merda e ragione con cui siamo fatti. Ma poi vide una lacrima scivolare dagli occhi della Rosa che pareva assopita, distesa sul prato tra le urla sconciate. Volse ancora lo sguardo, l'Annina, e vide suo padre, giù in basso, che si era fermato e adesso, alzata la testa, la puntava in silenzio. E fu in quell'istante, in quel preciso momento, che comprese l'abisso totale non tra due mondi, ma tra le persone. Le cose son cose, hanno una vita loro, hanno forme, pensieri, hanno età e persino un colore. Siamo noi a dividere, a costruire barriere, ad alzare, abbassare, a dire chi è buono e cosa invece è peggiore. L'Annina capì così la distanza tra la madre e l'Ulisse. La sentì forte, batterle il petto. Una botta improvvisa, una crepa sul cuore. La ferita bruciante di un dolore perfetto.

Dopo la nascita dei gemelli, e dopo tutto quanto era successo nella convulsa notte dell'incidente, la Rosa si perse nella sua particolare cura dei figli, dando sempre meno importanza e attenzione alle esigenze della casa. In un primo tempo, l'Ulisse si risolse ad accettare l'aiuto della Mena la quale, nel tempo, diventò una presenza continua. A questo si aggiunse il fatto che la Zi' Sparta, ormai decrepita, non poté più restare sola nella casa del Mulino, e obbligò il nipote a prendersi cura di lei direttamente. Inoltre la Rosa, proprio in quello stesso periodo, portando come scusa l'insonnia che le procurava il forte russare del marito, decise di spostarsi a dormire in un'altra stanza.

Per questi motivi, all'Ulisse la vecchia casa col pino cominciò ad apparire triste, ostile e poco adatta a una famiglia che si era ingrandita oltre la misura prevista. Queste impressioni gli furono confermate la notte fredda d'inverno in cui, rincasando come al solito a tarda ora e alticcio per il vino, trovò la cognata Mena a dormire in una branda accomodata nell'ingresso, essendo la stanza che era solita usare ormai occupata dalla vecchia Zi' Sparta. L'Ulisse bestemmiò a denti stretti, scansò il giaciglio della cognata e si diresse verso la camera da letto. Non appena chiuse l'uscio, il pur tenue lume acceso di fronte al ritratto del vecchio Laerte gli sembrò illuminasse a giorno il desolante deserto che quella stanza rappresentava.

Desiderò in quel momento calore, desiderò che la Rosa, la Mena, l'Annina e chissà chi altro venisse da lui a colmare quel vuoto, a lenire quel freddo d'acciaio così doloroso.

"Maledetto il mondo infame" si disse, gettandosi sul letto senza spogliarsi, le scarpe ancora ai piedi. Considerò di parlare alla Rosa, e dirle di andare, di andarsene via dalla casa dove più le piaceva; prendesse pure con sé quel suo figlio strano, e lasciasse l'Annina. Nel coraggio dell'alcol pensò persino di parlare con il signor Cesco che, se un uomo era pur sempre un uomo, allora avrebbe potuto comprendere i suoi diritti di marito, di padre e anche di commerciante.

Con questi pensieri di guerra si addormentò, ma non sognò battaglie. Immaginò piuttosto di vivere in una grande casa, giù verso il Podere Prataio, dove la strada spiana, fino sotto il bel colle. Una casa enorme, fatta a mezzaluna, piena di armadi, con tanti letti, mobili, sedie, tavoli, e molte, molte stanze per stare insieme alla gente. Gente che andava, veniva, si fermava e ripartiva. La Rosa e Sole, la Mena, il Mero, la Zi' Sparta sempre più vecchia, e l'Annina a cavallo, bella, magnifica come neanche la regina. E poi maiali, maiali, maiali tutto all'intorno, così che quella casa gigante pareva un sorriso suadente, piantato in mezzo a una distesa riempita di rosa.

Quando al mattino si svegliò nella sua stanza, aprì gli occhi e vide le pareti immerse nel grigio, un triste orizzonte di niente, e la casa gli sembrò all'improvviso più vecchia. Si levò a sedere sul letto, guardò il suo vestito gualcito, guardò quel deserto. Si disse che stava vivendo in una catapecchia.

L'Ulisse rimuginò quel sogno per qualche tempo, lo masticò a colazione, lo portò a passeggio e dentro l'osteria a prendere fumo e vino in abbondanza. Lo vide nella forma delle case, in una sedia, dentro un tavolino, nel colore di ogni maiale, e l'indomani, al mercato di Portale, non appena incontrò il fratello Telemaco, gli si buttò al collo in un abbraccio entusiasta e cordiale:

«Ascolta, gli affari mi stanno andando bene, così la salute e la pancia» gli disse battendosi una mano sul davanti, «intanto la famiglia si ingrossa, con la Mena a dare una mano e tutti gli altri intorno alla Zi' Sparta, che Dio glien'abbia buona.»

«Così sia per te» continuò «e per l'altro nostro fratello Ettorre. Son tempi buoni per noi, e la fortuna non ci ha nascosto niente. Io penso che dovremmo tenerla unita, questa fortuna, tenere insieme i figli, e le donne, e noi stessi, tutti insieme. Ulisse, Telemaco ed Ettorre. I fratelli Bertorelli.»

Telemaco non era mai stato tipo incline al romanticismo né alle smancerie. Quando vide l'Ulisse abbracciarlo, e poi inondarlo di parole e di entusiasmo, per prima cosa pensò a quale inganno potesse celare una simile offerta. D'accordo, il fratello si stava accollando l'onere della vecchia Sparta, ma non era stata forse lei stessa ad accudirlo per anni? E poi, quella sua moglie strana, sempre sognante, troppo bella per essere una buona madre di famiglia, non avrebbe forse potuto nascondere qualche misteriosa storia?

L'Ulisse non si arrese a questa prima, palpabile diffidenza del fratello. Conosceva il carattere sospettoso e molto pratico di Telemaco, e dunque pensò bene di tralasciare l'affetto e puntare con decisione sulla convenienza di quella proposta.

«L'unità è forza, fratello, prova a pensarci» disse con risolutezza – e iniziò a enumerare gli aspetti che una convivenza allargata avrebbe migliorato e reso più economici per ogni famiglia, sottolineandoli ogni volta con quella sorta di motto declamato con convinzione inappellabile.

«Legna e carbone» diceva l'Ulisse calcolando quante persone avrebbero usufruito di uno stesso camino. «L'unità è forza» concludeva.

«Cibo e bevande», e spiegava come si sarebbero potuti limitare sprechi e tempi di preparazione. «L'unità è forza» concludeva. E così per le altre spese domestiche, fino al risparmio per il loro commercio, poiché la futura casa sarebbe sorta vicina alle stalle e sulla via del mercato grande di Portale, e dunque si sarebbe guadagnato in tempi di spostamento e in comodità.

Alla fine di questa sorta d'arringa, Telemaco fissò l'Ulisse con l'aria di chi tentasse di leggere nella testa del suo interlocutore. Lo fissò a lungo, poi abbassò lo sguardo verso la terra, e infine lo spostò verso l'orizzonte, guardando verso un punto indefinito, i pollici agganciati alle tasche del panciotto.

L'Ulisse sorrise. Sapeva che il fratello, in quei minuti, stava pensando attentamente a quanto lui aveva detto. Immaginava. Valutava. Calcolava. Perciò gli lasciò tempo, rimase immobile ad aspettare il momento in cui calare il colpo risolutore.

Come per magìa, attorno a loro il vociare del mercato si era quasi quietato, appena un lieve stormire di foglie al vento, il nitrito lontano di un cavallo. Tutto era in silenzio. Solo Telemaco si mosse, spostò una mano dal panciotto e si levò il cappello, mentre con l'altra si asciugò un'ombra di sudore che non c'era.

Era quanto l'Ulisse si aspettava, l'avvisaglia di un cedimento nella diffidenza del fratello, il segnale cifrato che un commerciante astuto come lui non si sarebbe mai lasciato scappare. Così si avvicinò a un passo, e sporse la sua bocca verso l'orecchio di Telemaco, non senza prima aver lanciato uno sguardo furtivo in mezzo al deserto che fino a pochi attimi prima era stato invece l'animato mercato del Portale.

«Se mi aiuti a convincere l'Ettorre» sussurrò «il terreno giù al Prataio lo pago tutto io.»

Telemaco non fece una piega, ma l'istinto dell'Ulisse percepì di aver aperto una breccia, così si scostò, fissò il fratello dritto negli occhi e con un sorriso largo piazzò la botta finale:

«E ci metto sopra anche qualche bel maiale...»

Convincere l'Ettorre non fu cosa ardua: quando i fratelli giunsero da lui per la proposta, la Rina gli aveva appena annunciato di essere nuovamente in attesa di un figlio. Aspettò che il marito tornasse da certi suoi giri sul Padule, gli si piazzò di fronte col secchio del pastone in mano, a gambe larghe e con la bella parlata del Colle Alto l'apostrofò:

«Bello il mi' omo, che per voi son cose facili e buone, cose da far con baldanza e gran cipiglio. Aspetto di nuovo, mio bel marito, e se fate il conto son tredici anni e questo è il nostro nono figlio.» Dopo di che sparì verso il pollaio trascinando le gambe che erano ormai due pezzi di ciocco.

L'Ettorre la guardò allontanarsi, e per un attimo ristette a pensare. Paride, Ganimede e Oreste. Poi Tebe, Anchise ed Ecuba. L'ultima era Penelope. Contò. Erano sette. Ne mancava uno. Ripeté i nomi come una litania, scandendoli uno per uno, in punta di dita. L'ultima era Penelope, su questo non aveva dubbi.

«Dunque» si concentrò, «erano quattro femmine e quattro maschi.» Mancava una bimba.

Cassandra! Eccola trovata l'ottava, la più importante, la sua preferita. Bionda come le pannocchie.

Sorrise. Come aveva fatto a scordarla? Possibile fosse già così invecchiato da non ricordarsi dei figli (anche se otto non eran pochi, e ora ci sarebbe stato il nono)?

Pensò alla Rina. Quindici anni che erano sposati.

L'Ettorre non si ricordava.

Chiuse un attimo gli occhi come per concentrarsi, eppure anche nel buio arrossato che le palpebre chiuse gli procurarono nel sole non riuscì a ricordare com'era la Rina di quindici anni prima. Si sforzava, ma vedeva sempre una donna incinta, grossa, le gambe gonfie, le braccia sui fianchi a mantenere ritta la schiena, i capelli perennemente legati dietro la nuca in una stretta crocchia.

Si avvicinò al pollaio e la sbirciò. La Rina si girò un attimo, si accorse del marito che la guardava e si voltò verso le galline. La mano andò al secchio del pastone ancora con più foga. Accanto a lei Oreste e Anchise porgevano mazzetti d'erba ai conigli.

Galline, conigli e figli.

L'Ettorre fece un cenno ai bimbi e si diresse verso casa. L'interno era fresco. Nella grande cucina Paride e Ganimede, già due ragazzi, giocavano a carte mentre la Tebe all'acquaio lavava le pentole.

Coperchi, casseruole e figli.

Montò le scale verso il piano superiore. In una camera zeppa di giacigli, le più piccole, Ecuba, Penelope e Cassandra, dormivano in un solo letto.

Lenzuola, cuscini e figli.

L'Ettorre entrò nella camera matrimoniale, andò all'armadio, scostò una pila di panni e aprì un cassetto da cui tolse una vecchia scatola di latta.

Sollevò il coperchio e iniziò a cercare qualcosa.

Quando la Rina da basso lo chiamò per avvertirlo che i suoi fratelli gli volevano parlare, l'Ettorre aveva in mano una fotografia di quindici anni prima. Dalla fotografia gli sorrideva una donna, i capelli sciolti. Era girata di tre quarti, e, pur se un po' rigida nella posa, aveva la bellezza della felicità. Sul bordo bianco, con una grafia infantile era scritto: "Per sempre. Rina".

L'Ettorre si ricordò.

Seduto sul pavimento Sole giocava in un angolo della stanza. La Rosa, come spesso le accadeva, si era addormentata sulla panca accanto all'uscio, al calore della primavera tiepidissima. Un bimbo intento nel serio impegno del gioco, e sua madre in quello del sogno. Entrambi, ognuno a modo suo, erano comunque lontani da quel luogo. La Rosa stava viaggiando in un Paese sconosciuto, probabilmente orientale, lontano dai maiali e da quella casa; Sole spingeva con una mano il suo carrettino di legno, strusciandolo sulle mattonelle lungo una strada immaginaria. La Rosa si trovò in mezzo a una distesa sconfinata di grano, vide una città, un'alta torre, grandi mura con una porta ai cui lati stavano due leoni, di fronte a un fiume enorme come un mare. Si emozionò quando un barcaiolo le prese la mano e la fece salire su una strana chiatta, che le parve d'argento. Dal centro del fiume la città sembrava infinita, irta di torri e tetti scoscesi. Tutto era enorme e inconsueto, molto diverso dalla calma collina alla quale era abituata. Si voltò indietro convinta di poter vedere Colle Alto, ma anche alle sue spalle si stendeva il fiume e la città intorno. Il barcaiolo remava con un lungo palo, come facevano i pescatori del Padule. Bastò quel gesto, alla Rosa, per tranquillizzarsi.

L'uomo si sporse e le disse:

«A Rajahnipur l'attendono.»

La Rosa volse un ultimo sguardo verso la città incantata. Indossava un lungo vestito di seta, e si riparava la testa dai raggi del sole con un ombrellino. Quindi, con un fare gentile ma deciso, come se si rivolgesse a un vetturino, disse al barcaiolo:

«In fretta allora, andiamo, anch'io non posso più aspettare.»

Mentre la Rosa viaggiava sulla barca, ben piantata in mezzo al sogno, Sole seguiva con il suo carretto una strada che solo nella sua immaginazione vedeva, e che lo portò fuori dalla porta di casa, e dalla porta, oltre la siepe del cortile, e poi ancora oltre, verso le prime case della stazione. Quando, dopo molto, il bimbo si sentì stanco di quel gioco, all'improvviso alzò il capo e si trovò in un luogo che non conosceva, ma non si spaventò. C'era una strada polverosa, lunga, e accanto alla strada, oltre un pezzetto di prato, una specie di montagnola nascondeva la vista dell'orizzonte. Sole si fece coraggio e vi montò. In cima trovò i binari della ferrovia, e in lontananza, dalla parte dov'era la stazione, gli sembrò di vedere della gente in mezzo a un prato che armeggiava attorno a una grossa tenda colorata.

Quando fu vicino si accorse di una grande confusione. Decine di persone, a gruppetti, stavano osservando quattro uomini intenti a issare un alto palo, mentre altri tre o quattro tenevano tese delle corde. Voci, incitamenti, urla e commenti dei presenti. Nessuno sembrava badare a lui e tutti parevano assorti, chi a lavorare chi a osservare. Sole si guardò attorno e rimase senza fiato: non aveva mai visto tanti carri tutti insieme, messi in fila e in cerchio, pieni di cose strane.

All'improvviso, tra i tanti, vide un uomo dal volto scurissimo, forse l'uomo nero delle storie che gli raccontava la Mena per convincerlo ad andare a letto senza protestare. Era un uomo imponente, enorme, con le spalle larghe come quelle di un cavallo, e dalla sua posizione di bambino a Sole sembrò alto come una torre. Se quello era l'uomo nero, pensò, avrebbe potuto rapirlo, portarlo via in un sacco e forse persino mangiarlo. Ma vedendolo così, a una prima impressione, a Sole non parve né cattivo né pericoloso. Stava raccogliendo delle corde, e se le passava sul braccio facendone con lestezza dei mazzi perfettamente rotondi, che poi piegava e annodava come fossero fatti di nastrini. Il bimbo si fermò a guardarlo, incantato da quella specie di gioco di prestigio. L'uomo si voltò e si accorse di lui, e continuando ad arrotolare le corde gli sorrise mostrando una fila di denti bianchissimi.

Alle sue spalle due strani cavalli stavano mangiando del fieno: avevano il collo lungo, e due specie di montagnole sul dorso. Erano buffi e curiosi. Da dietro ai due animali sbucò un bambino, ma aveva la barba, e a osservarlo bene sembrava vecchio come il Mero. Qualcuno da dentro un carro lo chiamò, e quell'essere minuto scattò velocissimo sulle scalette, scomparendo. Un rumore secco come uno sparo attirò l'attenzione di Sole: in un angolo del prato un uomo con un vestito argentato faceva schioccare una lunga frusta, la roteava sulla testa, la piegava, la lanciava e la riprendeva al volo. Aveva un turbante bianco e un lungo mantello che, alzato dalla brezza, lo rendeva simile a un angelo.

Sole si avvicinò, guardò con attenzione tutto quello che l'angelo argentato faceva, finché questi non si fermò, arrotolò la frusta e si sedette per terra con le gambe incrociate, immobile come una statua. Aveva un filo di barba leggerissimo che gli circondava il volto, e un velo di sudore che, riflettendo la luce, gli faceva apparire d'argento anche il viso. Teneva gli occhi chiusi e sembrava che dormisse.

Il bimbo si avvicinò e lo toccò leggermente a un braccio:

«Da dove vieni?» gli chiese.

L'angelo aprì gli occhi, guardò per qualche secondo Sole, poi disse:

«Rajahnipur.»

Colle Alto, Colle Stazione, la Piana, il Portale, il Prataio. Quelli erano tutti i nomi di luoghi che conosceva. Così rimase in silenzio, dubbioso.

«India» disse l'angelo.

Sole ripeté tra sé quel nome, come per non dimenticarlo. Doveva essere un posto ben strano.

«E dov'è India?» si decise a chiedere.

«Oriente» fu la risposta.

Poi come per ringraziarlo di avergli ricordato quel posto e quel nome, l'angelo gli sorrise, si voltò a destra e allungò il braccio indicando:

«Là.»

Sole fissò il suo dito. Aveva un grosso anello a forma di serpente arrotolato e puntava verso la ferrovia. Così il bambino si avviò in quella direzione, attraversò tutto il prato e si arrampicò sulla massicciata. Al di là dei binari c'erano i campi di granoturco, e in fondo ai campi la collina con le antiche case del borgo. Oriente doveva essere oltre. Sole guardò il suo carretto, poi guardò verso l'orizzonte che gli nascondeva India e Oriente, il luogo degli angeli argentati, degli uomini neri altissimi e di quelli piccoli come bambini, il posto dove i cavalli avevano due gobbe e la gente, probabilmente, viveva dentro tende colorate.

Colle Alto se ne stava immobile sulla sua collina, vecchie case di pietra e strade antiche. A Sole sembrò di conoscerlo già abbastanza. A Oriente, bisognava andare. A Oriente.

Quando la Rosa si destò, Sole aveva appena riattraversato la siepe che delimitava il cortile dell'Ulisse. Vide la madre sulla panchina e andò da lei. La Rosa pensava ai colori della magnifica città che aveva appena visitato in sogno, e nelle narici l'odore dell'acqua ancora la stordiva. Aprì gli occhi. Di fronte a lei, all'orizzonte, ora brillavano le case del Colle illuminate dal sole e dal fondo dell'aia il vento trasportava il puzzo dei maiali.

Rajahnipur era ormai lontana.

All'improvviso le sembrò di non avere più un luogo dove vivere, di non sapere dove stare, forse persino di non avere più futuro. Di non avere più niente. Tirò a sé il figlio e l'abbracciò:

«Mamma» le disse lui, «io voglio andare a Oriente.»

La costruzione della grande casa al Prataio filò spedita e liscia, e ben presto la famiglia Bertorelli si riunì nella nuova abitazione che, pur non essendo maestosa e immensa come l'Ulisse l'aveva vista in sogno, era comunque ampia, solida e ben fatta. Allargata su tre lati, circondava uno spazio centrale che, con il passare degli anni, sarebbe stato prima aia, poi giardino e infine parcheggio per gli automezzi. Dietro la casa si alzava una bella collina che culminava con un boschetto di cipressi, dal quale si poteva dominare la pianura sottostante, fino a intravedere all'orizzonte da una parte il baluginare del Padule Lungo, e dall'altra il profilo familiare delle case del Colle Alto.

Essendo la casa costruita su tre lati, ciascuna famiglia ne occupò uno: quelle dell'Ettorre e dell'Ulisse, le più numerose, si accomodarono nelle ali laterali, mentre quella di Telemaco, composta dalla sola moglie Isolina, si sistemò nella zona centrale, un po' più piccola a causa della grande cucina comune che occupava la maggior parte del piano terreno.

In vista del trasferimento nella casa del Prataio, l'Ulisse non stava più in sé dalla felicità. Non solo gli sembrava di realizzare un sogno, ma sentiva forte dentro di sé che questa nuova abitazione, questa nuova vita assieme ai fratelli, alle cognate, ai nipoti, avrebbe giovato anche allo spirito solitario della Rosa e di Sole.

Pertanto, il giorno di primavera in cui, armi e bagagli, arrivarono alla grande casa, scaricata con mille cure dal carro la poltrona sulla quale, immobile e incartapecorita, troneggiava la Zi' Sparta, l'Ulisse si pose di fronte al piccolo gruppo familiare composto dalla Rosa, dalla Mena, dal vecchio Mero, e dai piccoli Sole e Annina, e li condusse raggiante dentro le stanze di quello che per lui aveva ancora il sapore impagabile di un sogno.

Aprì porte, spalancò persiane, salì scale e invitò tutti sui due balconi spaziosi della loro ala, per poi fermarsi nella grande cucina comune a magnificare la potenza del camino e della caldaia gigante che, a suo dire, grazie a un rivoluzionario sistema di tubature e radiatori chiamati "termosifoni", avrebbe scaldato tutte le stanze e assicurato persino la possibilità di lavarsi con l'acqua calda.

Al termine di quell'entusiastica presentazione che lasciava supporre una calorosa accoglienza da parte dei familiari, l'Ulisse tacque e si pose di fronte alla moglie, allargando un sorriso che aveva, chiari e visibili, tutti i sensi della speranza.

Dal silenzio imbarazzante che calò su quella grande cucina emerse solamente la sua voce, l'ultima disperata richiesta di pace:

«Rosina, Rosina mia bella regina, ti piace un pochino la nostra casina?»

La Rosa non rispose, né allora né mai. Finché restò nella grande casa dei Bertorelli si limitò a occupare la stanza al secondo piano, quella col balcone di fronte alla collina, senza frequentare più di tanto la cucina che diventò, in tutto e per tutto, il regno della Mena.

Sul balcone la Rosa cucì e ricamò, giocò coi bimbi e restò per ore e ore a guardare verso il boschetto dei cipressi. Se ne stava ferma, di notte come sotto il sole più cocente, all'alba o nella leggera foschia di certe fresche mattine di marzo.

Non parlò mai della casa. Passò quasi tutto il suo tempo sul balcone o sul prato, sulla cima del colle. Spesso in silenzio, quasi sempre a guardare nel vuoto. E anche quando l'Ulisse, avvelenato da questa sua estraneità, fece abbattere quel balcone su cui lei amava tanto restare, la Rosa rimase dietro i vetri a guardare verso il boschetto, forse presagendo che proprio da quella direzione sarebbe arrivata vita per la sua vita.

Ci fu chi parlò di una sorta di follia, chi parlò di stranezza e di alterigia. Forse fu semplicemente la costanza, la tenacia di un desiderio così forte da costringere le cose ad accadere, e non viceversa.

L'unico che della prima, entusiastica presentazione dell'Ulisse si dimostrò interessato fu il Mero, soprattutto riguardo a quella nuova diavoleria per riscaldare acqua e ambienti. Dal giorno in cui andò a vivere nella casa, il vecchio tuttofare si innamorò così tanto di quella caldaia da dedicarcisi con tutto se stesso, rifornendola di legna, di carbone, lucidandola, oliandola e riparandola con un'attenzione quasi maniacale. Nessuno, in famiglia, osò contrastare quella sua passione, se non l'Ulisse, prima che il vento della follia lo trasportasse lontano, poiché trovava d'impiccio quell'amore senile del Mero, e avrebbe preferito ch'egli continuasse ad accudire i maiali e non quel pezzo di ghisa senza cuore. Tutti sopportarono quella sorta di morboso attaccamento come un segno della stranezza che la vecchiaia impone alle persone: un fatto inevitabile e naturale, dunque, senza una precisa ragione se non l'evidenza del triste destino che ci riserva la vita. Così nessuno, neanche per un istante, intuì il vero fuoco che aveva costretto un uomo semplice e devoto a trascorrere gli ultimi anni della sua esistenza dedicandosi completamente, e con felice trasporto, alla cura di una caldaia.

Il giorno in cui morì, ormai quasi centenne, tra le braccia dell'Annina già donna, il Mero le sibilò qualcosa in un orecchio, accarezzandole il volto con le sue mani nere.

«Grazie per avermi permesso di realizzare il mio sogno» le disse, «avevo sempre desiderato fare il macchinista ferroviere.»

La polizia non fu poi così veloce ad arrivare. Il giorno seguente la sua fuga, la vedova Bartoli si recò dal sindaco per informarlo che il Maestro s'era dovuto recare d'urgenza al capezzale del padre moribondo, nel suo paese lontano, laggiù, in fondo all'Italia. Il sindaco l'ascoltò, la confortò, e assicurò che avrebbe pensato a comunicare a chi di dovere l'assenza, augurandosi che questa fosse breve e tutto si risolvesse nel migliore dei modi.

La notizia si sparse subito nella piccola comunità, e assieme a parole di comprensione e di sostegno la vedova Bartoli ricevette anche la concreta solidarietà dei compaesani che avevano sempre apprezzato la cordialità del Maestro e l'amore improvviso che l'aveva unito alla loro concittadina. Nei giorni dell'assenza, che presto divennero settimane e quindi mesi, non mancò mai chi si recasse alla casa vicino alle mura portando un saluto e qualcosa da mangiare, un dolce per i piccoli o una bottiglia d'olio della nuova spremitura, una vicinanza e un calore che furono importanti anche perché ben presto fu evidente a tutti che la donna era nuovamente in attesa di un figlio, che infatti nacque, di lì a qualche mese, senza che il padre facesse mostra di sé.

La vedova accolse tutti con la consueta cortesia, aggiornando i visitatori con notizie che, ella sosteneva, le arrivavano da una fitta corrispondenza intrattenuta con Sapri. Fu come un teatro, come una piacevole e gentile recita che il Colle si adattò a inscenare per coprire la fuga del suo Maestro, per credere alla necessità di un'assenza che si andava configurando, giorno dopo giorno, come definitiva.

Nessuno ebbe nulla da dire, neppure sapendo bene che mai dal Colle partirono lettere per Sapri, così come il portalettere non ebbe mai a recapitare alla vedova nessuna missiva da quel luogo né da qualsiasi altra parte d'Italia. Tutti, invece, continuarono a credere alla ostinata e grave malattia del signor Antonio, l'aiuto fattore, e a conversare con la vedova e tra loro, con impegno e sorprendente competenza, sulla tenacia di certe febbri malariche, di terzane maremmane, di forme essudative bronchiali talmente feroci che neppure salassi, cataplasmi e chinini erano in grado di scalfire il loro carattere quasi biblico e ancestrale, tale da giustificare una cura così lunga e difficile.

Fu un regalo che il Colle fece alla propria indole svagata e sognante, quasi un ultimo colpo di genio prima che il ciarpame scaricato dalla ferrovia arrivasse a portare ordine e ragione tra quelle case secolari. Fu l'ultimo omaggio che quella gente fece al Maestro e, in fondo, a se stessa, alimentandolo con il piacere infantile del gioco, delle cose sapute e mai dette, del gusto di una confusione sottile tra il desiderio e la realtà.

Poi, finalmente, la polizia arrivò.

Il Maestro si affacciò alla finestra della sua stanza. La campagna della Camargue tremolava cotta dal calore di un sole spietato. Girando lo sguardo verso le saline vide brillare il mare sotto il filo dell'orizzonte, e gli sembrò il Padule Lungo.

Pensò al Colle, alla vedova, a Bartolo e Mikhail i cui volti, dopo tanti anni di lontananza, stavano diventando ricordi confusi, miraggi trasparenti come gli alberi che il calore stava sciogliendo nella pianura.

Andò al tavolo e prese tra le mani una lastra di metallo. La mosse leggermente, e la luce che filtrava dalla finestra disegnò sul dagherrotipo i lineamenti di quella giovane figlia che non aveva mai conosciuto. Quasi per una rivalsa sul destino, aveva deciso di chiamarla Libertà.

La fuga, l'esilio, la solitudine gli parvero come un sacrificio necessario a mantenere la propria libertà.

Il Maestro allora si sedette al tavolo e scrisse:

Mia adorata, dalla finestra di questa casa straniera vedo il filo del mare che luccica, come luccicava il Padule la sera in cui conobbi il vero amore. È sale che brucia su questa mia lontananza, sacrificio comunque essenziale per la mia e la vostra Libertà.

Maniero mi informò degli ultimi arresti a Firenze, Bologna e Milano. Dunque la ragione della mia fuga, anche dopo tutto questo tempo, non fu insulsa e il sacrificio non vano. Rimane questa lontananza ch'io confido possa essere ormai alla fine. Un grande progetto mi sta prendendo il cuore, in quella piccola parte che l'amore per te lascia ancora libero.

Mannuzzu giunse lo scorso venerdì in uno stato di eccitazione e di felicità che mai vidi nel nostro amico. E sì che ne passammo insieme, e in quante occasioni ci trovammo coinvolti tra entusiasmo, passione e paure! Lo calmai, lo feci accomodare di fronte a un bicchiere di buon vino ben fresco, e dunque finalmente egli mi mise a parte di un suo incontro con l'anarchico pisano Rossi, il quale verrebbe da incontrare un emissario dell'imperatore Pedro II del Brasile.

Una storia strana questa, mia adorata, perché strano e curioso è il destino degli uomini, e le loro qualità, e i loro pensieri, il cui fondamento è spesso fondato sul mistero e sulla combinazione, qual è senz'altro il fatto che essendo l'imperatore a Milano a curarsi uno stato febbrile, molto fastidioso e maligno, il Rossi l'abbia contattato tramite il conte Mota-Maya, per esporre a questo sovrano, che si vuole aperto e liberale, il progetto della comunità anarchica di cui ti parlai, e che s'avrebbe da chiamare Cecilia. L'imperatore avrebbe accolto con piacere lo scritto del nostro Rossi, quello stesso "Un Comune socialista" che ti feci avere per mano di Maniero affinché fosse lettura pe' ragazzi.

Se l'imperatore accettasse la proposta, potrebbe facilmente donare il terreno necessario a iniziare l'edificazione di questa nuova società, laggiù, tra le terre brasiliane che si vogliono ampie, rigogliose, giovani e dunque ottime per dare linfa alla nuova vita che andiamo cercando.

Adorata, non sembra dunque lontano il giorno in cui potremo realizzare il sogno di riunirci assieme, in libertà, senza costrizioni allo spirito nostro e dei nostri cari.

Ti faccio avere questa mia tramite Maniero, che come sai è persona fidata e sicura. Ti metterà a parte anche dei modi per i quali, tra sei settimane, potremo finalmente incontrarci per due giorni nel luogo che tu sai, così come progettato.

Amore mio, è quel momento, ormai, assieme alla fiducia nel mondo che costruiremo insieme, lo stimolo principale che mi convince a questo lavoro pesante e ingrato, tra questi francesi che trattano il fratello italiano come un reietto, disgraziato e infame. È lotta di poveri contro poveri, aizzati da chi ha interesse a separare i destini degli uomini, a rendere così dura e difficile la lotta verso la vera civiltà.

Ma ora chiudo, pensando al nostro convegno: sarà esso di due giorni interi, dopo tempo immemorabile. Sarà esso il sogno. Lascio ai miei abbracci di allora il compito di raccontarti tutto il mio desiderio e il mio amore.

Guardo dal dagherrotipo il volto di Libertà, e nel suo nome, e nei suoi lineamenti, vedo la donna che mi prese l'amore.

Ora ti bacio e ti prego di portare a Bartolo il mio più affettuoso saluto. Hai fatto leggere la mia ultima a Ideale? Mi raccomando che consideri la lettura di Costa. Bacia Mikhail e la piccola Libertà con tutto il calore possibile dal loro padre lontano.

Il giorno in cui la polizia arrivò alla casa vicino le mura, la vedova Bartoli era intenta a cucinare. Fece accomodare chi stava cercando il suo uomo con la stessa cortesia con la quale, per anni, aveva accolto i compaesani che l'avevano aiutata ad affrontare una difficile solitudine.

L'ufficiale di polizia la interrogò con una certa freddezza:

«Dov'è?» chiese solamente.

«A curare suo padre moribondo» rispose la vedova.

L'ufficiale guardò le carte che aveva appoggiato sul tavolo:

«Sta morendo da sei anni?» disse con un tono sarcastico.

La donna non si scompose:

«È un uomo molto malato, e ha bisogno di tante cure.»

In quel momento entrò un militare, e gettò sul tavolo un fascio di lettere. L'ufficiale le guardò e sorrise.

Dalla porta verso la strada arrivarono altri militari con il piccolo Mikhail, Bartolo e Ideale.

L'ufficiale consultò le carte.

«Siamo qui in nome del Re d'Italia, per ristabilire l'ordine e la ragione» disse – quindi si volse verso i ragazzi, e con tono secco domandò:

«Chi di voi è figlio di Fosco Bartoli?»

Nessuno rispose.

L'ufficiale ebbe un moto di stizza. La vedova lo guardava sorridendo, non pareva nervosa né spaventata, mentre i suoi tre figli se ne stavano fermi, fissandolo dritto negli occhi. Il più grande teneva persino le mani in tasca. "Maleducati" pensò l'ufficiale, mentre dava un cenno al soldato per far mettere sull'attenti quei ragazzi.

«Chi di voi è figlio del Maestro?» domandò quasi urlando.

Tutti e tre risposero all'unisono:

«Io.»

Il Maestro era appoggiato al muro, di fianco all'ospedale. Sembrava fosse intento nella lettura del giornale. In realtà, oltre a se stesso, dietro i fogli stava cercando di nascondere la trepidazione che gli attanagliava la gola. Da tempo immemorabile viveva in clandestinità, fuggiasco, e spesso all'estero. Si sarebbe detto pronto a tutto e ormai avvezzo a ogni emozione. Eppure, in quel pomeriggio di sole, proprio non riusciva a rimanere sereno. Ogni tanto sbirciava furtivamente la strada, estraeva l'orologio dal panciotto, controllava l'ora.

"L'amore" pensò "è una brutta cosa."

Erano oltre sei anni che non la vedeva, che non poteva respirare dentro quegli occhi nei quali si era tuffato, col ricordo, infinite volte. Con Mannuzzu avevano atteso e atteso l'occasione per organizzare questo incontro, senza far correre rischi a nessuno, e soprattutto a lei che si era sobbarcata l'onere di una solitudine lunga e pesante.

Il Maestro provò, per l'ennesima volta, una sensazione spiacevole. E se qualcosa fosse andato storto? Pensò e ripensò ai particolari che Mannuzzu e Maniero avevano messo a punto, alla cura con cui avevano controllato e ricontrollato i percorsi, scelto il luogo e il giorno. Avrebbe dovuto partire con la piccola Libertà, con la scusa di una visita medica per la bimba che, avrebbero detto, necessitava di cure particolari.

Pensò al sacrificio cui si era sottoposta la sua donna, a come aveva accettato, per quell'incontro, di vincere la sua fobia delle ruote. Pensò all'amicizia di Maniero, che aveva promesso di non lasciarla mai sola, e di distrarla, di assisterla in quel viaggio per lei faticosissimo.

Il ritardo stava quasi toccando la mezz'ora. Secondo i piani, se avesse superato quel limite sarebbe stato segno che l'incontro era stato annullato. Guardò ancora una volta l'orologio. Ormai era questione di minuti. Si voltò verso il viale. La gente andava e veniva tranquilla, ognuno per la sua strada, ognuno ignaro della vita degli altri. Ignari, tutti, del sentimento che si stava impadronendo di lui, qualcosa che era apprensione, delusione, angoscia, senso di colpa. Un dolore assoluto e perfetto.

Il Maestro ripiegò il giornale e si preparò ad affrontare un mesto ritorno, quando all'improvviso la vide arrivare dalla parte opposta a quella dalla quale lui l'aspettava, e il cuore quasi gli si fermò. Aveva un vestito scuro, lungo, e un cappellino nero con la veletta, e sul cappellino, aveva appuntato la rosa di corallo che lui le aveva regalato il giorno in cui era nato Ideale.

"Maledetta veletta" pensò, "maledetta tu che mi nascondi il mare", e si avviò incontro alla donna.

Furono sei passi, sei brevi passi che il Maestro ricordò per quanto gli restava ancora di questa vita. Sei passi che furono felicità, speranza, ardore, voglia infinita. Amore, amore colorato, amore immaginato, atteso, desiderato, sciolto, ingoiato. Amore condensato in quei sei, eterni, ultimi passi prima che il Maestro capisse.

La vedova veniva avanti lentamente, con lo stesso andare quieto con cui aveva mostrato a tutto il Colle l'amore per l'uomo che si portava a fianco, nelle passeggiate di primavera, al ballo della Filarmonica, alla Festa delle Rane, giù al Padule. Un andare tranquillo, le gambe leggere sulla strada, le braccia appena raccolte in un movimento soave. Le braccia che tante volte lo avevano accolto, lo avevano consolato, esortato, stretto.

Quelle stesse braccia che ora non stavano stringendo Libertà.

L'ordine e la ragione del Re d'Italia furono ristabiliti. Dapprima fu l'ufficiale che si presentò alla casa vicino alle mura, e poi i giudici del Reale Tribunale, i quali decisero che la vedova non era in grado di provvedere al mantenimento dei quattro figli, tenuto conto, inoltre, che tre di essi erano frutto di una relazione scandalosa. Mikhail e Ideale vennero affidati a un istituto religioso, affinché si provvedesse a insegnar loro rispetto, educazione e timor di Dio. Mentre Bartolo, che all'epoca era in età buona per il servizio militare, venne arruolato con una disposizione dello stesso tribunale e dapprima mandato in una grande caserma del Nord dove imparò a tirar di fucile e a correre veloce con un gran cappello piumato in testa; poi, quando ai governanti parve giunta l'ora, fu mandato in Africa a conquistare una colonia per l'Italia Nuova. Così la vedova Bartoli rimase al Colle con la sola Libertà, e continuò a crescerla con immutata passione e con la stessa pacatezza che aveva mostrato negli anni in cui la casa vicino alle mura risuonava delle voci e delle risate di tutti i suoi figli.

Libertà fu una bimba vivace, crebbe avvolta dalle parole con cui la madre l'addormentava la sera raccontando dei cavalieri della giustizia che stavano in Svizzera, di un Paese lontano chiamato Cecilia, pieno di meraviglie e immerso in impenetrabili foreste abbondanti di frutti e animali, dei suoi impavidi fratelli, dispersi tra le montagne più alte e i castelli recintati di un imperatore lontano e oscuro chiamato "il Papa". E di suo padre, che fu in Francia, in Svizzera, in Inghilterra e in molti altri posti lontani, cercando qualcosa che ognuno cercava ma nessuno sapeva dove fosse.

L'ordine e la ragione del Re, dunque, non impedirono alla piccola Libertà di crescere felice, pur nelle difficoltà di una famiglia dispersa e frantumata. Le parole, la tenerezza della madre, l'affetto che comunque i fratelli le facevano giungere assieme al rispetto che la gente del Colle ancora portava verso il Maestro, fecero sì che Libertà non soffrisse troppo per quella situazione così penosa e delicata. Anzi, tutto quanto dovette affrontare la dotò di un carattere forte, deciso e sempre rivolto verso la leggerezza e la vita.

Le parole della madre furono l'alimento con il quale la piccola nutrì e costruì il simulacro di un padre che, seppur lontano e incarcerato, l'accompagnò ugualmente per tutta l'infanzia e l'adolescenza, nelle sue notti di bambina, nelle passeggiate lungo il Padule, nelle giornate della scuola, nell'andare tra le vecchie case del Colle tra le quali, assieme al rispettoso ricordo del Maestro, cominciava a spargersi il pesante respiro che scendeva dalla ferrovia, fatto dai nuovi pensieri di gente estranea a quell'antica storia, un rivolo appiccicoso che nulla aveva a che spartire con l'anima giocosa di quel luogo.

Furono parole raccontate, cullate, immaginate, furono scritte nelle rare lettere che il padre e la figlia si scambiarono durante quella lontananza forzata. In una beffarda simmetria, così come il Maestro aveva conosciuto la figlia soltanto attraverso l'immagine argentata di un dagherrotipo, per anni Libertà conobbe il padre soltanto attraverso la lastra metallica che la vedova possedeva, nella quale il Maestro era ritratto in piedi, di fronte all'orizzonte lontano del Padule che pareva, in tutto e per tutto, un mare. Così la bambina, e poi la ragazza, parlò e scrisse all'immagine di un padre sempre giovane, alto, i baffi curati e il bel fiocco nero a incorniciare un viso schietto e bello.

Era già quasi donna, Libertà, quando alla porta della casa vicino alle mura si presentò un uomo alto e secco, la barba lunga e incolta, con un vestito gualcito e la stessa aria afflitta di certi vecchi vagabondi. L'uomo la fissò a lungo, la bocca in silenzio, mezza spalancata, appena percorsa da un tremito che rendeva pesante quell'attesa. Libertà provò sincera pena, percepì con chiarezza la disgrazia e il dolore che quell'uomo si portava appresso. Non esitò, dunque, a farlo accomodare, per un bicchiere di vino, per un riposo ristoratore.

Eppure l'uomo non toccò il bicchiere che lei gli porse. Si sedette soltanto al tavolo, appoggiò le mani sul piano e dette un lentissimo sguardo intorno, come per scrutare con attenzione tutto quello che la stanza conteneva. Poi arrestò i suoi occhi sugli occhi di Libertà, e probabilmente vi trovò lo stesso azzurro dentro al quale si era perso il giorno in cui aveva dichiarato il suo amore alla madre, vi trovò l'esilio e la paura per le ruote, le discussioni coi pensionanti, don Ubaldo nella sera della tempesta e l'amicizia di Mannuzzu, vi scorse Ideale e Mikhail e persino il vociare allegro di Bartolo che mai nessuno riusciva a quietare, l'aria dolce di Sapri, il buio della galera, i monti imbiancati della Svizzera. E, in quel momento, gli parve davvero che la vita stesse tutta in un attimo, e che la felicità fosse soltanto una fola. Il lampo di una fiammella. Un cerino che brucia in mezzo al vento.

Dentro gli occhi del padre, così come era avvenuto attraverso la magìa dei dagherrotipi, Libertà vide le stesse cose, e capì. Capì il peso del tempo, delle parole immaginate, delle tante lettere scritte e mai spedite. Comprese fino in fondo il destino tremendo di chi è costretto a vivere, giorno dopo giorno, la vita che segna la pelle, che crepa le ossa, che sbriciola il respiro e gratta l'esistenza. Giorno dopo giorno, per sempre. Così, tra l'immagine splendida e argentata che aveva fino ad allora conosciuto e quella opaca e consumata che le stava di fronte, scelse l'uomo seduto al tavolo, e finalmente lo riconobbe come suo padre.

Quando il Rettore lo mandò a chiamare, Ideale aveva già intuito la ragione. Il collegio aveva alte pareti scure che circondavano i cortili. Finestre strette, mura spesse, stanze sempre fredde. Per Mikhail era soprattutto una prigione e del resto la disciplina rigida, il vitto spartano, le lunghe ore dedicate alla scuola e alla preghiera, non potevano essere intese altrimenti da chi aveva conosciuto una grande libertà, il piacere della compagnia, le lunghe passeggiate all'aria aperta.

Con crescente apprensione, Ideale aveva visto mutare il carattere aperto e gioviale del fratello, deformarsi alle continue punizioni dei Padri come un ferro battuto sull'incudine da un fabbro che, invece di prendere la forma desiderata dall'educatore, si ritorcesse in uno spunzone ribelle, scontroso, incupito.

A nulla era valso il suo affetto di fratello maggiore, la discussione dei problemi, la consolazione che tentava di porgergli ogni giorno. Mikhail si chiudeva sempre di più, contro una vita che non capiva, che non accettava, che non voleva condividere.

Anche Ideale non l'amava. Pativa la lontananza dalla

madre e il pensiero continuo delle sofferenze del padre carcerato. Gli mancavano l'allegria di Bartolo e le strade del Colle. Era come se, dal giorno in cui si erano aperte le porte del collegio, si fossero chiuse quelle di un'altra vita. Era una sensazione forte, costante, che aumentava la sera e trovava il suo culmine quando, cessato ogni vocìo, spenta l'eco delle ultime preghiere bisbigliate, nel camerone del dormitorio iniziavano a scendere il buio e il silenzio. Era allora che, alimentata da quel silenzio, una sottile disperazione cominciava ad assalirlo, il senso della perdita irrimediabile di un tesoro un tempo posseduto, di qualcosa di molto vicino alla felicità, l'età dell'oro, forse, che si era ormai sgretolato per sempre. Sabbia al vento, pioggia battente. E non c'era rimedio alcuno, non c'era pensiero, consolazione, litania che potesse alleviare quella sensazione orribile di aver perso la propria ricchezza e, soprattutto, di avere una responsabilità in quello sfacelo.

In quelle notti di tempesta spesso sognò la Svizzera. Sognò di essere sul San Gottardo accanto a suo padre che, dall'alto, gli mostrava la valle illuminata dal sole. Colle era là sotto e, quasi a volo d'uccello, Ideale poteva vedere chiaramente il Padule, e Bartolo che rincorreva i conigli selvatici per il Prataio, le strade di pietra, le vecchie case, e persino, attraverso le pareti, sua madre e Libertà dentro la casa vicino alle mura. Vedeva questo panorama meraviglioso e sentiva la voce di suo padre spiegargli come avrebbe dovuto fare per mantenere l'ordine e la ragione di quel posto meraviglioso. La voce del Maestro parlava, parlava, parlava, e lo avvolgeva come in un mantello caldo: parlava degli uomini, dell'uguaglianza, delle virtù essenziali che sono la linfa del mondo, parlava di arti magiche, di scienza, e mentre quella voce parlava, Ideale si rendeva conto di entrare dentro le parole, di ascoltarle talmente da vicino, di vederle e toccarle con così tanta chiarezza da perderne il senso.

Così, ogni volta, le parole si tramutavano in nuvole, splendide nuvole di panna montata baciate dal sole, e lui si librava dentro il cielo, in un piacere senza fine che non voleva abbandonare. Poi, all'improvviso, in mezzo ai cavalieri della giustizia scorgeva suo padre con barba e panciotto. Alto, bello, il fiocco nero che svolazzava al vento. Se ne stava andando, stava andandosene per sempre verso la Svizzera, la Francia o chissà quale altro posto della terra, lasciandogli il compito di preservare la valle luminosa, e la sensazione insopportabile di non sapere assolutamente come fare.

Nel suo cuore di fanciullo, Ideale si portò dietro per molto tempo questo peso incommensurabile, il metro sul quale misurava la propria incapacità, la propria inadeguatezza. Tutto, attorno a lui, gli era estraneo: la disciplina, le regole severe, il freddo, il buio, la rigidità di rapporti umani mai governati dall'affetto. E la scontrosità di Mikhail, con la propria incapacità, ancora una volta, di essergli di aiuto.

Fu nel mezzo di questo marasma interiore che Ideale scoprì il Peccato Originale. Apprese, da una dottrina che non aveva mai potuto accostare prima, l'idea che non solo lui, ma ogni essere umano, dal più ricco al più povero, dal più intelligente al più stupido, nasce portandosi dietro una colpa originaria. Con avidità lesse nei passi della Bibbia della disobbedienza di Adamo e della maledizione del Signore:

"La terra sarà maledetta per cagione tua, e tu mangerai il frutto di essa con affanno, tutti i giorni della tua vita..."

e infine della sua condanna perenne:

"Perciò il Signore Iddio mandò fuori l'uomo dal giardino di Eden, per lavorare la terra, dalla quale era stato tolto. Cacciò l'uomo e mise i Cherubini davanti all'Eden, con una spada fiammeggiante per guardare la via all'albero della vita."

Interrogò i precettori, pose quesiti, si infervorò in discussioni e letture con la stessa trepidazione di un viandante che, nel mezzo di una bufera, intraveda la speranza di un riparo caldo e asciutto. Perché altri avevano disubbidito al padre, e una strada per espiare questa enorme colpa era possibile.

Quando il Rettore lo ammise al colloquio, Ideale aveva già preso la sua decisione. Così ascoltò con attenzione la reprimenda del vecchio prelato. Si disse consapevole e lui stesso preoccupato per il comportamento del fratello. Chiese venia, assicurando che Mikhail era di buona indole e solo le prove della vita lo avevano chiuso a riccio, come difesa da una situazione che non capiva ma subiva sulla sua pelle ogni giorno.

Il Rettore rimase piacevolmente sorpreso da queste parole piene di responsabilità, pronunciate da una persona ancora così giovane eppure, a giudicare da quello che stava dicendo, già matura e profonda. Conosceva le vicende familiari del ragazzo, la paternità di uno sciagurato ateo e miscredente, il concubinaggio di questi con una vedova, la madre, senz'altro sedotta con chissà quali promesse e malìe. Nella sua lunga vita di educatore aveva incontrato ogni tipo di persona, e dunque non si sorprese di tanta differenza tra due fratelli. Più di una volta gli era capitato di verificare come, da una stessa pianta, potessero nascere frutti di ben diverso sapore. Del resto, infinite e misteriose erano le vie del Signore.

Alzò lo sguardo verso Ideale e vide che il ragazzo chiedeva ancora il permesso di parlare:

«Padre, avrei un desiderio da confidarvi, e vorrei il vostro conforto e la vostra benedizione.»

Il Rettore fece appena un cenno di incoraggiamento:

«Vorrei prendere i voti» disse Ideale, «voglio diventare un sacerdote.»

Il vecchio Rettore sorrise. Davvero infinite e misteriose erano le vie del Signore.

Il ritorno del Maestro dette l'illusione, a chi l'aveva conosciuto, che qualcosa dell'antica armonia del Colle Alto potesse tornare immutato, fingendo così non solo che poco tempo fosse trascorso, ma che tutto quanto era arrivato lassù seguendo i binari della ferrovia potesse comunque scorrere e asciugarsi, così come prima o poi fa la pioggia dopo un violento temporale. Fu, appunto, soltanto un'illusione, perché ben presto fu evidente che il tempo corre più veloce dei treni, e correndo lascia dietro di sé pezzi di persone, di cose, di pensieri, di tutto ciò che costruisce quello che siamo e, al di là della memoria, ridare vita a tracce e fantasmi è un esercizio sterile e vano.

Da quando il Maestro se n'era andato, di notte e furtivamente, molto infatti era cambiato. Le poche case attorno alla stazione erano ora diventate un borgo vero e proprio, pieno di vita, ma senza l'animazione febbrile che aveva conosciuto negli anni in cui il cantiere posava binari e costruiva il viadotto sul Padule. Il Padule stesso sembrava più triste, non solo perché sconciato dalla massicciata che lo attraversava, ma perché assalito da una miriade di capanni e baracche sorte accanto a quelle dei pescatori, in un fiorire di attività che riforniva il nuovo borgo, Colle Alto e tutta la zona fino alla Piana e oltre. In questo proliferare, non era stato trascurato neppure un pizzico di mondanità balneare, con un traballante molo di legno sul canale che terminava in una civettuola pagoda a palafitta adibita a ristoro e, all'occorrenza, a esotica sala danze.

La linea della ferrovia tracciava ormai una ferita lunga fino oltre l'orizzonte, unendo il Colle alle città, portando nuovi commerci e nuove persone che mischiarono il loro linguaggio come due diverse qualità di vino in una caraffa, tanto che la parlata ampia e musicale di quelle parti resistette soltanto, e ancora per poco, tra le vecchie strade di pietra delle antiche case di Colle Alto.

Assieme alla nuova gente arrivarono nuove usanze e nuove storie, nuovi modi di vestire, e quando gli abitanti di quell'antico borgo, soprattutto i più vecchi, videro arrivare sotto l'arco della Rocca il fattore del Malgardo seduto accanto al signor Conte su un trabiccolo sbuffante che pure si muoveva senza muli, cavalli o buoi al tiro, fu loro chiaro che qualcosa stava cambiando inesorabilmente, e il millenario respiro di quelle case era ormai compromesso da eventi che essi non avrebbero potuto evitare, neppure ignorandoli, neppure negandoli o ricamandovi attorno le loro storie così come avevano fatto al tempo in cui il Maestro si era dato all'esilio.

Del resto, anche nella casa vicino alle mura molto era cambiato, e la vita pareva continuare a mettere alla prova l'amore e l'allegria di quel luogo che, senza la chiassosa masnada dei ragazzi, ristava tranquillo, come in attesa, appena rischiarato dal canticchiare della gioventù di Libertà. E quel senso di attesa fu acuito dalla notizia che arrivò, una mattina, portata a cavallo da un messaggero dell'esercito il quale, per quanto secco e scontroso, non riuscì a trattenere un momento di commozione nel recapitare alla vedova Bartoli il dispaccio in cui, ufficialmente, si dichiarava Bartolo disperso dopo la battaglia di Adua, in mezzo alla sabbia bruciata dal sole.

Da quel giorno, nei pomeriggi in cui l'estate faceva sorgere sul pelo del Padule i tremuli miraggi del calore, non fu raro vedere la vedova scrutare la linea dell'orizzonte, nella speranza di vedere sbucare suo figlio di corsa e col cappello di piume sulla testa.

In quei mesi d'attesa che, alla luce dei fatti che seguirono, risultarono per tutti come una lunga sospensione, il Maestro aveva conservato l'abitudine delle sue letture e dei suoi studi, e ripristinato il piacere delle lunghe passeggiate nelle campagne. Eppure, per quanto ripetesse gli stessi itinerari, per quanto si sforzasse di ricordare i luoghi e le circostanze, anch'egli si dovette presto arrendere all'evidenza di un cambiamento ormai irreversibile. Altri rumori, altri colori, persino un diverso muoversi dell'aria, così che, nel volgere di poche settimane, egli perse il gusto di quelle escursioni e rinunciò a inseguire i fantasmi di un passato che ormai si era disciolto in un presente per lui senza sapore.

Solo l'amore della vedova resistette. Immutabile, caldo, assoluto. Solo tra le sue braccia, nei suoi occhi e nelle notti trascorse in silenzio accanto al suo respiro, il

Maestro sentì che il tempo era rimasto immobile, congelato, quasi fosse timoroso di azzardarsi a incrinare quegli istanti e, per impotenza e per discrezione, si tenesse alla larga.

In quei momenti era come approdare a un'oasi nella quale immaginare che nulla fosse cambiato e che forse, in qualche modo, fosse possibile realizzare il sogno di essere insieme felici e liberi, carne e aria, pensiero unito in un abbraccio.

Fu una lettera, una breve lettera nella quale Ideale informava la famiglia della sua intenzione di prendere i voti, a confermare una volta per tutte al Maestro la distanza tra le speranze e la realtà, tra quanto scappa veloce il desiderio dei sogni e come si infrange di fronte all'evidenza.

L'uomo accolse la decisione del figlio senza profferire verbo. Non volle nemmeno mai commentarla, né con la vedova, né con nessun altro. Ma da quel giorno non rivolse mai più la parola a Ideale, e neppure gli regalò mai più un abbraccio, un sorriso o una carezza. E anche in occasione delle sue rare visite al Colle, a chi, cercando di intercedere, lo pregò di porgergli almeno un cenno, un benvenuto, rispose sempre e soltanto:

«I preti, io non li saluto.»

Quanti conobbero il Maestro negli anni che seguirono il suo ritorno al Colle dubitarono della verità di quanto si andava raccontando su di lui: aneddoti, storie e avventure che avevano reso la sua figura quasi leggendaria. Ai loro occhi pareva davvero strano che quell'uomo cupo e ingobbito, dall'aspetto precocemente invecchiato, fosse il protagonista dell'insieme di racconti che giravano per il paese srotolati con la musicalità ritmata del parlare locale, a narrare le gesta di un personaggio familiare e conosciuto da tutti, fino quasi a costituire una specie di epica domestica. Gli anni dell'esilio, la lunga lontananza e i sacrifici, i rigori del carcere e, non ultimo, l'affronto della scelta di Ideale che sentì sempre come un insopportabile tradimento, si posarono infatti sul Maestro, e ne mutarono non solo l'aspetto esteriore, ma in qualche modo anche l'umore e l'entusiasmo così che, se la sua indole era sempre stata riflessiva e introversa, i fatti della vita la resero più chiusa e scontrosa. Infatti, a differenza di un tempo, era molto raro incontrare per Colle Alto il Maestro durante una delle sue lunghe e proverbiali passeggiate, nelle quali, ora, sembrava evitare qualsiasi occasione di dialogo, limitandosi a educati ma secchi cenni di saluto. Pareva trascinasse con sé un peso, un'inquietudine che celava soltanto di fronte al sorriso della vedova o all'allegria giovanile di Libertà, le quali sopportarono con pazienza e amore il buio nel quale sembrava essere scivolato, curandolo con le loro attenzioni fatte di discrezione, di presenze appena accennate.

Da questa sorta di pozzo il Maestro emerse con lentezza, passo dopo passo, notte dopo notte, con tutta la costanza che occorse per assimilare il cambiamento e l'aria così differente da quella piena di promesse che egli aveva conosciuto il giorno in cui era arrivato al Colle. Impercettibilmente, introiettò le ferite che la terra, le case e il Padule avevano patito, lesse uno per uno i volti che ancora non conosceva, ritrovò antiche strade in quelli che erano stati presenti, e così come matura un frutto o la primavera si annuncia dai primi fiori che rompono la neve, in un primo momento decise di rendersi utile al bilancio familiare – retto quasi del tutto dall'abilità della vedova nel ricamo – scendendo tra i pescatori del Padule a dare una mano nel duro lavoro del barcaiolo.

Poi, rendendosi conto delle condizioni di ignoranza e bisogno in cui versavano i figli di quei disgraziati, si dette da fare per organizzare una particolare scuola popolare, una sorta di piccola Accademia in cui egli riuniva i bambini per insegnar loro qualcosa nei momenti in cui si preparavano le esche, si riponevano sartie e cordami, si scaricava la pesca giornaliera. Così, durante le giornate di vento teso e freddo da strappare le lenze, mentre i vecchi si dedicavano alla cura delle barche, un cerchio di ragazzi di ogni età circondava il Maestro che, di nuovo vigoroso, parlava loro delle Americhe e degli strani animali che popolavano le terre dov'era il ghiaccio perenne, raccontava degli antenati etruschi che per primi avevano popolato quelle zone e di come, sulle colline oltre la Piana, avevano imparato a fondere il ferro per fare gli strumenti più forti e belli che all'epoca si potessero vedere. E in quelle lezioni disordinate, ma lunghe e appassionate, non mancava volta che qualche adulto chiedesse spiegazioni su un fatto o su una data o che, ancor più, dalle esotiche relazioni sui popoli lontani nella geografia e nel tempo, si finisse a parlare dei governi di questa Italia, delle tasse del signor Quintino Sella e di come un povero pescatore, anche conoscendo bene il far di conto, sarebbe potuto arrivare alla fine della mesata con due soli soldi in tasca e la fame fuori dalla porta.

Rinvigorito da queste discussioni, il Maestro tornò pian piano ad assomigliare all'immagine dell'uomo che le chiacchiere del paese avevano immortalato, e anche la casa vicino alle mura sembrò rifiorire della sua luce antica, fatta d'amore, una luce che avvolse la vedova Bartoli e si manifestò con la nascita di un nuovo figlio, al quale venne imposto il nome di Cafiero.

Ma la spinta decisiva che contribuì a compiere il destino del Maestro portandolo lontano da quelle case, alla ricerca del suo ideale di giustizia, fu l'arrivo al Colle di Maniero. Giunto per una breve visita all'amico che aveva assistito nell'ultima parte dell'esilio e poi nei difficili anni del carcere, egli subì la malìa di quella casa nella quale era tornata con prepotenza la vita, e quelle pareti abituate all'armonia e all'amore stregarono l'ospite assieme al sorriso di Libertà che era ormai una giovane donna.

E come se il tempo avesse deciso di burlarsi di tutti,

99

avvolgendo a ritroso il suo misterioso filo, la vedova e il Maestro assistettero al ripetersi del loro innamoramento in quello dei due, nelle stesse modalità e negli stessi passaggi. Cosicché videro Maniero isolarsi sempre più in escursioni solitarie e lunghe, mentre Libertà inanellava lunghe notti sospirose e insonni finché, in una bella giornata dalla luce così limpida da far brillare il Padule come il mare, l'uomo si presentò alla ragazza che, seduta di fronte all'orizzonte, si accingeva al ricamo, e tormentando impacciato la tesa del cappello le chiese, con una sola parola, il permesso di uscire insieme.

Da quel momento, e per il periodo in cui i due amanti rimasero nel borgo, la gente del Colle rivisse l'amore come un fatto evidente e naturale, accettando come inevitabile la manifestazione dell'armonia che trapelava dalla casa vicino alle mura. Fu una stagione felice e breve, che durò lo spazio di una primavera, finché il Maestro, convinto dai racconti di Maniero sul malcontento popolare che montava a Bologna e a Milano contro l'operato di un governo vile, si decise a partire assieme all'amico e alla figlia verso nord, lasciando ancora una volta la vedova con un bimbo da crescere e la promessa di essere presto di ritorno, pronti a salpare tutti insieme per raggiungere Mannuzzu nelle libere terre del Brasile.

Quando il Maestro arrivò, per le strade già era palpabile la tensione. Gruppi di persone camminavano a passo spedito nella stessa direzione, alcuni parlando ad alta voce, altri con la faccia scura e in silenzio.

Il Maestro attese per circa dieci minuti che Maniero arrivasse assieme agli altri, e nell'attesa si appoggiò al muro di una casa e si accese un sigaro. Il fumo lo avvolse in un istante e all'improvviso la casa del Colle gli si materializzò davanti, e insieme alla casa il sorriso della vedova Bartoli, lo stesso del giorno in cui, martoriando il cappello, le aveva chiesto il permesso di amarla.

Sentì una stretta alla gola, e qualcosa raspare in mezzo al petto neanche fosse un animale affamato. Si guardò attorno, vide quella gran moltitudine di gente offesa, decisa a far valere la propria dignità, senza dover mendicare un pezzo di pane per far piacere ai bilanci dello Stato. Attraverso il fumo del sigaro e tra i fantasmi del Colle vide le persone sulla barricata, allora respirò profondamente per mandare via quel peso, ma quando giunse alla fine del respiro, in quel momento minuscolo in cui tutto è sospeso, si rese conto di essere solo, e un dolore perfetto lo avvolse come un abbraccio.

Gli occhi velati, desiderò fino a sentire male uno sguardo della vedova, o un breve abbraccio di Mikhail, e i suoi capelli biondi, o la furia mai interrotta di Bartolo o che lì, pronti a camminare verso la propria riscossa, Libertà e Cafiero potessero unirsi, stretti con lui e con gli altri, a far vedere ai piemontesi come si deve essere liberi e fieri, comunque.

Persino quel rinnegato di Ideale desiderò, con le sue fisime pretaiole e il suo abito da femmina. Persino un suo sorriso desiderò il Maestro quel giorno, appoggiato a un muro di Milano.

"Che diamine" si disse, "devo essere proprio invecchiato. Che sono questi sentimentalismi da dozzina, e proprio ora che s'è giunti alla resa dei conti?" Mentre pensava questo, vide sbucare dall'angolo i suoi compari, e dunque ricacciò in gola il dolore come un boccone pesante che avrebbe pensato poi a digerire.

Si gettarono in mezzo alla folla come in un mare, già da qualche parte si levavano grida ben ritmate contro il governo e l'infamia d'affamar la gente. C'era rabbia, certo, ma anche allegria e voglia di fare sentire la propria voce al mondo, i maledetti.

Superarono la barricata e svoltarono sul viale, e solo allora, da dietro le prime fila, si accorsero dei soldati schierati, e dei cannoni: un muro, una diga stretta ad arginare un fiume che arrivava.

Tutto si arrestò per un attimo. Nel silenzio quasi as-

101

soluto si sentì una voce salire da dietro quel muro, il tono quello imperioso di un comando.

«Ora basta, arretrate e disperdetevi, in nome del Re!» al Maestro parve di capire.

Subito si volse verso Maniero e gli ordinò di salire con lui verso le prime file. Davanti vedeva quasi solo donne, e bimbi accanto, e altri bimbi in braccio, e da quel gruppo inerme si levavano grida e imprecazioni contro il Re e i suoi scherani.

Fendettero la folla tenendosi per mano, e arrivarono davanti, Maniero e il Maestro, proprio nel momento in cui il tempo si congelò, e nel viale i sogni di quella gente si intrecciarono in un tessuto di desiderio. Non grosse cose, le semplici volontà di chi è ridotto ad aspettare il domani in compagnia della fame. Qualcuno, preso alla sprovvista dal silenzio, si ricordò di un'offesa fatta senza volere a un amico, di un bicchiere appoggiato sulla tavola, di una macchia d'unto sui calzoni. A una donna nella terza fila ritornò in mente una domenica di molti anni prima, e le frittelle di San Giuseppe. Un bimbo, proprio davanti al Maestro, assaporò il sapore della regolizia che gli aveva regalato il parroco, dopo la Comunione.

In quel vagare di pensieri, il Maestro si accorse di avere ancora fermo, piantato nel petto, lo stesso dolore che aveva provato qualche minuto prima, appoggiato al muro, e si voltò verso i soldati.

Vide esplodere la fiamma come se fosse dietro a uno spesso cristallo, e nello stesso istante alcune donne alla sua sinistra volare per aria avvolte dal fuoco. Un mazzo di fiori, parevano, fiori recisi che ricaddero a pezzi lungo quel viale pieno di pensieri. Subito dopo un'altra fontana di fuoco sradicò da terra altre persone lanciandole per aria.

In un silenzio totale il Maestro, reso sordo dalle esplosioni vicino a lui, guardava immobile quel massacro come se non lo riguardasse. Vedeva uomini sanguinanti cercare riparo contro i muri delle case, donne e bambini sparsi per terra come se dormissero, altri immobili, inginocchiati quasi fossero intenti a pregare.

Un vecchio appoggiato a un carro si mosse di corsa verso di lui, lo fissò, lo scosse per le spalle e indicò qualcosa alla sua destra. Gli occhi sbarrati, pareva stesse urlando. Gli faceva segno di andare, lo scuoteva e indicava la sua mano. Il Maestro guardò, e solo allora si accorse che stava reggendo i brandelli del braccio di un uomo. Allora guardò il vecchio, fece un cenno di ringraziamento, poi si mosse lentamente nella stessa direzione in cui la gente stava fuggendo.

Con il braccio insanguinato di Maniero in mano, il Maestro si avviò verso il centro di Milano.

Non avrebbe saputo dire per quanto tempo camminò, e da che parte, chi incontrò e che cosa gli dissero. La prima cosa che il Maestro ricordò fu il viso di una vecchia in lacrime che in una lingua sconosciuta e strana lo supplicava, lo abbracciava, lo accarezzava.

Le mani della donna erano sporche di sangue, e lui pensò potesse essere il proprio, o forse quello di Maniero. Sorrise.

La vecchia lo stava spingendo verso un portone. I soldati. Gli stava dicendo dei soldati che arrivavano. Gli stava dicendo di scappare.

Il Maestro si voltò e vide dei cavalli e un gruppo di militari in fondo alla strada. Stavano andando nella direzione opposta e non si sarebbero accorti di lui. Ringraziò la vecchia, le diede una carezza e la salutò nel dialetto di Sapri. Poi si voltò, e a passo lesto si diresse dove erano i soldati.

Non sapeva con precisione che cosa avrebbe fatto. Pensava a Maniero e a quegli altri volati in pezzi, vedeva le divise colorate, i cavalli e forse anche i cannoni. In quei trecento metri per la testa del Maestro passarono molte cose. La casa del Colle, e il volto del fattore che ce lo aveva accompagnato. Marx, Ricardo, Bakunin, la teoria del plusvalore e la miseria dei popoli. Una pagina di Feuerbach, chiara e nitida, e il volto di una ragazza che aveva amato in un fienile, ma non ne ricordò il nome. Le ruote e i treni, e la prima volta che aveva toccato la mano di suo figlio Ideale, appena nato. Vide di fronte a sé delle parole e pensò a un discorso, forte e diretto. La forza della vita, la disperazione degli oppressi, il colore del sangue, le urla, ubbidire, ribellarsi. Tutto gli sembrò, in quell'istante, talmente chiaro e banale da far male. Come avrebbero potuto non capire?

Ne fu sicuro e accelerò il passo, cosicché quando arrivò vicino ai soldati potremmo dire che quasi correva.

A pochi metri dal drappello vide Maniero assieme a Libertà che lo teneva per mano. Pareva stessero salendo su un barcone attraccato alla banchina.

"Salpano per Cecilia" pensò il Maestro, e un sorriso di sollievo gli si spalancò sul volto. Il Sud America, la nuova società libera per uomini liberi e senza sfruttamento.

Il Maestro alzò le braccia verso il cielo e con tutto il fiato che aveva in gola cercò di attirare l'attenzione della figlia e dell'amico. Mise la mano in tasca per estrarre il fazzoletto nero e rosso che lei gli aveva regalato.

«Libertà» urlò.

La strada terminava in una banchina sul Naviglio, e un gruppo di militari si stava accostando a un barcone per caricarvi armi e cavalli.

Qualcuno di loro vide un uomo solo arrivare a passo di corsa, l'espressione stravolta e la camicia insanguinata. All'ufficiale dissero poi che pareva un pazzo, così di fretta, scarmigliato e lercio di sangue, e urlando "Libertà" a squarciagola.

Un soldato, superato di slancio, vide che l'uomo stava estraendo qualcosa da una tasca. Si girò, impugnò il fucile e fece fuoco. L'indemoniato proseguì la corsa ancora per qualche metro poi cadde riverso, in avanti, sulla sabbia, le mani protese come se stesse tentando di fuggire tuffandosi nel Naviglio.

Dagli accertamenti risultò essere schedato agli archivi giudiziari come sovversivo. Un anarchico, noto col soprannome di Maestro.

L'Ulisse cominciò a impazzire lentamente. Come un intonaco lasciato senza cura al sole e alla pioggia, si scolorì, si crepò e quindi, pezzo dopo pezzo, precipitò in polvere al suolo. A rovinarsi per primo fu il suo aspetto esteriore a iniziare da quando manifestò l'intenzione di indossare sempre e soltanto lo stesso abito, rifiutando di cambiarlo con quello che la Mena gli preparava per il mercato settimanale. Per quanto quella santa donna tentasse di arginare lo sfacelo, cercando di rammendare l'abito o lavarlo mentre l'Ulisse dormiva, il tessuto alla lunga si logorò, diventò liso e lucido, e poi si strappò del tutto. La situazione precipitò quando l'Ulisse cominciò a prendere l'abitudine di coricarsi vestito, a volte persino senza togliersi le scarpe, e di dormire spesso sino al pomeriggio inoltrato, gettando la Mena nello sconforto più assoluto per l'impotenza in cui ridusse i suoi amorevoli tentativi di cura.

Alla decadenza dell'abbigliamento si accompagnò la perdita di quel portamento austero che, a suo tempo, aveva tanto affascinato la Rosa, e l'Ulisse parve rimpicciolirsi, camminare sempre più strascicando i piedi e curvando il collo, come a guardarsi perennemente le punte dei piedi.

Questa sua trasformazione progressiva non passò inosservata né fu indolore per i Bertorelli, poiché sia Telemaco che l'Ettorre tenevano alla loro rispettabilità e all'onore, specie dal momento in cui, negli anni che seguirono la costruzione della grande casa del Prataio, la fortunata coincidenza della guerra aveva fatto aumentare il valore dei suini e i profitti derivati dal loro commercio avevano assicurato alla famiglia le basi economiche per compiere un deciso salto di censo. Telemaco, incoraggiato da certi discorsi che animavano il mercato del Portale, aveva addirittura accarezzato l'idea di candidarsi alla carica di sindaco, mentre l'Ettorre, sempre in cerca di soluzioni per la sua numerosa famiglia, stava valutando di entrare in società col Conte del Malgardo nel dare inizio, verso la Piana, a un'attività di costruzioni meccaniche.

Era dunque comprensibile che l'aspetto dell'Ulisse, sempre più simile a quello di un vagabondo che a quello di uno stimato commerciante, non fosse ben visto dagli altri fratelli i quali lo affrontarono, dapprima con le buone poi con toni sempre più accesi e furibondi, senza ottenere alcun risultato se non un composto e attento ascolto che, ogni volta, egli chiudeva con le medesime parole:

«Capisco, ma non è l'abito il fondamento: il sonno è la parte più importante della vita.»

Accanto a questi comportamenti, che dai fratelli vennero sempre liquidati con irritazione, e rubricati sbrigativamente alla voce "mattane", il fatto della Rosa fu senz'altro uno degli elementi che causò l'isolamento dell'Ulisse, prima che gli eventi precipitassero e la follia non lo sgretolasse del tutto.

Dalla stanza nella quale si era ritirata dopo il trasferimento nella grande casa dei Bertorelli, la Rosa non aveva più tenuto alcun rapporto col marito, né assunto alcuna incombenza domestica che non fosse legata alla cura dei figli. In maniera quasi automatica, dunque, la gestione della casa era passata alla Mena che, ormai, vi si era trasferita in pianta stabile, lasciando solo il signor Cesco il quale, dal canto suo, aveva ritenuto giusto sacrificarsi per la tranquillità di una figlia.

Nei primi tempi, quando ancora l'Ulisse era l'uomo

forte e sanguigno di sempre, era sembrato che la vita nella grande casa avesse preso un suo scorrere tranquillo, con le donne dei Bertorelli, a esclusione della Rosa, a occupare quasi stabilmente la grande cucina centrale e mantenere vive e funzionali le molte stanze di quella nuova abitazione; con gli uomini impegnati in affari che parevano girare a mille, spinti da un vento inarrestabile di commercio; con le stalle nelle quali decine di scrofe partorivano maialini pronti per l'ingrasso, il mercato e la macellazione; e con il Mero a pompare carbone nella portentosa caldaia dell'impianto di riscaldamento, una novità così rivoluzionaria per quei posti che per molti anni, fin quando cioè il velo del mistero si aprì su quello strano marchingegno, la gente del Prataio e della Piana credette davvero fosse l'ennesima mattana dell'Ulisse.

Ma ben presto questi cominciò a guardare con insofferenza crescente l'isolamento che la Rosa si era data, quel suo fitto e continuo parlare coi figli, il suo rimanere ore e ore al terrazzo ad ammirare il boschetto sulla cima del bel colle che sovrastava il Prataio.

Una domenica mattina l'Ulisse si svegliò al rumore dei ragazzi che, assieme alla madre e alla Mena, se ne stavano andando in paese per la messa. Senza farsi vedere, si avvicinò alla finestra e sbirciò verso la stradina per il Colle. Vide il prato ben rasato attraversato dal filo grigio della ghiaia, percepì nel vociare allegro che riempiva l'aria una complicità a cui lui non avrebbe mai potuto prendere parte. Sentì il rumore dei passi perdersi oltre il cancello e poi, all'improvviso, il silenzio gli cadde addosso come un maglio. Il sole aveva appena cominciato a lambire la casa e il muro si stava incendiando di un rosa che, già solo per il nome, lo turbava. Alzò gli occhi e vide il boschetto di cipressi.

Il prato, il sole, il boschetto, il silenzio.

Tutto era in armonia, così bello e perfetto che probabilmente lo ferì per sempre. Allora si precipitò a chiamare il Mero e, nonostante questo brontolasse, bofonchiando contro quell'idea malsana, lo obbligò ad aiutarlo, e prima che la Rosa e i ragazzi fossero tornati dalla messa tutti i dieci cipressi furono abbattuti. Quello, con tutta probabilità, fu il primo vero atto della follia dell'Ulisse, confermato dalla risposta che dette ai parenti quando gli chiesero ragione di quella distruzione:

«L'ho fatto per la vista, miei signori, poiché troppa bellezza può ferire sino alla morte. Iddio dovrebbe essere bestemmiato per tanta cattiveria, per la linea curva, per l'eleganza del cipresso, per la perfezione delle colline. Non è più limpido, ora, l'orizzonte del Prataio?»

L'incidente gli valse una lunga polemica coi fratelli che pretesero di essere risarciti per lo scempio. L'Ulisse pagò di buon grado, e non sembrò dare troppa importanza al broncio che per parecchi giorni Sole e l'Annina gli tennero in risposta al suo atto sconsiderato. Da quel giorno, comunque, cominciò a essere più ombroso e introverso, limitando sempre più le occasioni di incontro e abbandonandosi spesso a lunghi momenti di silenzio durante i quali, immobile di fronte al balcone della camera della Rosa, sembrava rimuginare dentro di sé qualcosa di molto difficile da comprendere. Ovviamente il commercio ne risentì, e se all'inizio i Bertorelli cercarono di porre un limite a una trascuratezza che avrebbe senz'altro portato a seri danni economici, di fronte al suo continuo rifiuto di collaborare decisero di chiudere la partita, recandosi dal notaio per sancire una definitiva divisione delle proprietà.

L'Ulisse non parve dare molta importanza neppure a questa separazione e, come se stesse cercando la soluzione a un problema, esasperò invece la sua ostinata presenza di fronte al balcone della moglie, fino al giorno in cui si precipitò ancora a cercare il Mero per obbligarlo a salire su una scala e ad abbattere a colpi di piccone quel terrazzo che ormai si era impadronito della sua testa.

Da allora, così sconciata, la facciata della casa che dava sul colle, una bocca cui avevano strappato un dente, portò per sempre il segno del dolore che aveva corroso dall'interno l'Ulisse fino a sgretolarlo, a distruggerne il fisico, ad allontanarlo dal mondo e soprattutto dal commercio, che fino a quel momento era stato la sua vita.

A complicare la situazione intervenne senz'altro la morte della vecchia Zi' Sparta, che se ne andò per sempre senza rinunciare a una definitiva dimostrazione di quel particolare umore dei Bertorelli che, finché il lume della luce l'aveva assistito, era stato anche la forza sanguigna del nipote. La vecchia Sparta, ormai quasi marcita nel letto dove aveva trascorso gli ultimi anni, salutò questo mondo senza rimpianti, dopo aver maledetto la Rosa, l'Ulisse, l'Ettorre, Telemaco, il Colle Alto e la Stazione, il Padule, la ferrovia, il Prataio, il Mero, i maiali e tutti i bimbi della famiglia ai quali augurò una morte improvvisa e precoce. E le donne della casa, troie che non erano altro, compresa per buon peso la Mena che, segnandosi più volte, raccolse le ultime maledizioni soffiate al suo orecchio con un filo di voce.

La Rosa assistette al progressivo guastarsi del marito senza dare segno di reazione, continuando a vivere quasi isolata nella sua parte della grande casa, a coltivare il suo rapporto coi figli e a imbastire qualche sporadica conversazione con la sorella. Furono soprattutto Sole e l'Annina a sobbarcarsi il compito di arginare, fin quando fu possibile, gli imprevisti che le mattane del loro padre stavano scaraventando sul Prataio. Se non altro, questa follia ebbe il risultato positivo di riavvicinare Sole al padre, nel senso che il suo manifestarsi dapprima attrasse il carattere curioso del ragazzo, e subito dopo, non appena egli percepì la sofferenza e la disperazione che quell'agire pareva esprimere, suscitò in lui un senso di sconforto e una pena sincera. Da quei giorni, fino al tragico epilogo, Sole si preoccupò di assistere e proteggere il padre, con discrezione e tatto, a distanza, per interposta persona, cercando di evitargli, non visto, ogni tipo di difficoltà o di ostacolo.

In verità, per un certo periodo tentò di allacciare con lui un contatto, inserendosi nei ragionamenti che l'Ulisse talvolta aveva iniziato a fare ad alta voce: la pericolosità dell'amore sentimentale, la superiorità dell'amore animale e selvaggio, la convinzione profonda che sempre di più l'uomo stesse vivendo nel buio e dunque fosse necessario e fondamentale il riposo. Ma poiché il padre si ritraeva, o mostrava di non essere avvezzo a discutere con chi, pur se figlio, gli era stato per così tanti anni distante, Sole si limitò a registrare quelle elucubrazioni annotandole diligentemente su un quaderno, passando poi molte ore a trascriverle e studiarle, convinto che potesse esservi nascosta una qualche chiave, un arcano sottinteso utile a dare una ragione a quel disperato errare dialettico.

Fu mentre questo accadeva che la Rosa se ne andò.

Successe tutto in un momento, e dunque si sarebbe potuto dire all'improvviso. Ma persino le chiacchiere che imperversarono dal Colle Alto alla Stazione, fino al Padule e poi giù alla Piana, o i pensieri che l'Annina e Sole rimuginarono in silenzio per mesi, o le preghiere della Mena, le lacrime del signor Cesco o anche i sorrisi di sollievo dei cognati, dovettero ammettere che della subitaneità quella fuga ebbe solo l'apparenza, poiché la Rosa si era allontanata dal Prataio già da molto tempo, con un'assenza che la follia dell'Ulisse aveva letto nel suo sguardo rivolto perennemente, dal balcone, al boschetto dei cipressi e in seguito, quando il boschetto non ci fu più, al colle e forse ancora oltre. Dal balcone, e una volta demolito il balcone, da dietro i vetri della sua finestra.

La stessa finestra dalla quale, il giorno del funerale della vecchia Sparta, la Rosa scorse un uomo vestito con una marsina azzurra scendere dal pendìo di fronte alla casa. Ebbe un sussulto, e per un attimo venne rapita dall'inquietante sensazione di aver già vissuto la stessa scena. Aprì le persiane e si affacciò. Attirato dal rumore, l'uomo si voltò e la vide. Il Prataio era deserto e silenzioso perché tutti i Bertorelli, compreso il Mero e la Mena, erano andati ad accompagnare il feretro al camposanto.

Soltanto la Rosa era rimasta a onorare l'appuntamento col destino che le parole di Sole le avevano riservato.

«Scusate» fece lo sconosciuto, «devo essermi perso. È questo il podere del Malgardo?»

La Rosa, gentilmente, rispose che no, quello era il Prataio. Per il Malgardo avrebbe dovuto risalire la collina e piegare a sinistra. Non troppo distante.

«Grazie, mia bella signora» rispose quello, galante, «anche se avrei preferito fosse questo, e che voi foste la Contessa per cui ci esibiremo stasera.»

«Siete musico?» domandò la Rosa, con la voce che già le tremava per l'emozione.

«No» rispose l'altro con un mezzo sorriso, «sono medico», e la Rosa capì, così disse soltanto:

«Attendete», e in capo a un minuto uscì dal portone principale e si diresse verso l'uomo in marsina. Indossava un abito celeste, e nell'andare elegante con cui si apprestava a raggiungere il suo destino la bellezza splendeva ancora come nel tempo in cui i passanti diretti al Colle facevano a gara per rubarle uno sguardo.

L'uomo la vide arrivare, bagnata di luce, un raggio celeste che scivolava sul prato verso di lui. Nella mano aveva una borsa, nell'altra un ombrellino chiuso e stretto.

La Rosa lo raggiunse. Ansimava appena, per la fretta. Forse per l'emozione.

«Siete il medico dei balocchi, vero?» disse.

L'uomo esitò un attimo. Poi rispose di sì.

«Per il Malgardo si va da questa parte» fece lei prendendolo sotto braccio, e poi continuò, affabile, dolce, già perdutamente innamorata:

«Dottore, ho qui nella mia borsa una bambola di pezza, di quand'ero piccina. Mi pare triste, consunta. La notte non riesce a dormire. Credo sia molto malata.»

Grazie a quello che aveva imparato in tanti anni di osservazione, l'Annina continuò a seguire l'Ulisse nei mercati cercando di sostituirlo nelle necessità cui non riusciva a far fronte o, dove possibile, di rimediare ai danni che egli procurava con il suo agire scriteriato. Apparentemente, poteva sembrare che nulla fosse cambiato dai tempi in cui il padre era il commerciante più abile di tutto il Portale.

La mattina, di buon'ora, l'Annina si recava con lui nelle stalle a scegliere i capi da vendere e poi, montando a pelo il cavallo, si poneva al fondo della fila dei maiali attenta a tenere unite le bestie con urla e richiami gutturali, mentre l'Ulisse si avviava in testa a tutti verso il mercato, guidando la spedizione così come aveva fatto per anni e anni. Ma, in realtà, chi avesse visto da vicino la scena si sarebbe accorto di come l'Ulisse entrasse nelle stalle e, invece di compiere la cernita dei capi, si attardasse a parlare con loro come a dei vecchi conoscenti, chiamandoli per nome, domandando loro un parere, attendendo la risposta, lasciando cioè alla giovane figlia il compito di procedere a tutte le incombenze del caso.

E ancora, dopo, quando si poneva alla testa del gruppo degli animali, l'Ulisse non era affatto convinto di quello che stava andando a fare, e soprattutto di dove andasse a farlo, e i richiami che l'Annina lanciava più che ai maiali erano diretti alla ragione del padre che si stava perdendo in mille sentieri sconosciuti. Raggiungere il Portale, o la Piana Grande, o anche solo il vicino Malgardo diventava un compito improbo e faticoso, poiché l'estro dell'Ulisse era volubile, e più di una volta l'Annina, costretta a fermarsi, ad attendere il padre che all'improvviso decideva per una sosta all'osteria o una visita alla cappella della Madonna delle Rane, era giunta sconsolata al mercato quando il momento per i migliori affari era svanito da un pezzo.

Con grande pena la fanciulla vedeva perdersi tra i fumi delle mattane dell'Ulisse il lavoro di anni, la credibilità e la ricchezza di un commercio che avevano assicurato alla sua famiglia la prosperità e il rispetto. Tutto, attorno, stava cambiando con rapidità. I venti di una guerra sempre più vicina promettevano affari colossali a chi avesse avuto la previdenza di intuire il momento giusto per una vendita o un ritardo delle consegne, così come l'apparire dei nuovi mezzi a motore permetteva non solo di trasportare più in fretta il bestiame, ma di raggiungere mercati più lontani aumentando il guadagno. In questa situazione, l'Annina era costretta ad assistere impotente all'agire di un padre che, invece di sfruttare l'occasione propizia per attuare nuovi investimenti, pareva estraneo e lontano da qualsiasi possibilità di commercio, arrivando addirittura a compiere atti che minarono definitivamente la sua reputazione e che, da allora in poi, lo resero agli occhi di allevatori, contadini e commercianti dell'ambiente lo zimbello dei mercati.

Più d'una volta, infatti, l'Ulisse interruppe a metà una contrattazione per inseguire un pensiero improvviso che lo aveva assalito, oppure si rifiutò di ottemperare agli impegni sostenendo, a cose ormai fatte, la necessità etica di far sottoscrivere l'atto di vendita anche dai suini interessati. Altre volte, arrivato al Portale, abbandonava l'Annina da sola per passare l'intera giornata nell'osteria, perdendosi in vacui ragionamenti con ubriachi e malandrini e, spesso, spendendo il denaro che aveva con sé nei modi più insulsi. La figlia, con grande sconforto, tentava di arginare questo sfacelo, anche se non era cosa facile per una donna, e per di più così giovane, ottenere la credibilità e l'autorità necessarie per concludere affari in un ambiente che era solo e soltanto governato da uomini, da uomini rudi, furbi e sovente senza scrupoli.

Oltre a questa difficoltà, l'Annina sempre più spesso si ritrovava a tarda sera, a volte addirittura quasi di notte, da sola con le bestie rimaste, senza che la nebbia del vino o della follia si diradasse dalla testa dell'Ulisse e il padre si ricordasse vagamente di lei, o del Prataio, o per lo meno dei maiali. Una sera d'inverno, poi, il Portale ormai quasi deserto, l'Annina se ne stava tutta sola e intirizzita nel cantone di un portico in attesa che il padre si decidesse a tornare quando una donna le si avvicinò domandandole se fosse lei la figlia dell'Ulisse Bertorelli.

«Vieni con me» le disse senza aggiungere altro, facendole segno di seguirla verso l'osteria. L'Annina fu assalita dal puzzo caldo che regnava nel locale, un fiato in tutto e per tutto simile a quello delle stalle. L'aria piena di voci, rumore di stoviglie, odori indefiniti e misti di vivande, sudore, vino, carbone, paglia, umido e segatura. Uomini attaccati ai tavoli, come bestie alla mangiatoia. Le due donne presero per una porta e poi su per una scala fino al piano superiore. Poi, la sconosciuta si mise di fronte alla porta, appoggiò la mano sulla maniglia e prima di aprire si girò verso l'Annina:

«Senti piccina, io l'Ulisse l'ho sempre avuto simpatico, ma questa cosa sua, ora, del dover dormire non l'ho capita.» La donna guardò verso il fondo del corridoio, dove un uomo stava fumando un sigaro, appoggiato alla parete. Quindi abbassò gli occhi come per schermirsi.

«E poi, scusa, ma io devo lavorare.»

L'Annina la guardò. Aveva le unghie dipinte di rosso e i capelli lunghi, raccolti dietro la testa da un nastro rosso, rosso come le labbra e le gote. Non era più giovane da un pezzo, e quei colori accesi, invece di conferirle allegria, la facevano apparire triste, come una bambola vecchia che qualcuno avesse tentato di abbellire in fretta.

Entrarono. Nel letto, l'Ulisse dormiva profondamente, così che non fu facile rivestirlo, convincerlo ad alzarsi e a uscire. Mentre aiutava la donna, l'Annina rimase colpita dalla familiarità con cui quella trattava il padre, di come, quasi con rispetto, maneggiasse i suoi vestiti sudici e logori, del modo in cui, con paziente fermezza, lo convincesse come si fa coi bambini assonnati che non intendono ragione.

Il ritorno al Prataio fu un'avventura, con l'Ulisse in mezzo al nevischio a precedere quei quattro maiali rimasti e dietro, a chiudere le fila, l'Annina stretta al cavallo nel tentativo di ripararsi dal vento e dalla pena che provava per il padre, sconciato in quel modo dalla vita.

Durante tutto il tragitto l'Ulisse parlò, o meglio, urlò al vento e alla neve, con una voce che pareva di profeta, i suoi sproloqui sulla pericolosità dell'amore, sulla passione inconsulta e animale, sul sangue che muove il mondo, sull'unica ragione di tutto che poi è il dormire.

«Nel sonno è il sogno e il vero destino dell'uomo» berciava. «Dio non ci vuole bene, e ci costringe a questa pena di vivere in attesa del sonno che verrà, perfetto ed eterno.»

Quella notte, l'Ulisse arrivò al Prataio in uno stato d'agitazione mai visto. Mentre l'Annina, aiutata dal Mero, era intenta a sistemare le bestie nel porcile, lui entrò in casa come una furia, continuando a biascicare frasi sconnesse. La Mena, che si era trattenuta in piedi preoccupata dal ritardo, lo trovò nella grande cucina, abbracciato alla caldaia di ghisa.

«Il caldo abbraccio dell'amore unisce l'uomo e la donna nel destino» stava borbottando con gli occhi fissi sul manometro cromato. Poi si voltò e vide la cognata, in piedi, lo sguardo interrogativo. L'Ulisse la fissò, e allargò un sorriso. Chi e che cosa videro davvero i suoi occhi non fu mai chiaro, ma si staccò dalla caldaia e, con dolcezza, lentamente, si avvicinò alla Mena fino ad abbracciarla:

«Ecco, questo è il caldo abbraccio dell'amore che unisce l'uomo e la donna nel destino» disse.

Quando, richiamati dalle urla, arrivarono di corsa il Mero e l'Annina, e subito dopo Sole che stava dormendo nella stanza di sopra, ormai l'Ulisse aveva compiuto sul corpo della cognata la dimostrazione di cosa fosse l'amare inconsulto e animale, il sangue che muove il mondo, e la pericolosità di un amore che la Mena conobbe in quel modo diretto, per la prima e unica volta nella sua vita.

Compiuta la violenza sulla cognata, e mentre i familiari si stavano occupando di lei, l'Ulisse si diresse verso il porcile, e con meticolosa precisione sgozzò uno per uno tutti i maiali rimasti. Quindi prese gli intestini della scrofa più grande, se li passò attorno al collo, e con quelli si impiccò alla trave maestra, non senza prima aver lasciato scritto sulle pareti della stalla con il sangue delle sue bestie:

"Non è finita. È il sonno la parte più importante della nostra vita."

Dopo la morte del Maestro, la casa vicino alle mura quasi si richiuse su se stessa in un silenzio inusuale per quel luogo sempre pieno di voci e di vita. E anche se ancora per molto tempo i vecchi abitanti del Colle non fecero mancare un saluto, e i pescatori e i figli dei pescatori pesci e rane che sottraevano alla loro miseria, e persino qualche anarchico spintosi fin qua dalla città un aiuto o anche solo il conforto della conversazione, Libertà e la vedova si ritrovarono nella solitudine lasciata dalle tragiche scomparse del Maestro e di Maniero, e dall'attesa sempre vana di Bartolo.

A questo dolore, muto e continuo, si aggiunse presto l'apprensione per le sorti di Mikhail, il quale, dopo la morte del padre e un furibondo litigio con Ideale, era fuggito dal collegio senza dar notizia di sé. Questo seguire di vicende disgraziate sembrava aver provato soprattutto la vedova, e così tanto da farle perdere quella soavità che era stata, per decenni, parte fondamentale dell'aura di leggenda che tutto il Colle Alto aveva costruito attorno alla casa vicino alle mura. A questa soavità si era andata sostituendo, giorno dopo giorno, una sorta di agitazione che le aveva dapprima crepato la serenità, e col passare del tempo sfibrato la tempra fisica, cosicché, in un'età che non era ormai più giovane, la vedova Bartoli si ritrovò in compagnia dell'insonnia e dei fantasmi notturni così com'era stato quando, molti anni prima, il pensiero del Maestro si era insinuato tra i suoi guanciali e il volto perduto del marito straziato dal treno.

118

Ma se quelle erano state notti passate a temperare la vita e l'amore, ora la consapevolezza di qualcosa che era irrimediabilmente finito, assieme al presagio di altri dolori imminenti, la opprimeva e le portava agli occhi colori e immagini che non amava. E a nulla serviva tentare di arginare la preoccupazione ripercorrendo con la memoria i giorni in cui l'allegria di Bartolo riempiva da sola le stanze della casa, o rivedere con lo sguardo fisso nel buio, il Maestro che strapazzava la tesa del cappello mentre le rivolgeva quell'unica, memorabile richiesta.

A nulla serviva, a distanza di così tanto tempo, riuscire ancora ad allungare la mano nell'oscurità della stanza, fino a toccare quell'immagine come se fosse viva, pulsante, e sentire lo spessore dell'amore, ancora presente, ancora solido come un panno di lana buona, un morbido panno caldo che però non riusciva a scaldarla.

E a nulla serviva consolarsi al pensiero della saggezza di Ideale, della sua costanza e della ragionevolezza con cui sembrava equilibrare l'ardore senza fine che era stato del padre. E così la gioventù di Libertà non la quietava, e i sorrisi del piccolo Cafiero che s'affacciava alla vita non le davano che un tenue rifiatare, perché subito le riappariva il corpo del Maestro squarciato da un colpo alla schiena, e le risa di Bartolo si trasformavano in pianto, e la rabbia di Mikhail diventava un'aria di vento ghiacciato che la lasciava ogni volta senza respiro.

Così, spesso, nel mezzo della notte la vedova Bartoli si alzava e andava alla culla di Cafiero, lo prendeva tra le braccia e infine si inoltrava nel silenzio delle strade del Colle a portare in giro se stessa, quell'ultimo figlio e i fantasmi della propria vita, e con quelli saliva fino alla Rocca, girava attorno alla piazza e scendeva oltre l'Arco Etrusco fin quasi alle prime palazzine della Stazione. E se la notte era ancora giovane, ripercorreva i sentieri lungo i quali il Maestro aveva camminato nelle sue lunghe passeggiate, e risaliva verso le mura soltanto quando, sulle case più alte del borgo, cominciava a intravvedersi il chiarore dell'alba, e durante tutto questo andare la vedova raccontava, passo dopo passo, ogni angolo della sua vita, ogni secondo conservato dentro di sé, cullato nella sua serenità, addolcito dall'amore con cui aveva sempre affrontato tutto quello che il destino le aveva riservato.

Fu così che il piccolo Cafiero, pur se non ebbe mai a vivere il passato, si trovò a farne parte entrandovi dalla porta dei sogni dai quali, addormentato tra le braccia della madre, assistette ammirato a tanta vita. Fu così che quell'ultimo figlio della vedova e del Maestro sentì l'aria intrigante della modernità soffiare per le strade del Colle accompagnata dal fischio della locomotiva, ascoltò con meraviglia il parlare musicale che una volta aveva avvolto le bocche di quegli uomini e respirò la loro geniale capacità di raccontarsi la vita così come piaceva a loro, e non alla vita.

Vide suo padre, alto, bello, giovane, mentre dal carro che saliva la collina guardava la pianura e il Padule Lungo, e dietro il Padule vide il mare, e dietro il mare vide Sapri proprio come il Colle. Vide suo padre in Svizzera, tra le montagne, mentre teneva per mano Ideale che fissava il cielo. Vide suo padre fermo, in piedi, con la barba e il cappello, e il fiocco nero annodato sulla camicia immacolata, nella stessa posa in cui l'aveva guardato per anni sua sorella Libertà, riflesso in un dagherrotipo d'argento.

Ma lui lo vide disegnato dalle parole della vedova, lo toccò con la stessa delicatezza con cui lei l'aveva accarezzato, lo baciò, lo strinse a sé con tremore, arrivò persino a sentirne l'odore di sigaro e di carta, e la stretta decisa e tenera delle sue mani grandi. Lo attese per anni in silenzio, che tornasse dai viaggi, dall'esilio e dalla galera. Con terrore lo vide salire sulle carrozze, sui calessi e sui treni. Lo vide ridere felice per un figlio nato, e in mezzo alle lacrime lo vide magro e spaurito, consumato dalla prigionia, perduto negli occhi azzurri di Libertà.

Lo vide rifratto dall'amore della madre e, dormendo, se ne innamorò.

Il Padre Rettore, appresa la notizia della morte del Maestro, fece chiamare Mikhail per comunicargliela.

«Ti devo recare una triste novella: tuo padre mancò tre giorni or sono» disse soltanto.

Il ragazzo sentì dentro di sé un'ondata di gelo, una mano alla gola che lo teneva stretto, e un dolore assoluto, totale e perfetto lo colse e gli strappò il respiro. Fu un momento breve, ma quando si riebbe gli sembrò fosse passata un'ora, un giorno, un anno. Non avrebbe saputo dire quanto. Il gelo intanto s'era sciolto e al suo posto il calore lo stava avvolgendo, e dallo stomaco saliva lungo l'esofago, la gola, fino ad arrivare, inesorabile e carico di lacrime, agli occhi. Le sentì arrivare, una cascata liberatoria, eppure le trattenne. Si morse un labbro, si tormentò le mani fino a farsi male, per non cedere alla voglia di pianto di fronte al volto di marmo del Rettore. Così cercò di dare un respiro profondo, ma lentamente, ché non trasparisse troppa emozione, e cercando di tenere la voce più ferma possibile chiese:

«Posso sapere come accadde?»

Il Rettore rimase un attimo in silenzio, come se cercasse dentro di sé le parole, poi disse:

«Giorni addietro vi furono moti e disordini a Milano. Tuo padre cadde in quel frangente.»

Il desiderio di piangere aumentò quasi all'istante e Mikhail, con voce già tremante, chiese:

«Che intendete dire?»

L'anziano Rettore allargò le labbra in un sorriso stirato. "Benedetto figliolo" pensò. Poi disse:

«Tuo padre fu colpito da una palla di fucile perché tentò di aggredire un gruppo di soldati.»

Il ragazzo abbassò lo sguardo. Trattenere le lacrime adesso era uno sforzo troppo grande. Girò il capo verso la finestra, e la luce del lume che comparve all'improvviso, riflessa dai vetri, disegnò il lampo di una fucilata. Chiuse gli occhi e vide suo padre in alto, ritto su una barricata, mentre si lanciava all'assalto dei soldati, sul petto una rosa di sangue. Li riaprì. Suo padre era ancora

121

di fronte a lui, con la camicia candida, e il volto sfigurato da una ferita enorme.

Si voltò verso il Rettore, e tutto d'un fiato domandò:

«Fu colpito al volto?»

L'uomo rimase in silenzio per qualche lungo secondo. «No. Alla schiena.»

Questa volta, con tutto il fiato che aveva in corpo, Mikhail urlò:

«Dunque fu assassinato! Colpito a tradimento!»

Il Rettore avrebbe voluto impedire che le urla continuassero, ma le parole del ragazzo erano ormai un fiume in piena.

«È dunque questa la giustizia, è dunque questa la legge che ci volete insegnare, piombo nella schiena a chi osa ribellarsi?» continuava a urlare, e assieme alle urla che uscivano dalla sua bocca le lacrime ora sgorgavano dagli occhi senza più freno.

«Mio padre era un uomo leale» gridava, «e alla lealtà si risponde con il tradimento», e mentre riversava sul Rettore queste e altre frasi, Mikhail si gettò sulla libreria che troneggiava nella stanza e cominciò a gettare per aria volumi e documenti.

«Questa è la legge del Re? È questa la legge che dobbiamo rispettare?»

Non fu semplice riportare il ragazzo alla ragione. Intervennero gli assistenti del Rettore e altri istitutori. Mikhail fu immobilizzato, e con la forza condotto nell'infermeria dove venne isolato in attesa che si calmasse.

D'urgenza, il Rettore fece chiamare Ideale che arrivò l'indomani dal Seminario.

Il colloquio fu cordiale ma teso.

«Io terrò conto del grande dolore in cui tuo fratello è incorso, dolore che certamente ha esasperato il suo carattere ribelle e instabile. La pietà è un atto di carità che gli dobbiamo. Ma non credo di poter tollerare altri gesti d'indisciplina.»

Ideale rassicurò l'anziano prete, poi chiese di poter parlare con il fratello. La stanza dell'infermeria era spoglia. Una brandina, un comodino, una sedia e un tavolinetto bianchi. Tutto era candido, e contrastava con il puzzo di acido fenico che ammorbava l'aria. Mikhail era un grumo nero seduto sul bordo del letto. Guardava fisso di fronte a sé, e quando il fratello entrò non lo degnò neppure di un'occhiata.

Le poche parole che si dissero in quel luogo falsamente immacolato rimasero per sempre impresse dentro di lui come una ferita indelebile, qualcosa tra loro di eternamente distante e incomprensibile. Qualcosa che nasceva da un comune dolore, eppure si allontanava in modo definitivo dall'amore e dall'affetto che egli sentiva di provare per il fratello; quell'affetto contro il quale, adesso, le pareti chiare riflettevano invece il buio dell'odio, di una rabbia sorda e infausta.

Alle parole d'amore che Ideale proponeva, Mikhail rispose con parole di vendetta, ai richiami verso la prudenza e la preghiera oppose la necessità della punizione, e cancellò gli inviti del fratello al perdono con la dura affermazione di un suo tradimento.

Talmente alto fu il muro che li divideva, che nessuno dei due riuscì a trovare la forza per superarlo attraverso un abbraccio o una carezza, un contatto che tentasse almeno di colmare quella distanza abissale. Fu in quel modo che si consumò l'atrocità di una separazione, un allontanamento definitivo che, finché ebbe vita, Ideale percepì come un vero e proprio crimine.

Durante la notte successiva Mikhail fuggì dal collegio e fece perdere le proprie tracce. Ideale seppe di lui soltanto sei mesi più tardi, allorquando la polizia gli comunicò che il fratello era rimasto ucciso a Milano, durante l'attentato che aveva compiuto contro un alto ufficiale dell'esercito di sua Maestà. Ideale non ascoltò neppure i particolari di un fatto di cui già, in fondo, sapeva tutto. Rimase solo con se stesso, nella sua stanza, assieme al peso di una nuova colpa da aggiungere alla quantità di dolore che sentiva gravare sulla propria esistenza.

L'alito caldo della vita che per tanti anni aveva avvolto la casa vicino alle mura pareva alla fine disperso da un ben più gelido vento che, dopo Bartolo e il Maestro, si era dunque portato via anche Mikhail. Nei discorsi di quelli che, tra la gente del Colle, avevano conosciuto lo splendore del borgo, accanto alle leggendarie gesta del Maestro cominciarono a comparire altri racconti su come il destino si fosse trascinato lontano l'allegria di Bartolo, e la rabbia per l'uccisione del padre avesse accecato Mikhail tanto da fargli perdere, assieme alla ragione, anche la vita.

In verità, lo spirito dissacrante di molti di loro arrivò ad affermare che, più che la ragione, all'inesperto ragazzo avesse fatto difetto la mira, permettendo al farabutto che aveva comandato l'uccisione di suo padre e di tanta altra povera gente di farla franca senza pagare le nefandezze commesse; ben presto, così come era nel costume di quegli ottimi narratori, i discorsi si spostarono dal giovane attentatore all'ufficiale che ne era stato l'obiettivo, raccontando di lui con dovizia di particolari e molta fantasia. In tal modo, nonostante Mikhail non fosse riuscito a ucciderne la persona, per la gente del Colle il nome dell'ufficiale in questione diventò il sinonimo nefasto di qualsiasi sciagura, della cattiveria e dell'ingiustizia più profonda, ed essi riuscirono in definitiva a decretarne, per merito della loro bocca, l'assassinio della memoria.

Così, mentre rendevano a modo loro onore a Mikhail, non tralasciarono neppure di raccontare come e perché Bartolo si fosse perduto tra le distese sabbiose di un Paese che, visto dalle verdi alture lambite dal Padule, appariva qualcosa di veramente vicino all'Inferno. Grazie a quelle storie Bartolo fu, a seconda dell'estro dei narratori e dei desideri dei loro ascoltatori, eroico soldato ucciso dalle tempeste di sabbia sahariana e amante di esotiche odalische stregate dalla sua allegria e dalla parlata musicale del Colle, esploratore coraggioso e fortunato, cercatore d'oro, di petrolio, di diamanti e di altri tesori. Fu rapito dai beduini e, per la sua abilità, associato ai loro affari e, dunque, ottimo commerciante, cammelliere e capo-carovana, consigliere di un Visir, Pascià e, addirittura, stregone e incantatore di serpenti.

Attraverso parole di puro amore, il Colle rese omaggio a quei suoi figli, tenendoli in vita ancora per qualche generazione, finché l'ultimo discendente di chi li aveva conosciuti li perse nella nebbia della vecchiaia, sfumandoli dapprima in ombre vaghe e infine scordandone i nomi e dimenticando persino i fatti reali che avevano dato origine a quelle storie.

Accanto a loro, purtroppo, nei racconti del paese comparve pure la vedova Bartoli, che a causa di una fine repentina e inquietante stimolò per anni la fantasia dei suoi concittadini. Successe durante una delle sue lunghe passeggiate notturne, mentre cullava Cafiero assieme ai fantasmi del passato e all'amore del Maestro, e in circostanze nelle quali ognuno riconobbe la mano beffarda e cieca del destino. Il corpo straziato della vedova, infatti, fu trovato nei pressi del terrapieno della ferrovia, lungo la strada che portava dalle mura giù verso la stazione. Gli accertamenti che subito vennero effettuati rilevarono, impigliati tra le ruote della locomotiva transitata da Colle nel primo mattino, resti dell'abito della donna, suggerendo una dinamica che sembrò incredibilmente simile alla disgrazia che aveva ucciso un tempo suo marito.

In un primo momento ci fu chi avanzò l'ipotesi di un suicidio, giustificato dallo sconforto per la perdita così ravvicinata e tragica del suo uomo e di due figli, ma fu un sospetto fugato dal ritrovamento, qualche ora più tardi, del piccolo Cafiero. In effetti, assieme allo sgomento per la morte della vedova, era subito circolato in paese l'allarme per la sorte del piccolo, dal momento che Libertà aveva assicurato che la donna, come era solita fare, era uscita tenendosi il figlio fra le braccia. L'ansia che colse tutti per qualche ora fu sciolta dai pianti dello stesso Cafiero che indicò ai soccorritori il luogo della sua salvezza: come un uccellino nel nido, il bambino se ne stava avvolto tra le fasce e in alto, ben incastrato tra i rami di un nocciòlo, accanto alla ferrovia. Poiché era impossibile che la vedova lo avesse messo in salvo in quel modo, fu a tutti chiaro che la morte aveva voluto prendersi soltanto lei, completando, con una simmetria spietata, quanto già aveva curato di fare, molti anni prima, con il marito.

Nella casa vicino alle mura rimase soltanto Libertà, che, ancora giovane, cullò Cafiero e lo aiutò a crescere tra i tanti ricordi che popolavano ormai la loro esistenza. Così come era successo quando sua madre, dopo la fuga del Maestro, aveva dovuto affrontare la solitudine, gli ultimi vecchi del Colle seppero ancora una volta accompagnare lei e suo fratello verso la vita, non facendo mai mancare loro un aiuto e una parola, finché la presenza del tempo non fu così pesante da portarli via tutti, uno per uno, lasciando per sempre il borgo alla confusione dei nuovi abitanti e delle nuove mode.

L'ultimo loro omaggio, l'ultima testimonianza d'affetto verso quella parte della loro storia che lasciavano al futuro, fu il nomignolo che affibbiarono a Cafiero, ricordando il prodigio del balzo fatto sul nocciòlo dal bambino, quasi un passerotto tra i rami che per tutti, da allora in poi, al Colle, fu soltanto "Nocciolino".

Solo quando il caporale Monaldi lo chiamò Bartolo si accorse di essersi addormentato. Avevano camminato tutta la notte per avvicinarsi ad Adua, divisi in varie colonne. Nel buio di quel posto infame non si vedeva altro che il buio, ma si sentiva forte il puzzo d'animale dei soldati, il sudore rancido, il fiato inacidito, l'odore di uomini che erano, già in quegli umori, carne in decomposizione. Nel buio si poteva immaginare il Colle e Bartolo lo aveva fatto, planando a volo d'uccello lungo il percorso della ferrovia fino alla stazione e poi su, seguendo la strada per arrivare alla casa vicino alle mura, a guardare il sorriso sempre giovane di sua madre, i suoi fratelli e il Maestro.

Nel buio si poteva immaginare l'acqua del Padule che ora, in mezzo a questa sabbia d'inferno, pareva davvero un'oasi insperata. L'acqua, e sotto l'acqua le rane, e accanto alle rane quei pesciolini minuscoli che Ideale amava tanto pescare e poi mangiare in frittura o appena scottati dal succo di un limone. E sotto il Padule la fanghiglia fresca, appiccicosa come certi sogni pesanti, pronta a scurire la limpidezza dell'acqua non appena la sfioravi.

E sotto la fanghiglia, pensò Bartolo, c'è lo stesso pavimento del mondo, e se riesci a togliere la montagna di sabbia su cui siamo, che è il Padule dell'Abissinia, ci sarà l'orizzonte di un Colle Alto che, sicuramente, esiste anche qui, abitato da ascari e beduini. Niente parlare musicale. Nessuna rima dondolante. Solo suoni gutturali e incomprensibili, come di gole tagliate da una sciabola.

Sull'Amba Alagi le aveva viste, le gole tagliate, e aveva visto proprio i suoi compagni assaliti invocare la pietà nella nostra lingua e poi aveva sentito la loro invocazione mutarsi all'improvviso in un suono orribile, prima di stramazzare per terra con la bocca inondata dal sangue. Lui, da quel macello, era venuto fuori per caso. L'ala in cui si trovava era sbandata per l'urto del nemico, la colonna tagliata in due nel mezzo. Sdraiato sulla sabbia aveva sparato, ricaricato e sparato, ricaricato e sparato a tutto quello che vedeva venire avanti, finché non aveva più sentito le mani e addirittura non aveva più sentito nulla, perché attorno a lui il mondo era diventato di ovatta, e la polvere alzata era diventata, come per magìa, la nebbia del Padule.

Se n'era rimasto a guardare dentro la nebbia, se per caso da questa fosse sbucato un pescatore sopra un barchino, o magari una folaga a sbattere le ali a pelo d'acqua, finché la nebbia si era diradata e invece della folaga era arrivato il caporale Monaldi con altri quattro, miracolosamente in salvo.

L'alba ora stava sorgendo. Niente più Colle, niente più Padule, niente più acqua e pesci. Soltanto un mare di sassi e montagne di sabbia e i soldati di Menelik di fronte. Monaldi fece passare gli ordini. Stare accorti e silenziosi fino al comando d'attacco.

«Stavolta andiamo noi a prenderli» disse «e vendichiamo quello che ci hanno fatto all'Amba Alagi. Sarà vittoria. Per Baratieri. Per il Re. Avanti Savoia!»

Forse, nelle parole del caporale avrebbe dovuto esserci un tono convinto, un incitamento chiaro e irremovibile, ma nessuno, in quell'alba disperata, riuscì a cogliere altro che il senso dell'inevitabilità. Nel silenzio che seguì quelle parole, accucciato sulla sabbia di quel pezzo di mondo, Bartolo sentì che non ci sarebbe stata nessuna vendetta, non ci sarebbe stata nessuna vittoria, nessun Re, nessun evviva. E mentre si alzava assieme ad altre centinaia come lui per avviarsi verso l'attacco, il dolore assoluto e perfetto di tutte quelle esistenze mandate al macello lo colpì in mezzo al petto, più a fondo di una lama, più forte del piombo.

Dalle linee etiopi il fuoco arrivava a ondate e a ogni scarica qualcuno attorno a Bartolo urlava e cadeva, tentava di rialzarsi, invocava sua madre o un santo. Lui fu colpito quasi subito, ma non provò più male di quello che già stava provando. Bestemmie, urla, sabbia bagnata di sangue. Sentì le gambe farsi deboli, e allora piegò le ginocchia e si fermò un momento, a riprendere fiato. Sul petto, proprio sotto il cuore, la camicia era rossa e appiccicosa. Nessun bruciore, nessuna paura.

A pochi passi da sé vide un cavallo disteso a terra, il collo squarciato da una ferita lunga un palmo. Respirava a stento. Il loro sguardo si incrociò e per un lungo momento si guardarono negli occhi. Bartolo si rialzò a fatica e andò a sedergli accanto. Qualcuno urlò verso di lui una frase che non capì. Spari, grida, pianti, lamenti di gente che moriva tra la sabbia.

«Avanti Savoia...» mormorò tra sé, e un sorriso gli allargò le labbra.

Il respiro del cavallo era corto e accelerato. Bartolo allungò un braccio e posò la mano sul suo collo insanguinato, nel tentativo di rallentare quella corsa disperata. Anche la sua mano era rossa di sangue, e il suo respiro non era meno affannoso. A un tratto, improvviso come l'esplosione di una granata, gli scoppiò nel petto il desiderio di essere ancora a casa, a respirare l'aria del mattino sul Padule Lungo, accanto a Ideale e Mikhail, ancora a scherzare e rotolarsi nei prati come una volta.

Ma mentre annaspava in mezzo a questo desiderio incrociò ancora lo sguardo del cavallo che stava morendo e comprese che era lo sguardo del suo stesso destino. Così chiuse gli occhi per poterlo immaginare libero di correre per i prati del Colle, giù fino alla Piana, di bordare l'acqua chiara e i boschi e tutti i luoghi che aveva amato. Una corsa lunghissima, senza respiro, dal sole fin sotto le stelle.

Quando riaprì gli occhi la luce era quasi sparita, sembrava essersi fatta sera e il petto del cavallo era immobile. Si sentiva sfinito, così si appoggiò meglio alla carcassa e cercò di mettere a fuoco l'immagine annebbiata di fronte a sé. Dalla penombra, coperta di polvere, lentamente vide avanzare sua madre. Bartolo allungò un braccio per salutarla, ma solo allora si accorse che in realtà era il Maestro, così gli sorrise, raccolse le ultime forze e disse:

«Ecco, padre, ecco l'ordine del Re.»

Nel mezzo della notte, dalla casa vicino le mura uscì la vedova Bartoli, e Cafiero era come un fagotto tra le sue braccia. Dapprima salì verso la Rocca e passò di fronte alla canonica, dove si fermò a raccontare al bimbo di don Ubaldo e della sera in cui, confuso dall'amore, s'era dimenticato di Dio e dei sacramenti; quindi si fermò alla sala della Filarmonica, e gli mostrò come Ideale la tenesse sottobraccio mentre la portava a ballare. E così per ogni angolo di Colle la donna continuò i suoi racconti, cullando con le parole Cafiero addormentato. Scesero verso la ferrovia per il sentiero che aveva percorso assieme al suo uomo, sotto lo sguardo ammirato di tutto il borgo. Sotto la luce della luna che filtrava dalle nubi, all'improvviso le case di pietra si illuminarono d'argento e si mostrarono alla vedova come l'epifania di una storia fatta di troppo amore, di troppi addii, troppe nascite e troppe lontananze, di una vita che in quel momento le parve un peso troppo grande da portare da sola. Perché così disegnate, chiare contro il buio della notte, perfette nella loro eleganza appoggiata sulla curva delle colline, le case le apparvero di una bellezza impossibile da sopportare.

Tra le braccia la vedova stringeva una vita nuova, che reclamava, ancora una volta, attenzione e dolcezza, premura, accortezza e pazienza, che ancora sarebbe stata gioia immensa e immenso dolore insieme, sonno e insonnia, tempo lento nell'attesa e ferocemente lesto negli attimi felici. Tra le braccia stringeva tutto questo, dentro di sé un vuoto troppo grande e un intero paese.

D'istinto si avviò lungo la ferrovia, verso il punto dove molti anni prima, quando ancora la stazione non era stata costruita, si era fermato il treno che aveva portato al Colle il Maestro. Scendendo dal paese, le rotaie facevano un'ampia curva prima di infilare il lungo viadotto che ormai sconciava il Padule. Sotto il riflesso della luna, i binari parevano brillare come una collana che l'acqua si fosse messa per un'occasione di riguardo.

Fu allora che lo vide. Stava camminando verso di lei, con il suo passo lento, e fumava il sigaro. Era almeno cinquanta metri avanti, eppure lei riusciva a sentirne distintamente l'odore. Come spesso faceva quando passeggiava, il Maestro teneva la giacca sopra la spalla, e le maniche bianche della camicia risplendevano al chiarore lunare. La vedova strinse più forte a sé Cafiero. Fu sufficiente l'andatura inconfondibile di quella sagoma ritagliata nella luce, e l'amore l'assalì così forte da sorprenderla come uno schiaffo, perciò rimase ferma di fianco alle rotaie, stordita, ad ammirarlo mentre veniva verso di lei. Arrivato a pochi metri, l'uomo si fermò, si girò e fece cenno a qualcuno di farsi avanti.

Bartolo e Mikhail allora salirono lungo il terrapieno e arrivarono di fronte alla vedova. Avevano entrambi una ferita sul petto, all'altezza del cuore, e una macchia di sangue inzuppava la camicia. Quella di Bartolo, poi, era impolverata, cosparsa di una sabbia gialla, finissima. L'emozione che aveva colto la donna si era dissolta, e ora una pena totale si era impadronita di lei, le scendeva dal capo fino nello stomaco, la paralizzava e si spandeva in un dolore così profondo e perfetto da abbagliarla.

Nella luce che cominciava a colpirle gli occhi, riuscì appena a intravedere il Maestro farle un cenno di saluto, e mentre lui si voltava per andarsene vide sulla sua schiena lo squarcio insanguinato delle pallottole del Re.

Lo amò anche in quel momento, lo amò intensamente ancora mentre la luce l'accecava del tutto, e l'amò anche nell'istante in cui le ruote della locomotiva l'agganciarono, uccidendola mentre ancora amava l'uomo che era venuto a portarle per l'ultima volta i suoi figli.

Mentre il treno colpiva la madre, Cafiero dalle sue braccia fu lanciato per aria, e volò nel buio del cielo come potrebbe fare un uccellino. Roteò sopra il convoglio che passava, e roteando vide le case del Colle danzare sullo sfondo delle colline illuminate dalla luna, e il nastro luccicante del Padule, e la strada che saliva verso la Rocca e tutte quelle altre cose che attraverso le parole della madre aveva imparato a conoscere prima ancora di conoscerle. Girò nel cielo scuro, mentre il treno si portava lontano la vedova e i fantasmi del suo passato. Fece questa danza da uccellino, e poi si posò tra i rami del nocciòlo, ad aspettare che un altro tempo arrivasse per la gente del Colle e per lui, che frattanto si era riaddormentato.

La scomparsa dell'Ulisse anticipò di poche settimane la fine della guerra che ormai aveva coinvolto mezza Europa. Quel suicidio così cruento e spettacolare sottolineò la ventata di morte che, scesa dalle Alpi, era arrivata a soffiare anche tra le vie di pietra e il Padule, portando via con sé qualche decina dei suoi più giovani figli. E a molti di quelli che restituì quasi quattro anni dopo essere iniziata tolse una buona parte del gusto per la vita che era sempre stato un ingrediente importante di quel luogo. Da allora, nei racconti del paese, le leggende dei personaggi che ne avevano fatto la storia cominciarono a essere rimpiazzate da resoconti di orribili stragi di poveri soldati mandati al macello, di massacri compiuti baionetta in resta, di uomini marciti in trincee fangose o ghiacciate, racconti così impressionanti e dolorosi da rendere evidente quanto pesante e rossa di sangue fosse stata l'osannata vittoria.

E così atroci furono le parole di quelli che partirono ragazzi e tornarono uomini fatti e sconciati che la fantasia narrativa di tutto il paese si arrese di fronte all'immensità di quell'orrore, e per la prima volta nessuno, dal Colle fino alla Piana, riuscì a raccontare quelle vicende diversamente da come in effetti erano state riferite, rinunciando all'innata capacità di narrare le cose della vita come piaceva a loro, e non alla vita.

Dai monti dove s'era combattuta la guerra erano tornati al Colle anche Paride e Ganimede, i quali per una somma di abilità e buona sorte erano riusciti a scampare alla mattanza. Il giorno in cui scesero alla stazione, malconci e magri come due acciughe, pochi tra i compaesani che li incrociarono riconobbero subito in quei due che avevano l'aspetto di miseri vagabondi i figli di quell'Ettorre Bertorelli che si stava avviando a diventare uno dei più ricchi imprenditori della Piana.

L'Ettorre stesso, seppur avvisato dalle chiacchiere che arrivarono al Prataio prima dei suoi ragazzi, esitò non poco quando se li trovò di fronte, vincendo il dubbio solo allorché il più alto dei due parlò svelando l'inconfondibile voce baritonale di Paride, e la sua parlata elegante.

«Padre» disse, «vi promisi di riportare a casa la pelle, e dunque giusto la pelle vi ho riportato.»

Nei giorni seguenti i due reduci furono oggetto delle attenzioni di tutta la famiglia, accuditi, riveriti e accarezzati dall'affetto e dalle premure della Rina che per molte notti li aveva pianti morti. Tutte queste cure, se nell'immediato riuscirono a dare vigore fisico a due corpi così provati, non arrivarono comunque mai a cancellare dalla mente dei due giovani quanto essi avevano vissuto tra le trincee alpine. L'unica terapia che dette loro un certo sollievo, grazie alla passione che quella gente aveva per le parole, fu la possibilità di raccontare, sviscerare, rovesciare su tutta la comunità le angosce e le paure che la guerra aveva a sua volta rovesciato su di loro.

Per molti pomeriggi, molte notti, e talvolta persino durante le passeggiate mattutine dopo il caffè, Paride e Ganimede parlarono alla tranquilla gente del Colle delle piaghe che imputridiscono e mangiano la carne, delle urla disperate, abbaiate fino allo sfinimento, di ragazzi italiani e austriaci incastrati in una matassa di filo spinato ad aspettare la morte. Raccontarono la neve e il freddo, i colpi degli obici che rimbombavano nelle budella. Fremettero ancora di paura e a volte persino piansero nel ricordare gli attacchi sferrati al buio, senza capire la meta, senza vedere il nemico, senza sapere che fare.

Attraverso i loro racconti e quelli degli altri reduci, tutto il paese rivisse la guerra come se vi avesse preso parte in prima persona, e un dolore sordo iniziò a strisciare per le vie, tra le case, per la ferrovia e la campagna durante molte settimane, per mesi, lasciando una chiara impressione, nella maggior parte degli abitanti, di quanto sarebbe stato sacrilego celebrare un macello di quelle proporzioni come una vittoria in pompa magna, con bande, festoni e belle parole.

Colle trovò il coraggio di ergere soltanto una semplice stele, con i nomi dei caduti incisi in oro assieme a una frase presa dall'ultima lettera scritta dal marito della Vittoria Bartolini, fucilato dagli austriaci dopo Caporetto:

"Ucciso a tradimento, muoio con il Colle nel cuore" diceva, "e mai più sarai mia, Vittoria."

A distanza di otto mesi dalla notte in cui l'Ulisse s'era impiccato dopo aver fatto conoscere alla cognata la forza dell'amore animale, dalla sua follia nacque un bimbo. Il ventre ormai non più giovane della Mena, nell'unica occasione in cui aveva incontrato il seme di un uomo aveva generato un essere che venne al mondo con lo stesso sconquasso con cui, in seguito, avrebbe vissuto. Quando la Rina accorse alle urla dell'Annina, la Mena era quasi svenuta. Uno sguardo veloce alle parti basse della partoriente fu sufficiente, all'esperta donna, per comprendere che il cordone ombelicale stava soffocando il nascituro, e il parto si stava avviando verso un esito tragico.

«È l'Ulisse che si impicca un'altra volta» disse la Rina alla moglie di Telemaco che era appena arrivata. Si segnò tre volte, l'Isolina, per scacciare quel fantasma maligno che ancora vedeva dondolare dalla trave della stalla appeso alle budella della scrofa.

Un rapido consulto tra le donne stabilì che, essendo ormai troppo anziana la Maddalena, unica levatrice in grado di risolvere la difficile situazione, bisognava mandare a chiamare il dottor Botticelli, ma ben presto fu chiaro che, per quanto velocemente si sarebbe potuto fare, il tempo necessario per arrivare fino in paese e tornare, sarebbe stato troppo lungo.

La Mena pareva in agonia. Pallidissima, lanciava flebili lamenti e non dava segni di reazione. Le donne guardavano lei, poi si guardavano tra loro, quindi si segnavano, in una specie di girotondo dettato dallo sconforto e dal senso di impotenza.

«Son le Baglini» disse tra un singhiozzo e un'Ave l'Isolina, «son fatti di codesta famiglia, questa incapacità di condurre un parto come Cristo Signore comanda», e ricordò alla Rina e alla nipote di come anche la Rosa, se non fosse stato per l'arte della Maddalena, avrebbe fatto di certo la stessa fine della Mena.

Fu grazie a quelle parole che all'Annina venne l'idea, l'Annina che ricordò, delle molte storie tra cui era cresciuta, quella con cui la madre le spiegava perché avesse chiamato Sole il fratello, e così corse da lui.

Non fu facile, ma tra le carezze, i pianti, le suppliche, l'Annina seppe persuaderlo che solo l'eredità della loro madre avrebbe potuto salvare la Mena. Sole dunque fece allontanare ogni persona dalla stanza e si mise accanto alla zia a ricordare. Iniziò con parole circolari, per formare un'onda, e poi pian piano, con carezze di verbi, la portò sopra una spiaggia al caldo, e la distese. Quindi l'avvolse tutta con frasi larghe, morbide, di spugna, e intanto iniziò a massaggiarla così come la Rosa gli aveva spiegato in tanti giorni passati a raccontare.

Durò due ore quel tramestìo, e per tutte quelle due ore nella stanza accanto le donne ripensarono in silenzio a com'è strana la vita, a come il tempo passa e non passa, e il destino prende, restituisce, riprende come e dove non t'immagini. L'Ulisse, la Rosa, i due figli, tutto si mescolava e rischiava di impastarsi fino a confondere il senso a chi cercava un prima e un dopo, a chi credeva di sapere.

Due ore più tardi la porta si spalancò e un'ondata di

profumo di viole avvolse le donne. Sull'uscio apparve Sole, affaticato, sudato fradicio; pareva fosse invecchiato all'improvviso di qualche anno.

Aveva il volto serio, e in braccio un fagotto con qualcosa che sembrava un coniglio, ma era il figlio dell'Ulisse e della Mena, suo nipote.

«Per cortesia» disse con la sua solita gentilezza, «non chiedetemi più di avere a che fare con tanta disperazione.»

Poi, lasciando il neonato alle cure dell'Isolina, si avviò verso la porta e rivolto ai presenti li informò:

«La zia vuole che si chiami Enea, per rispetto alla tradizione.»

La prima volta che l'Annina vide Cafiero, lui stava camminando lungo la ferrovia e in una mano teneva un mazzetto di fiori di campo. L'Annina andava in direzione opposta alla sua montando a pelo il suo cavallo, Pallino. Di Cafiero, come tutti al Colle, conosceva la storia del magico volo nella notte sul nocciòlo, in ricordo del quale egli portava ancora il nome che il paese gli aveva assegnato, e conosceva le vicende del Maestro e della vedova, di una famiglia la cui leggenda le aveva fatto compagnia nei racconti di sua madre, del Mero e della Mena.

Quando vide arrivare quel bambino, lungo i binari, non pensò subito a lui. Anzi, da lontano le parve quasi suo cugino Paride, ma poi, dopo qualche metro, vide il fiocco nero sul colletto della camicia e capì di essere di fronte al protagonista in carne e ossa di tante storie. Un sentimento misto di emozione, curiosità e paura l'avvolse e, nel tempo che il lento passo di Pallino impiegò a superarlo, l'Annina lo sbirciò più che guardarlo tenendo gli occhi bassi, senza farsi notare, approfittando della sua posizione alta sulla groppa, e del sole che Cafiero aveva in pieno viso.

Passando lentamente vide un bambino che assorto,

quasi triste, camminava lungo la ferrovia, e a vederlo in quel modo, piccolo e solitario sul filo dei binari che si perdeva all'infinito, all'Annina non parve che avesse nulla di eroico, nulla di quello che la sua fantasia di bimba le aveva suggerito quando ascoltando i racconti si era immaginata il leggendario Nocciolino piroettare nel cielo e fermarsi tra i rami di un albero: non aveva ali, non era alto o biondo, non aveva neanche un vestito particolare. Era soltanto un bambino che camminava lungo la ferrovia, solo, con un grande fiocco nero sul collo e un mazzetto di fiori in una mano.

Provò delusione, l'Annina, e rimase a rimuginarla tra sé per un po', quasi confrontando nella sua mente l'immagine creata dalle storie alla quale era affezionata e quella che la realtà le aveva appena mostrato. E quando, come per sincerarsene, si voltò per guardarlo ancora una volta, lo vide come poco più di un puntino, una formica appoggiata alle rotaie, inginocchiata di fronte al mazzo di fiori, proprio accanto a un albero di nocciòlo e alla ferrovia che gli aveva rubato la madre. Allora, la delusione dell'Annina si sciolse e una pena grande si impadronì di lei e l'accompagnò per tutta la giornata, fino a sera, e non se ne andò neppure quando, sperando di fugarla in quel modo, la bimba chiese prima alla Mena e poi a sua madre di raccontarle ancora la storia di Nocciolino e del suo volo prodigioso.

Durante tutta l'infanzia, e poi ancora oltre, quando fu ragazza e l'Ulisse impazzì del tutto e, più tardi, quasi donna, dopo che il Mero morì innamorato della caldaia di ghisa, l'Annina incontrò molte volte Cafiero, e sempre, anche solo vedendolo da lontano, quel senso di pena infinita l'avvolse e la sorprese, quasi lei non riuscisse a superare l'idea forte, lancinante, del dolore con cui quel bambino, quel ragazzo e quell'uomo doveva aver pagato il volo miracoloso che aveva messo in salvo la sua vita su un nocciòlo.

Se, e come, possa la pena tramutarsi in amore, non è facile dire, ma capitò che l'Annina con il passare degli anni si affezionò all'immagine di quel bambino sulla ferrovia, e così l'inquietudine che questa le procurava divenne una parte di lei, un sentimento ben accetto che cullava, nutriva e rinnovava ogniqualvolta aveva occasione di incontrare Cafiero, di parlarne e di sentirne parlare.

E quando, nel tempo, cambiarono anche le storie del Colle e, come spesso accade, altri personaggi e altre avventure diventarono le preferite del cianciare dei suoi abitanti, per l'Annina la storia di Nocciolino rimase sempre giovane come il protagonista che aveva visto crescere dentro il paese fino a diventare un uomo, e dentro di sé fino a diventare familiare.

Dunque, quando un giorno, aprendo l'uscio di casa del signor Cesco suo nonno, l'Annina se lo trovò di fronte, non provò nessun senso di pena, nessuna preoccupazione e nessun turbamento se non il forte piacere della sorpresa. Cafiero lavorava in ferrovia, a manovrar gli scambi nella squadra che, un tempo, era stata comandata da Cesco Baglini, venerato e quasi centenario decano dei ferrovieri del Colle. Ora, assieme a Orazio Bonfanti e Pietrino Rosati, era venuto a salutare il vecchio, portando in omaggio frutta e vino liquoroso. L'Annina fece gli onori di casa, badò a servire gli ospiti e si premurò che il nonno non si affaticasse troppo nella discussione: la guerra aveva lasciato, assieme alla fame e all'odore di morte, strascichi di odio che rinnovavano il bruciore di eterne ingiustizie sociali e il furore del signor Cesco, da sempre socialista.

Ebbe molto da fare, l'Annina, quella sera, fino a che accompagnò gli ospiti alla porta, con un ultimo saluto, e poi ancora nelle altre visite che, forse non a caso, si ripeterono quasi come un appuntamento settimanale, finché la morte non decise che il vecchio Cesco aveva già dato abbastanza alla vita, a Colle Alto e alle Regie Ferrovie.

Alla veglia funebre Cafiero non partecipò: mandò le sue condoglianze tramite Bonfanti, facendosi giustificare con una scusa qualsiasi. Alla funzione, durante il funerale e al camposanto l'Annina, sostenendo la povera Mena in lacrime, ne cercò il volto tra i presenti, invano. Abbracci, strette di mano, saluti di tante persone che avevano conosciuto Cesco, storie, voci, visi, luoghi, un'infinità di parole che per parecchie ore riempirono la vita dell'Annina, finché tutti se ne andarono, la casa pian piano si svuotò e lei sentì improvvisamente il peso delle stanze deserte e delle pareti zuppe di ricordi. Così andò alla caldaia di ghisa e l'abbracciò, come avrebbe abbracciato il vecchio Mero, salì al piano superiore ed entrò nella camera dove la Rosa non aspettava più al balcone il suo futuro. S'affacciò alla stessa finestra dalla quale sua madre aveva guardato per anni il colle davanti alla casa, e si voltò verso la tettoia del porcile dove l'Ulisse s'era impiccato, e dal quale non saliva più né puzzo né rumore, ma soltanto silenzio.

Infine entrò nella camera di suo fratello e si distese sul letto, chiuse gli occhi e cominciò a pensare a Sole, a immaginare in quale parte del mondo sarebbe presto andato a seguire il suo destino, come era ormai evidente nei suoi pensieri, quale lingua strana avrebbe parlato, quale esotico luogo avrebbe visitato. Ma nonostante si sforzasse di sciogliere la sua fantasia come un cavallo, che corresse libera in posti sconosciuti, all'Annina Sole continuava ad apparire sullo sfondo del Padule, in piedi su un barchino o disteso sul pontile a far penzolare una lenza, e dalla sua bocca non usciva altro che la parlata musicale del Colle Alto mentre continuava a camminare per le strade di pietra del vecchio borgo. E ancora, aperti gli occhi, tornava il Prataio, tornavano tutte le cose conosciute, ma non più l'Ulisse, non la Rosa e neppure il Mero, e ora non sarebbe tornato neppure il vecchio Cesco. Rimaneva soltanto la Mena, in cucina, assieme alla sua disperazione e al piccolo Enea nato dalla follia di suo padre. Rimaneva soltanto qualcosa di duro, gelato, un peso di piombo in mezzo al petto, troppo freddo per essere ingoiato. L'Annina allora si alzò, e si diresse verso la stalla per prendere il cavallo e far con lui una corsa lontano da quella casa sempre più grande e più vuota.

Fu allora che vide Cafiero. Era appoggiato accanto al cancello del Prataio, la giacca gettata su una spalla, fumava un toscano e sembrava l'aspettasse. L'Annina si fermò e lo guardò a lungo: aveva la barba, il panciotto e un fiocco nero che gli pendeva sulla camicia immacolata, così come si diceva del Maestro nei racconti che giravano in paese. Il piombo dentro di lei si sciolse piano piano, si intiepidì, diventò caldo fin quasi a scottare. Quando si mosse per andare da lui, l'Annina cercò ancora una volta dentro di sé quel sentimento familiare che aveva sempre associato a Cafiero, qualcosa che era un misto di pena, preoccupazione e dolore. Soltanto quando lo guardò da vicino negli occhi, abbracciata così stretta a lui da sentirne l'odore, l'Annina comprese che quella pena si era ormai del tutto trasformata in amore.

Distesa sul letto macchiato di sangue, la Mena era appesa con un filo alla vita, sprofondata in un limbo di febbre e paura. Cresciuto dentro di lei, il seme dell'Ulisse aveva fatto lievitare, assieme a una nuova creatura, i fantasmi della sua esistenza sempre vissuta all'ombra di qualcosa e di qualcuno. La sua vita era stata la vedovanza del padre, e tutte le cure che aveva dovuto prestare a lui e alla sorella più piccola Rosa; e poi il mondo le pareva oscuro e lontano, tanto che solo nella nenia dei rosari o nella penombra delle chiese trovava riparo dagli sguardi maliziosi degli uomini, dalle chiacchiere maligne delle comari, da tutta la marmaglia che la ferrovia continuava a scaricare in paese.

Neppure un momento di tranquillità e di pace per sé, neppure quando la Rosa s'era maritata, ché anzi, prima con la questione del parto travagliato, poi con l'incomprensione tra i coniugi, e via via con i ragazzi che crescevano, il commercio, la casa nuova, la fuga della Rosa, la malattia dell'Ulisse, nessuna pace era mai potuta arrivare.

Poi l'Ulisse, che per la Mena era sempre stato oggetto d'affetto e di paure. Lui, così imponente, burbero, deciso, ma anche elegante, abile, sanguigno. Dapprima non le aveva ispirato altra simpatia che quella verso un cognato autorevole e distante. Ma col tempo, soprattutto da quando la Rosa aveva partorito e la sua presenza nella loro casa era divenuta costante, col tempo aveva imparato ad apprezzarne le qualità. Certo, aveva potuto vedere i lividi lasciati dalle sue mani sul bel viso della sorella, ma lo aveva anche visto in lacrime, lui, un pezzo d'uomo, in ginocchio a chiedere perdono e, per pietà, l'attenzione dei figli. Lo aveva aspettato da sola, la notte, che rientrasse dai mercati o, ubriaco, dall'osteria. Gli aveva preparato la cena, aveva rassettato la sua casa e accudito, lei soltanto, la vecchia Sparta, aveva assistito, giorno dopo giorno, all'attenzione e alla premura con cui egli aveva tentato di riconquistare la Rosa, costruendo per lei la grande casa del Prataio.

E poi, ancora, quando la follia aveva cominciato a rosicchiargli il cervello, gli aveva sfilato i vestiti di notte per rammendarli prima che si svegliasse, aveva assecondato le sue mattane e sofferto nel vederlo soffrire, arrotolarsi su se stesso, sgretolarsi giorno dopo giorno. E alla fine, quando la Rosa se n'era definitivamente andata, per la prima volta si era sentita un po' come l'unica donna di casa e, forse, senza mai confessarselo del tutto, persino un po' come sua moglie.

Pertanto, la sera in cui, preoccupata dal suo ritardo esagerato, era scesa nella cucina e l'aveva sorpreso abbracciato alla caldaia, quando l'Ulisse si era voltato verso di lei, dentro il suo sguardo di fuoco aveva creduto di vedere una luce che non conosceva e che, per il breve momento in cui lui le si avvicinò con le braccia protese, la illuse potesse essere qualcosa se non simile all'amore, almeno vicino alla tranquillità e alla pace. E ancora, mentre l'Ulisse, ormai guastato dalla follia e avvinghiato a lei, vaneggiava sull'istinto animale e sul destino, la Mena continuava a sperare che quell'abbraccio avrebbe sciolto il peso che da sempre si portava dentro e, persa in quella speranza, per un attimo, aveva pensato di essere felice.

Ma appena un momento dopo tutto fu spazzato via dalla furia, e dunque, quasi senza dar mostra di cambiamento, lei ritornò nel limbo da dove era venuta, a cullare e far crescere nella sua disperazione qualcosa che non conosceva.

Quando il nipote prese a circondarla di parole, da quella specie di sonno insanguinato nel quale era sprofondata la Mena cominciò a sudare tutta la solitudine e tutto il dolore che negli anni aveva nascosto dentro di sé senza mostrarli a nessuno. Come nel turbine di una tempesta, Sole dovette lottare contro la durezza che si opponeva alle sue storie, cercare gli aggettivi più adatti per insegnare la tranquillità a chi al suo interno conservava solo disperazione.

Il ragazzo avvolse la zia con il suo amore, scrostò ogni sua increspatura, confrontò avverbi, preposizioni, sostantivi, levigando ogni asperità, e alla fine costruì un morbido letto sul quale la Mena riuscì a distendersi e a mettere al mondo quel poco di vita che non aveva soffocato nel dolore durante otto mesi di gestazione.

Non appena il piccolo se ne uscì da lei, le sembrò di essersi svincolata da un peso enorme, e per un momento credette davvero di essere libera. Poi Sole le mise vicino un fagotto di lana e la Mena vi guardò dentro, vide lo sguardo dell'Ulisse che la fissava, e capì che sarebbe rimasta prigioniera per sempre. Così si rivolse al nipote e gli disse:

«Lo chiamerò Enea, come la tradizione vuole.»

Dopo aver consegnato all'Isolina il neonato, Sole uscì sul prato, salì la collina dove era solito rimanere a parlare con la Rosa e si sedette a riposare. Chiuse gli occhi e sentì rimbombare dentro di sé il dolore che aveva maneggiato per ore chiuso nel ventre della Mena, soffocato, compresso, e che era esploso di fronte a lui come un colpo di cannone. Il pensiero del cannone gli riportò alla mente la guerra appena conclusa, i racconti dei cugini scampati e di tutti gli altri reduci, i volti di chi non era più tornato e che pure lui aveva conosciuto, aveva visto pescare rane nei canali, scivolare in una danza al ballo della Filarmonica, salire in treno alla stazione.

Da lassù poteva vedere il verde del Prataio perdersi nei boschi, la linea argentata della ferrovia fuggire verso l'acqua, come un teatrino chiuso, sullo sfondo, dalle case del Colle, e quella visione gli fece salire le lacrime agli occhi. Tutto, visto da lì, gli sembrò all'improvviso immobile e limitato. Così si alzò in piedi e quasi senza accorgersene disse a se stesso una parola:

«Rajahnipur.»

Le case brillavano della luce del sole che stava calando sopra lo specchio del Padule. Erano dalla parte opposta del tramonto, cento piccole lucciole a indicargli l'Oriente.

L'amore per Cafiero avvolse l'Annina come l'abbraccio con cui il figlio del Maestro aveva quietato la sua angoscia, la notte del funerale del signor Cesco. E dentro quell'abbraccio l'Annina sciolse la solitudine che ormai pareva aver invaso la sua vita, quasi che la disperazione della Mena, maturata dopo così tanti anni in un bimbo che ora pretendeva compagnia, si fosse sparsa nelle stanze ormai vuote della loro ala del Prataio, le avesse colmate di tristezza, avesse amplificato il peso dei ricordi e l'aria di morte che soffiava nel paese, arrivando a convincere definitivamente Sole a iniziare il suo viaggio verso Oriente.

La tensione sociale che andava aumentando in tutto il Paese cominciò a far sentire i suoi effetti anche dalle parti del Colle dove, così come in tutta Italia, la guerra aveva portato, assieme alla roboante retorica dei comunicati della vittoria, altra miseria per i miserabili e nuova ricchezza per i benestanti e per tutti coloro i quali, abbandonato ogni scrupolo, erano stati capaci di fiutare il momento giusto e sfruttarlo con ardite speculazioni commerciali.

A questa regola, si diceva, non era sfuggito neppure il Colle, dove i fratelli Bertorelli, messo al sicuro il loro capitale dalle mattane dell'Ulisse, seppero farlo fruttare proprio ponendo la vela dei loro commerci diritta sul vento portato dalla guerra, incuranti del suo odore di morte. Telemaco, che era ormai considerato il più grosso commerciante di suini di tutta la Piana, fece bei soldi vendendo carne all'esercito, grazie anche all'aiuto, assolutamente non disinteressato, di un alto funzionario del Ministero della Guerra. Ettorre, invece, provvide a impegnare i suoi denari in un'officina che dapprima costruì parti meccaniche per i nuovi autocarri, riconvertendola in fretta, nei tempi del conflitto, nella fabbricazione di veicoli per i militari e di châssis per gli obici.

Queste attività contribuirono a segnare la separazione tra le famiglie dei fratelli e quella dell'Ulisse forse più ancora degli esiti ingombranti e nefasti della sua follia. Più di una volta, infatti, gli zii offrirono a Sole l'occasione per unirsi alle loro imprese. Ma se Telemaco desistette ben presto, ritenendo l'indole del nipote poco adatta a un commercio per il quale erano necessarie doti di praticità e sfrontatezza che di certo non gli appartenevano, l'Ettorre insistette molto nel convincere Sole a ritagliarsi un ruolo di collaborazione nell'officina di famiglia:

«Il futuro è nel movimento» gli diceva. «Guarda avanti, fissa gli occhi nel cielo come sai fare quando cerchi le parole per le tue storie. Non lo vedi pieno di automobili? Grandi autocarri semoventi per il trasporto di merci, piccole automobili per le famiglie, omnibus di città non più trainati da cavalli ma spinti da motori che non lordano di sterco le strade. Velocità, efficienza e pulizia. L'automobile può migliorare la vita dell'uomo» concludeva dogmatico, «e migliorandone la vita, inevitabilmente migliora anche lui.»

Ma Sole se guardava il cielo, non riusciva proprio a vederlo popolato dalle macchine e, anzi, quando sforzava la sua fantasia e provava a disegnarvi alcuni di quei trabiccoli che vedeva transitare impolverando le strade del Colle, allora vedeva un pullulare di ruote e châssis, di caldaie che emettevano fumo e rumore, di uomini superbi al volante che non rispettavano né il silenzio dei campi né la nobiltà delle vie di pietra, e dunque scuoteva la testa, allargava le braccia e preferiva scendere al Padule a caccia di anguille.

Fu invece il cugino Paride che riuscì a convincerlo a visitare l'officina e a prendere in considerazione, seppur vagamente, l'ipotesi di una possibile collaborazione. Stavano discutendo, i due cugini, sul futuro che, visto da quell'angolo di mondo, non sembrava promettere felicità. Paride era ancora scosso dalla guerra. Aveva visto una parte dell'uomo che non sospettava esistesse, per lo meno non così atroce, non così bassa. Dunque raccontava questo dolore al cugino, così come ormai faceva da diverse settimane, trovando in lui chi sapeva ascoltare, accogliere e condividere questa sofferenza. Faceva progetti sul futuro, Paride, parlava anche lui della possibilità di lavorare nell'impresa del padre che ormai aveva assunto proporzioni tali da richiedere un grosso impegno. Parlava della possibilità di diventare davvero ricchi, di fare altre cose, di progettare nuove soluzioni per il Prataio, per il Colle, per tutto il paese.

Ma mentre Paride parlava, Sole si rese conto della vera ragione per cui lo zio insisteva tanto nell'invitarlo alla collaborazione. Le parole del cugino, infatti, gli arrivavano fredde, disanimate, senza quella passione che sentiva quando il discorso si spostava su quello che Paride aveva vissuto pochi mesi prima in mezzo alle trincee, quello che aveva ben dentro, ancora aperto come una ferita. Capì, in quel modo, che lo zio aveva intuito questa crepa, e che questa si sarebbe presto allargata così che suo figlio non avrebbe mai partecipato alla sua impresa e, se anche vi avesse partecipato, sarebbe stato sempre lontano, distante.

Distante.

Alzò gli occhi verso il cielo e per la prima volta riuscì a vedervi una bella vettura, rossa e nera, con le rifiniture dorate che scintillavano. C'era lui al volante, e sbuffando, scoppiettando nuvolette di fumo grigio, l'automobile sfrecciava lontano dal Colle, diretta verso Oriente.

Fu così che si alzò, tese una mano al cugino e gli disse:

«Forse ha ragione tuo padre. Andiamo a visitare l'officina. Il cielo è pieno di automobili, mentre qui non c'è più niente.»

La morte e la miseria disseminate dalla guerra in cambio della vittoria furono ben presto accentuate da una nuova ventata di disgrazia che arrivò in silenzio, con la stessa discrezione con cui a volte le persone malvagie si introducono nelle famiglie o nelle compagnie.

Infatti, quella che all'inizio si era presentata sotto le sembianze di un banale raffreddore si rivelò ben presto una pestilenza di proporzioni gigantesche che lasciò dietro di sé centinaia di migliaia di morti e il ricordo della fragilità dei loro destini dissolti per mano di una febbre dal nome solare e, per quei luoghi, decisamente esotico.

Il morbo della febbre spagnola, sbarcato al Colle assieme ai passeggeri del treno, si sparse dapprima dalle parti della Stazione, per risalire verso le antiche case del borgo e poi scendere verso il Padule a razziare le povere casupole dei pescatori, senza trascurare di fare una capatina attraverso il Malgardo, passare per il Prataio e attraversare come uno schiocco di frusta tutta la Piana.

E se dunque, all'inizio, le prime febbri vennero accolte senza preoccupazione e affrontate, anzi, come una piacevole occasione per trangugiare qualche bicchiere di vino caldo coi chiodi di garofano, tazze di fumante latte col miele o, per i più abbienti, corrette al Cognac francese, dopo qualche giorno assieme alla temperatura dei malati salì anche lo sgomento, la pena per quei corpi tremanti, attraversati da brividi e tosse, la disperazione e il dolore quando i cuori o i polmoni cessarono di funzionare.

Il dottor Botticelli, seguendo le misure sanitarie che il governo aveva disposto per contrastare l'infezione, fece scavare una serie di fosse al cimitero nuovo della Stazione, là dove il primo focolaio aveva iniziato a mietere vittime, provvedendo a far cospargere i corpi di calce e a seppellirli senza troppe cerimonie. Si prodigò senza sosta, il povero medico, almeno fin quando le febbri non lo colsero e anche il suo corpo venne sepolto in fretta e furia sotto una manciata di polvere bianca.

Prima di morire, quel dottore così benvoluto aveva comunque fatto in tempo a diramare una serie di misure sanitarie che la municipalità aveva affisso a ogni muro del paese e fatto leggere da banditori nelle campagne. Misure drastiche, che imponevano alcuni provvedimenti considerati ridicoli dai più, come la proibizione di orinare all'aperto, di servire bevande nelle osterie e di entrare nei luoghi pubblici se non indossando spettrali maschere di garza sulla bocca e guanti a riparare le mani.

Nonostante queste misure il morbo si sparse allegramente per tutto il Colle, infischiandosene delle proibizioni e degli sbarramenti, e colpendo di preferenza quelle persone forti e giovani alle quali, proprio perché ritenute più immuni, erano spesso affidati compiti di rilevanza sociale.

La paura del contagio non impedì agli abitanti delle campagne di onorare la loro tradizione di cortesia e di ospitalità, offrendo ai baldi giovanotti scelti per trasportare le salme bicchieri di vino e di acquaviti ristoratrici che senz'altro contribuirono a trasportare l'infezione in ogni angolo del territorio comunale.

Passando dal Prataio la febbre attaccò per prima la famiglia dell'Ettorre, risparmiò lui e la Rina, così come Telemaco e l'Isolina, e colpì a caso, a cominciare dal più piccolo, Polluce, risparmiando la Penelope e invece infettando la bionda Cassandra, saltando l'Ecuba per colpire l'Anchise, e poi l'Oreste, la Tebe, Ganimede e Paride.

Per qualche settimana, nei giorni in cui la morte decise di restarsene al Prataio a scegliere con cura chi portare con sé, nelle camere della casa risuonarono i respiri affannati dei malati assieme ai pianti degli adulti che assistevano impotenti a tutta quella sofferenza.

In quell'occasione, i contrasti che la follia dell'Ulisse aveva generato tra le famiglie si sciolsero in un istante e l'Annina, Sole e la Mena, pur se preoccupata per il piccolo Enea, non esitarono a dare aiuto ai parenti nell'assistere i malati.

Le mani nei capelli, l'Ettorre si aggirava per la casa come un ossesso, facendo la spola tra il paese e il Prataio, alla ricerca di medicinali, di dottori, di preti, di santoni, di qualsiasi cosa e persona potesse cancellare la visione dei suoi ragazzi moribondi.

Ganimede fu il primo a morire, e subito dopo l'Anchise cessò di respirare, anche loro sepolti in fretta e furia nelle nuove fosse preparate alla Stazione. Ancora gli adulti erano affranti da tanta disgrazia quando cessarono di vivere Polluce, la Tebe e la Cassandra.

L'ultimo a morire fu Paride, assistito da Sole, mentre il resto della famiglia, confidando nel suo apparente miglioramento, stava accompagnando al cimitero i corpi degli altri tre figli.

«È meglio così» furono le ultime parole che disse al cugino, «e poi» aggiunse «non ho mai creduto nelle automobili.»

L'Ettorre aveva portato il nipote a visitare l'officina durante una mattinata così tiepida e piena di luce da lasciar sperare il buon esito di qualsiasi impresa. Accompagnati da Paride, erano scesi dal Prataio verso la Piana sull'auto con cui, da poche settimane, l'Ettorre scorrazzava per le strade della zona sollevando turbini di polvere e cumuli di maledizioni da parte dei passanti che ne subivano le conseguenze.

Del resto, il novello imprenditore si lanciava sulle carreggiate alla massima velocità che quelle vetture permettessero così come ormai si era lanciato sulle strade del successo economico. La società che aveva stretto col Conte del Malgardo prometteva bene e, pur se passato il momento favorevole della guerra, il prossimo futuro pareva davvero parlare attraverso la velocità, la meccanica, l'accelerazione.

L'Ettorre e i due cugini scesero dunque dall'automobile, impolverati e quasi assordati dal vento e dal rombo del motore. Si tolsero gli spolverini lunghi fino alle caviglie, assieme ai berretti e agli occhialoni, e seguendo un breve sentiero di ghiaietto arrivarono di fronte al cancello dell'officina.

«Ecco, nipote, aprendo questo portale io apro il tuo sguardo sul futuro, che qui vedrai rappresentato sotto forma di lavoro, di ingegno, di progettazione. In una parola, di industria» disse l'Ettorre con tono solenne, e spalancò il cancello.

Se quello che vide di fronte a sé era il futuro, allora a Sole parve che il destino prossimo dell'uomo sarebbe stato scuro e infelice. Fece appena due passi all'interno dell'officina e si arrestò. Innanzitutto offeso da un rumore continuo, sibilante, assordante. Poi per quello che vide. Una ventina di persone chine su macchinari neri, unti di olio, ognuno dei quali collegato con enormi cinghie di cuoio a delle specie di paranchi sul soffitto che, a prima vista, trasmettevano il movimento. Stridii di ferri, colpi sordi improvvisi, lamiere che gemevano a contatto con le punte dei trapani e con le frese. Inoltre, sebbene l'ambiente fosse grande e alto, l'aria gli parve irrespirabile e, forse per il contrasto con la giornata luminosa, all'interno tutto gli sembrò fumoso e buio. Ma quello che più lo colpì furono i volti degli operai, gli sguardi sospettosi e, forse, preoccupati con cui si voltarono verso l'Ettorre quando la sua figura si stagliò nella luce del cancello spalancato.

Istintivamente Sole si ritrasse.

«No, scusate zio, ma non penso l'officina faccia per me, non credo sia cosa» riuscì a bisbigliare mentre già voltava la schiena all'Ettorre rimasto immobile, stupito.

Fece ancora qualche metro con il cuore in gola, poi si girò verso lo zio e il cugino, sempre immobili sul cancello e urlò:

«E poi, in tutta sincerità, non credo nell'auto, non credo proprio che le automobili riusciranno mai a migliorare l'uomo.»

Prima di cominciare a correre verso il Prataio, fece in tempo a vedere l'Ettorre che col pugno alzato inveiva contro di lui, ma era ormai distante e non riuscì a sentire. Poco, comunque, ormai gli importava. A Oriente si poteva andare anche senza automobili, pensò. Sarebbe stato sufficiente camminare, passo dopo passo, guardandosi attorno, alla luce, all'aria aperta, senza rumore. I piedi ben piantati sulla terra.

Senza automobili. Bastava camminare.

Il nodo in gola si era sciolto e lui si sentiva ormai leggero, così leggero che mentre correva gli parve addirittura di volare.

Divisa tra il dolore per le morti che la circondavano e il suo amore appena nato, l'Annina passò le settimane in cui la febbre spagnola attraversò il Colle sospesa tra il tempo denso del presente e la speranza, appena toccata con mano, di un prossimo, immediato ristoro tra le braccia di Cafiero.

Infatti, dopo la prima sera in cui lui l'aveva tenuta stretta a sé, l'imperversare del morbo al Prataio l'aveva costretta a impiegare quasi tutto il suo tempo nel prestare aiuto alla Rina nell'assistenza dei molti figli ammalati. L'apprensione, l'angoscia, assieme alle molte incombenze nelle quali dovette collaborare con le donne della casa, le impedirono di vedere Cafiero e la obbligarono a rivolgere costantemente il pensiero a quei poveri corpi stremati dalla febbre.

L'Annina aveva un carattere solare, poco incline alla prostrazione e allo scoramento, ma la forza con cui il morbo aveva attaccato la famiglia la faceva sentire in una condizione di estrema pressione, come se il Prataio fosse stato assalito da un nemico invisibile e spietato che l'aveva cinto d'assedio e giorno dopo giorno andava uccidendo le persone a lei care.

Non era paura. Era, piuttosto, un senso profondo di impotenza, di inadeguatezza a contrastare qualcosa di cui non capiva la ragione, qualcosa che continuava a sgretolare le vite accanto a lei, qualcosa che era molto vicino a un abbandono definitivo e totale.

151

Questa sensazione, profonda e dolorosa, le venne confermata quando, proprio nei giorni in cui la famiglia piangeva sei morti, anche la Mena cominciò a sentirsi male e nel giro di poche ore si trovò a combattere contro l'insidia di quell'influenza maledetta.

Distrutti dal dolore, l'Ettorre e la Rina stavano cercando in quelle ore di recuperare le forze, aiutati dall'Isolina e da Telemaco nella cura dell'Oreste, ancora malato, e delle due figlie che avevano evitato l'infezione.

Inoltre, non appena fu data sepoltura al corpo di Paride, Sole tornò al Prataio e salì in camera dell'Ulisse a cercare la bisaccia che il padre usava quando si tratteneva per più di un giorno ai mercati. Di lì a poco si presentò di fronte all'Annina, con quel bagaglio sulle spalle.

«Io vado» le disse, e lei non domandò neppure dove, ché già sapeva dove il fratello sarebbe andato a cercare la sua vita.

Non aveva ancora diciannove anni, Sole, e quando lei l'abbracciò per l'ultima volta sentì ancora pungente lo stesso profumo di viola che aveva accompagnato la loro nascita e così, per un istante, le parve di essere di nuovo dentro il ventre della Rosa, tutti e due, abbracciati e stretti per altri nove mesi e per sempre.

Eppure, mentre lo stringeva talmente forte da farsi male, sapeva che non lo avrebbe potuto fermare, che nemmeno il desiderio così intenso di non perdere il calore delle sue parole sarebbe riuscito a bloccarlo, a trattenere l'amore che lui le sapeva dare quando la sera l'avvolgeva con le storie del Colle, le descriveva luoghi fantastici, le stelle, i pianeti e l'Oriente che già conosceva come il Prataio senza esserci mai ancora andato.

Così sciolse il suo abbraccio, e assieme all'ultima carezza gli disse soltanto:

«Vai, che si fa tardi», come se lui stesse per scendere al Padule per la pesca, in un giorno qualsiasi.

E solo quando lo vide allontanarsi lungo il sentiero di ghiaia, prima di perderlo di vista per sempre, si rese conto di avere ancora mille cose da dirgli, segreti che non aveva mai osato confidare, e consigli da dargli e chiedergli, parole con cui barattare ancora almeno una storia, qualsiasi altra parola con cui potergli spiegare l'amore novello che le stava sbocciando dentro.

Se ne rimase immobile con questi desideri, e con il sentimento che la vita sia un insieme di attimi che mai una sola volta, neanche una sola volta riusciamo a controllare, che sfuggono, anticipano o ritardano senza preavviso e si prendono gioco di chi tenta di ingannare il dolore riempiendo il cuore di nuvole e cielo.

Sola al capezzale della Mena, quella notte l'Annina pianse, pianse per amore e per tristezza, pianse perché avrebbe voluto avvolgere di parole quel corpo straziato dai tremiti come il fratello avrebbe saputo fare, e dondolarlo, cullarlo in un sonno tranquillo che non fosse una letargia mortale. Ma per quanto si sforzasse, per quanto cercasse nella memoria l'infinità di storie con cui Sole l'aveva accompagnata nella loro infanzia, dalla sua bocca non uscirono altro che gemiti smozzicati, e dai suoi occhi lacrime soltanto.

L'arrivo del mattino portò la luce e la notte, andandosene, trascinò con sé l'anima della Mena dopo ore di stenti. L'Annina chiese aiuto a Telemaco e all'Ettorre per trasportare la zia al camposanto, dove le fosse erano ormai così colme che vennero invitati a tornare il giorno appresso per provvedere alla veloce sepoltura. Intanto, il corpo venne accatastato assieme alle molte altre salme che nel frattempo si erano accumulate in attesa del sotterramento.

Non si capì mai come successe: forse una distrazione, o molto probabilmente la confusione generata dal morbo stesso che colpì, proprio in quei giorni, due dei tre becchini addetti alle sepolture. Il fatto fu che il giorno seguente il corpo della Mena non fu più trovato e nessuno seppe mai spiegare il perché.

L'Annina tornò al Prataio con un dolore sordo addosso. La stanchezza, la sofferenza per la morte della zia, la partenza di Sole, tutto le pesò addosso come una montagna, e per un istante desiderò di addormentarsi per sempre. Poi entrò dall'Isolina, alla quale aveva lasciato il piccolo Enea, vide il nipotino in fasce, assopito, e realizzò che quel povero essere non avrebbe mai avuto una tomba sulla quale piangere la madre.

A quel pensiero il dolore che l'opprimeva cominciò a lievitare e nel giro di qualche istante si tramutò in vera rabbia. Il destino che si prendeva gioco di tutti, la morte, la stupidità degli altri. Come una furia andò al porcile, prese un piccone e arrivò fin sotto il colle, di fronte alla finestra che era stata della Rosa, e lì cominciò a menare colpi sulla terra finché non scavò una buca.

Quindi entrò in casa, andò in camera della Mena e strappò le lenzuola dal letto. Aprì l'armadio e dentro le lenzuola gettò i vecchi grembiuli della zia che lei aveva sempre odiato, le uniche due paia di scarpe che aveva posseduto, il vestito nero ormai liso e il paio di pantofole che da quando era ragazzina le aveva sempre visto indossare. Poi, dopo aver staccato dalla parete il grande crocifisso di legno sotto il quale la Mena era solita pregare, fece un grosso fagotto con le lenzuola e con quello in mano uscì sul prato, gettandolo nella buca che aveva scavato e ricoprendola con la terra in un baleno.

Quando l'Isolina arrivò, tenendo l'Enea in braccio, seguita da lontano dallo sguardo di Telemaco che temeva una mattana di quella figlia dell'Ulisse, l'Annina aveva già provveduto ad appoggiare il crocifisso sopra la terra compattata, mentre con del ghiaino vi aveva scritto: "QUI C'È LA MENA".

Sentendo l'Isolina arrivare l'Annina si sporse verso di lei e le prese il bambino, lo mise di fronte a quel cumulo e gli disse:

«Ecco, questa è la tomba di tua madre.»

Poi, si voltò verso l'Isolina e Telemaco che, sospettoso, nel frattempo era arrivato, pronto per entrare in azione:

«E se qualcuno ha intenzione di dirgli la verità farà i conti con questo» concluse l'Annina rivolta agli zii, indicando il piccone.

L'epidemia passò, come passa una violenta bufera, e gli abitanti del Colle si ritrovarono a contarsi uscendo dalle proprie case zuppe di morte come animali che fiutino timidamente l'aria dopo il cataclisma. Da qualsiasi parte uno si voltasse, tutto pareva scacciare lontano l'idea di un tempo felice che molti si aspettavano avrebbe seguito una guerra vittoriosa. Non si era quasi neppure finito di contare i morti e i dispersi del conflitto e l'influenza ne aveva spazzati via altrettanti, portando con sé nuovo spavento e disperazione.

Con una simmetria tragica, neanche volesse apparigliare gli amanti nella disgrazia, negli stessi giorni in cui rubava la Mena all'Annina la febbre spagnola portò via Libertà a Cafiero, cosicché, nel momento in cui l'una vegliava al capezzale della zia, l'altro assisteva alla stessa agonia negli occhi della figlia del Maestro che, intanto, facevano rivivere il loro padre. Persa nei fumi della febbre, Libertà trascorse infatti le sue ultime ore di vita a parlare con Cafiero credendolo il Maestro. Sfinita dal malessere, si era addormentata accudita dal fratello, e quando si era svegliata aveva visto seduta di fronte a sé la stessa immagine che, bambina, aveva guardato e riguardato per mesi sulla superficie argentata di un dagherrotipo.

Dunque sorrise, Libertà, e chiamò "Padre" quell'immagine, con la stessa voce rotta con cui aveva pronunciato quella parola il giorno in cui un uomo dall'aspetto ben più misero si era seduto al tavolo della cucina e, dopo essersi guardato attorno, si era tuffato nel celeste dei suoi occhi.

Così, per qualche ora, l'azione del morbo che aveva portato morte e dolore al Colle portò ancora vita nella casa vicino alle mura, quella stessa vita che Cafiero aveva conosciuto in sogno, grazie alle parole della madre, e che ora si ripeteva in quelle, le ultime, della sorella. Libertà gli raccontò ancora della sua attesa, dell'immagine d'argento accarezzata per ore, della generosità dei paesani, di come la vedova ingannasse il tempo aspettando una notizia, di Mannuzzu che era partito per il Brasile, e di Maniero, quando era arrivato a parlar loro del Maestro in esilio.

Maniero occupò gli ultimi suoi ricordi, appesantiti dalla febbre che la obbligò a strascicare ogni parola come se sollevasse macigni. Ma furono, tutte, parole d'amore e di passione, di un bene ancora così forte da sorprendere Cafiero per il modo in cui, a distanza di tanti anni, si era mantenuto intatto. E da quello che la sorella gli disse, da come gli raccontò ogni minimo particolare della sua vita immaginata con Maniero, egli si accorse che questa era stata per lei in tutto e per tutto, vita vissuta.

Libertà gli descrisse la loro casa a Cecilia, i figli e il lavoro del suo uomo e, parlando al Maestro, lo ringraziò per la gentilezza che aveva sempre usato nei confronti di Maniero, e per tutto quello che gli aveva insegnato. Avvolto da quelle parole, Cafiero visse fino in fondo l'identità che la sorella gli aveva regalato, si lasciò trasportare da quanto Libertà raccontava e per quelle poche ore si perse nell'azzurro dei suoi occhi così come aveva fatto suo padre. Come fosse il Maestro l'ascoltò, rise e pianse con lei, le raccontò della Francia e di Lugano, degli anni della prigione e persino del cugino Salvatore di Pisacane, di Sapri e di quei nonni lontani che lei non aveva mai conosciuto. Le parlò di com'era il Colle quando la ferrovia ancora si fermava al Padule, della casa vicino alle mura, e del vestito che la vedova indossava il giorno in cui gli offrì il braccio per una passeggiata.

E quando Ideale arrivò di corsa dalla Piana a dare l'ultimo saluto alla sorella, Cafiero provò la stessa rabbia che il Maestro aveva provato nel saperlo prete, e non riuscì a trattenere l'impulso di alzarsi, voltarsi e negargli un sorriso come il padre aveva fatto fino alla morte. Ma poi vide

Libertà, con le ultime forze rimaste, abbracciare il fratello e tendere una mano verso di lui, come per stabilire un ponte che sgretolasse quell'abisso di indifferenza.

Cafiero guardò Libertà e vide finalmente un corpo sfinito nel quale resisteva, strenuo, qualcosa che li univa. Era il buio di una prigione, il nitrato d'argento, il velluto di un vestito, l'odore dell'acqua che saliva dal Padule e la pietra delle case. Erano l'attesa e la speranza, erano le parole con le quali ognuno di loro aveva scritto i propri sogni. Era tutta la vita che lei, adesso, manteneva in bilico, in attesa di passarla e andarsi a riposare per sempre da quella stanchezza infinita.

La rabbia si sciolse, e la sua mano si allungò a prender quella di Libertà. Poi si voltò, e chiuse il cerchio porgendo l'altra al fratello che gli stava di fronte. Alla tonaca, a un prete vestito di nero. Così, per la prima volta dopo tanti anni, il Maestro e Ideale si sorrisero, attraverso Cafiero.

La febbre se ne andò, ritirandosi come fa l'inverno quando lascia dietro di sé chiazze di neve, abbandonando qua e là ancora qualche infermo e, dappertutto, cumuli di morti e di ricordi.

Nella sua parte della grande casa del Prataio l'Annina rimase sola, ad ascoltare i propri singhiozzi rimbalzare nel silenzio delle stanze costruite dall'Ulisse. Nella parte accanto, l'Isolina aveva ormai preso con sé il piccolo Enea, compensando così quel bisogno materno che la natura non si era mai degnata di concederle, mentre la Rina e l'Ettore cercavano con pazienza di ricomporre la loro famiglia con i resti di quello che la spagnola si era degnata di lasciar intatto.

L'Annina non si oppose. Lasciò che Telemaco e l'Isolina cullassero il sogno di un erede allevando l'Enea come il figlio loro. Si limitò, finché rimase al Prataio, a prenderlo ogni tanto con sé per una breve passeggiata fino sotto la collina, a pregare di fronte alla tomba della

Mena, o giù, fino alla ferrovia, sperando di incrociare la squadra di Cafiero al lavoro.

Per il resto si ritirò sempre di più nella sua parte di casa, facendo diradare, giorno dopo giorno le sue sortite nella grande cucina comune, accampando scuse, chiedendo tranquillità e venendo, in questo, presto accontentata. Del resto l'Ettorre, dopo qualche giorno di smarrimento, aveva ripreso a dedicarsi alle sue attività.

«Questa epidemia m'ha portato via quattro figli maschi» continuava a ripetere, «e se non mi do da fare mi porta via anche la figlia preferita» concludeva riferendosi all'officina.

La Rina, inoltre, ancora provata per la perdita dei figli, si era gettata nella cura dei superstiti come se soltanto da lei dipendesse la loro vita, soprattutto quella dell'unico maschio rimasto, l'Oreste.

Dal suo canto Telemaco aveva sempre visto di malocchio l'intromettersi della nipote, una donna, negli affari del commercio, e dunque si guardò bene dall'offrire qualsiasi possibilità di entrare in società. Essa si trovò così da sola, a cullare la speranza di un amore che, fino a quel momento, si era manifestato in un unico, lungo, per lei interminabile abbraccio, e con quello riempì le giornate che passava da sola al Prataio.

A quell'abbraccio affidò le sue paure, raccontò i suoi sogni. Appoggiata al cotone ruvido della camicia di Cafiero guardò dalla finestra della Rosa la marsina azzurra del medico dei balocchi scendere dalla collina dove, un tempo, i cipressi imbrigliavano lo sguardo di sua madre. Nascosta tra quelle braccia, il volto premuto sul panciotto di velluto nero, sentì i colpi di piccone dell'Ulisse abbattere il balcone, e la sua voce sconciata dalla follia berciare dell'amore animale e dell'importanza del sonno. Addormentata in quella calda stretta vide ancora una volta Sole partire verso Oriente e ancora una volta si impose di non trattenerlo, per poi schiacciare la bocca contro il petto di Cafiero a soffocare l'infinità di parole che avrebbe sempre voluto dire al fratello.

Si svegliò cullata da quelle braccia e, a loro stretta come in una danza, attraversò il tempo solitario dell'attesa tra le stanze che, seppure vuote, le sembravano ancora essere tutta la sua vita.

Ma quando una notte si trovò di fronte alla grande caldaia che era stata l'amore senile del Mero, l'Annina l'abbracciò come aveva visto fare tante volte a quell'uomo così amato e a suo padre accecato dalla follia, e la sentì fredda come un morto. Forse quel gelo la svegliò da una sorta di sonno, infranse il tepore della tana di abbracci immaginari che si era costruita. Così, s'allontanò da quella botte di ghisa e si guardò attorno. La grande cucina era in silenzio, e dalle altre stanze della casa non si levava alcun rumore. Fuori dalla finestra tutto era immobile, e il mondo intero le sembrò in sospensione. Lentamente si avvicinò al vetro. Un taglio di luna illuminava a malapena il cancello deserto. L'Annina chiuse gli occhi e cercò dentro di sé la filastrocca dei bambini.

"Ora li riapro e lui sarà là" pensò, ma attese ancora un momento, perché il desiderio avesse più forza. In quei secondi, calata nel buio dentro se stessa, sentì la voce squillante e calma di sua madre, rivide le pantofole consumate della Mena, fiutò l'odore di viole che accompagnava le storie di Sole.

«Singhiozzo singhiozzo albero mozzo vita tagliata portalo a casa» disse ancora tra sé, desiderando così tanto Cafiero da sentire un dolore forte e perfetto come non lo aveva mai provato.

Si morsicò le labbra, strinse ancora forte i pugni e trattenne il respiro. Infine aprì gli occhi.

La lama di luce proiettava l'ombra lunga del cancello sulla ghiaia, e nient'altro.

L'Annina restò ancora un attimo a contemplare quella desolazione. Poi si voltò, vide la cucina vuota, con la caldaia che era stata l'ultimo desiderio del Mero. Non brillava più, era scrostata, immobile e gelata. Per la prima volta si accorse che era sempre stata in un angolo e che ormai nessuno se ne occupava più con la stessa attenzione.

Così andò al deposito della legna, prese dei bei rami secchi e fece una base sulla quale appoggiò un paio di ciocchi. Dette fuoco e attese. Quando il tepore cominciò a spandersi, l'Annina si avvicinò e abbracciò quel pezzo di ghisa, a occhi chiusi, per parecchi minuti.

Infine, con la guancia che già le scottava, gli dette una carezza e disse:

«Grazie, Mero.»

Poi si staccò, corse alla stalla, saltò in groppa al cavallo e attraversando il Prataio deserto se ne andò a cercare Cafiero.

Quando Ideale arrivò alla casa vicino alle mura, Libertà ancora stava parlando con Cafiero credendolo il Maestro. Abituato a raccogliere in silenzio confessioni sciolte in litanie sempre uguali, se ne restò quasi nascosto in un angolo della stanza ad ascoltare la sorella affrontare l'immensa fatica di raccontare la vita della loro famiglia con la voce già segnata dalla morte.

Nella penombra, l'aria impregnata dall'alito della spagnola, le parole di Libertà ripercorsero momenti della loro infanzia, rievocarono la tristezza dei giorni che assieme alla madre aveva dovuto contare nella continua attesa di un padre, di un fratello o di un amore, raccontarono le speranze, le gioie, le infinite esitazioni di un'esistenza che stava per svanire nei fumi della febbre.

Ideale ascoltò, rise al pensiero delle mattane continue di Bartolo, si arrese all'angoscia nell'immaginarlo seccato dal sole e dalla guerra. Guardò con commozione suo fratello parlare come fosse suo padre, e si lasciò ancora avvolgere dal fascino antico della voce del Maestro, dal suo volto, dalle sue grandi mani. Assieme a lui vinse nuovamente il terrore per le ruote e così salì sul treno dove sentì la stessa fitta allo stomaco che aveva provato quando aveva visto per la prima volta dal finestrino le case del Colle allontanarsi dietro il Padule. Attraversò l'Italia Nuova, fu ancora a Milano e in Svizzera con gli occhi persi dentro quel cielo che lo avrebbe rapito per sempre.

Lo accompagnò ancora in mille passeggiate, ascoltando con attenzione il suo ragionare sulla dignità delle persone e sull'ingiustizia del mondo, pianse quando lo vide baciare la vedova, prima di partire per l'esilio, e nuovamente attese per mesi e mesi che tornasse dall'esilio. Riprovò la stessa rabbia per il suo arresto, e di nuovo tornò nel buio del collegio, accollandosi per anni il peso dell'espiazione.

Quasi come un paradosso, quella notte proprio la malattia che andava svaporando la vita di Libertà ridette un'esistenza a persone e situazioni che avevano animato la casa vicino alle mura, restituendo così forza e tempo alle emozioni, ai pensieri e all'amore.

Fu quindi naturale che nel momento in cui Libertà abbandonava la vita l'abbraccio tra i due fratelli sancisse quella concordia che proprio la vita aveva infranto a causa della decisione di Ideale di essere prete. Fu un sigillo, un'eredità che la sorella passò loro e che essi non avrebbero mai tradito.

Da allora, infatti, Cafiero iniziò a frequentare con più assiduità il fratello, alla Pieve del Pianoro nella quale da qualche mese Ideale era stato destinato per il suo ufficio e dove, all'ombra del campanile, fece interrare il corpo della sorella. Spesso, approfittando del lavoro che lungo la linea ferroviaria lo portava oltre il Padule, fin quasi alla Piana, Cafiero allungava il tratto del ritorno per fermarsi in visita dal fratello.

Dapprima gli incontri furono ancora segnati da una sottile, reciproca diffidenza. In fondo, a parte la forte differenza d'età, erano quasi sempre vissuti distanti e con il peso della condanna paterna verso la scelta di Ideale a dividerli, una condanna che Cafiero aveva assimilato in sogno, attraverso i racconti della madre, e che quindi aveva sempre accettato come un fatto ineluttabile.

Ai suoi occhi, dunque, il nome del fratello era naturalmente accomunato a un'impressione indefinita che stava tra il disagio e la sfiducia. È quindi facile comprendere come, nonostante l'abbraccio di Libertà li avesse nuovamente messi in comunicazione, fosse necessario ancora del tempo per smaltire la ruggine dei sentimenti che li avevano tenuti a lungo lontani.

Le visite di Cafiero contribuirono a raschiare questa ruggine: attraverso le parole, certamente, i lunghi racconti con cui Ideale parlò al fratello del Peccato Originale, del buio del collegio, e dell'immacolata falsità dell'infermeria in cui perse per sempre Mikhail e aggiunse altro peso alla propria vita, ma soprattutto attraverso gli sguardi, i momenti di silenzio, l'attenzione ai gesti, alla postura delle mani, al timbro della voce, a tutte quelle altre piccole, insignificanti briciole di vita comune che li fecero sentire definitivamente fratelli.

In questo modo, giorno dopo giorno il loro legame si strinse, si unì così saldamente da diventare una necessità reciproca, un gusto particolare che superò ogni diffidenza e ogni differenza.

Finché l'arroganza degli squadristi non le interruppe con il bastone, le visite di Cafiero a Ideale si risolsero spesso in lunghe e animate discussioni sulla preoccupante situazione politica, unica sfera sulla quale i due fratelli si sentivano ancora decisamente divisi visto che Ideale, pur condividendo molte delle tesi socialiste, non poteva certo approvare le idee di Cafiero, ancora ispirate ai principi libertari e anarchici del padre.

Come spesso succede, questa divisione era comunque più teorica che reale poiché, nei fatti, tra i due era probabilmente Ideale a perseguire con più coerenza i principi di giustizia sociale che per Cafiero erano più una sorta di formula magica che qualcosa di concreto da conquistare quotidianamente.

Dunque se nella quotidianità Cafiero sosteneva i suoi principi in maniera velleitaria e puramente verbale, Ideale esercitava invece il suo ufficio con attenzione non solo ai problemi spirituali dei suoi parrocchiani, ma anche alla loro sete di giustizia, di rispetto reciproco, di dignità.

Ai pescatori del Padule, così come ai contadini del Malgardo e agli operai dell'Ettorre, della fornace vicino la stazione e, in fondo, a ogni altra persona sentisse su di sé il peso della miseria, non mancò mai una parola di conforto né l'aiuto concreto che Ideale, negli anni, seppe dare preoccupandosi per i loro bisogni, collaborando con loro e ridando vita a quella sorta di scuola popolare che il Maestro aveva fatto nascere sulle rive del Padule Lungo.

Entrambi spiriti molto tenaci, i due fratelli non avrebbero mai ammesso, in ogni caso, la convergenza sostanziale delle loro idee. Fu l'Annina, così come in fondo era nel suo destino, che contribuì a smussare questo ultimo angolo, il giorno in cui chiese a Cafiero di sposarla.

Dopo l'abbraccio che aveva segnato il loro amore, di notte, di fronte al cancello di casa, la febbre spagnola e la morte li avevano costretti a restare lontani per il tempo necessario a seppellire i corpi dei loro cari e a cercare di riprendere confidenza con la vita.

Se Cafiero fu aiutato, in questo, dalla strada che Libertà gli aveva aperto verso Ideale, l'Annina si trovò all'improvviso a rendersi conto dell'impossibilità di affrontare il peso delle storie che ormai popolavano il Prataio abbracciata soltanto al calore di una caldaia di ghisa. Così corse alla stalla, montò a cavallo e se n'andò in mezzo al buio a cercare un altro abbraccio, un altro calore.

Dal canto suo, quella notte anche Cafiero non dormì. Tornato dal lavoro, s'era coricato stanco nel corpo, ma senza riuscire a far prendere sonno alla mente. Le persone e le situazioni fatte rivivere dalle parole di Libertà erano ancora nella sua stanza e continuavano a parlargli, a sedersi accanto al letto, a ridere, a discorrere appoggiate alla finestra che guardava verso la pianura.

Troppo vicine. Troppo presenti, così come vicina e

presente era la morte che aveva abitato quella stessa casa. Forte, lacerante, così grave da poterne sentire ancora il peso sulle spalle, come una mano che lo trattenesse a terra, lo ancorasse al passato senza lasciarlo correre liberamente in avanti, là dove vedeva l'affetto nuovo per Ideale e sentiva il corpo minuto dell'Annina stretto tra le sue braccia.

Fu mentre si abbandonava a questa malinconia che sul selciato di fronte alla casa udì il passo di un cavallo. La notte era fonda, e nel silenzio assoluto i colpi degli zoccoli si mischiarono ai suoi pensieri e gli parvero gli spari che avevano ucciso il Maestro sulla sabbia di Milano.

Così si alzò, andò all'armadio, prese la vecchia doppietta di Fosco Bartoli e si precipitò alla porta pronto ad affrontare i soldati del Re. Quando aprì, si trovò invece di fronte l'Annina, ferma sul cavallo che montava a pelo, così com'era abituata a fare fin da bambina.

Nella luce fioca la vide dritta davanti a sé, con i capelli ancora scarmigliati per la corsa, e gli sembrò un monumento, una statua di Michelangelo, l'opera di uno scultore folle e sublime.

E l'Annina un monumento lo sembrava davvero: era immobile, rapita dall'amore. Lo guardava dritto negli occhi mentre cercava di capire quali parole dovesse usare per raccontargli tutta la sua disperazione e tutto il suo desiderio. Le vennero in mente le storie di Sole, e poi la passione del Mero per la caldaia. Avrebbe voluto parlargli dello sguardo di sua madre fisso sul colle dei cipressi e dei berci disperati dell'Ulisse di fronte al suo balcone. Avrebbe voluto dirgli dei mercati, delle ore passate a guardare i maiali, delle strette di mano tra gli uomini e di come si tratta una scrofa di duecento chili. Pensò di raccontargli della tomba della Mena, delle preghiere e delle filastrocche che questa le aveva insegnato. Del perché si deve parlare alle lumache prima di San Martino e di come dalle ragnatele si possa capire se pioverà o se invece è tempo di raccolto. Ebbe la tentazione di spiegargli il profumo dell'alba o descrivergli il modo in cui rimbalza sui muri del Prataio il rumore del treno quando passa sulla ferrovia. Avrebbe desiderato gridargli di come aveva visto tremare di febbre il piccolo Anchise e della morte che le faceva paura, e della nebbia che non le piaceva, e del tempo che non capiva, e di suo fratello che le mancava e di tanto altro per cui ora non trovava le parole, ma lo vide di fronte a sé, fermo, col fucile in mano, perso anche lui in un tempo che se non fosse riuscita a fermare in quel preciso istante non avrebbe mai più avuto fine, e allora capì di aver bisogno di almeno tutta la vita per spiegargli anche soltanto una delle infinite cose che aveva da dirgli.

Così, tirò un lungo respiro e gli disse semplicemente:

«Voglio che ci sposiamo, Nocciolino.»

Cafiero le sorrise. Un'ondata di calore lo accarezzò, e lui si lasciò scaldare ogni centimetro di pelle, lasciò che quel benefico respiro si intrufolasse a sciogliere la malinconia che l'aveva assalito durante la notte, fece in modo che lo riempisse, lo possedesse completamente e senza fretta.

«Quando?» le disse, poi.

L'Annina rispose:

«Appena posi la doppietta.»

«Mi sono innamorato» disse Cafiero al fratello durante una delle sue ormai tradizionali visite alla Pieve del Pianoro.

Erano seduti sulla panca, sul prato di fronte alla cappella della Madonna delle Rane, a parlare dell'agitazione che montava giù alla fornace dove, approfittando della molta gente rimasta senza lavoro, ora che i cantieri della ferrovia erano terminati da un pezzo, padron Baldini spuntava prezzi da fame per una giornata di lavoro.

E in mezzo alle discussioni sulla Lega dei lavoratori, ai ricordi di antichi discorsi che il Maestro aveva ripetuti per mesi ai figli e ai pescatori del Padule, Cafiero se ne uscì con quella dichiarazione che, apparentemente, con la forza lavoro e il malcontento poco aveva a che vedere.

Ideale si zittì. Fissò il fratello, e finalmente capì che il suo sguardo, in quel pomeriggio durante le loro discussioni non era, come aveva creduto, pieno della passione per la politica e per gli argomenti che stavano dibattendo. Lo fissò e vide nei suoi occhi la stessa luce d'amore che aveva visto negli occhi del padre, e pensò a come rotolano le cose, e ritornano uguali e diverse, visto che il tempo ce le restituisce con il suo procedere a spirale.

Così si voltò verso il fratello e lo abbracciò.

«È l'Annina, la figlia dell'Ulisse Bertorelli del Prataio» disse Cafiero senza che nessuno glielo domandasse.

«Che Dio vi benedica» fu l'augurio di Ideale.

«Ecco, fratello, proprio con Dio sta il problema» disse Cafiero mentre si tormentava le mani. «Io temo che questo mio nuovo amore a cui tengo immensamente possa fugare quest'altro nostro affetto al quale non vorrei rinunciare, perché tu sei una parte della mia vita, appena tornata...»

E allo sguardo interrogativo di Ideale, proseguì:

«Mi trovo di fronte al dilemma se tradire il mio credo politico per non guastare il mio rapporto con te, e dunque accettare la benedizione di un matrimonio di fronte a un Dio per me falso, o essere coerente, negare la validità di questa benedizione e rischiare così di allontanarti.»

Ideale fu invaso da un senso di tenerezza. Di fronte a lui suo fratello aveva le sembianze del Maestro, lo stesso sorriso, lo stesso sguardo, lo stesso modo lento di camminare, e persino la stessa voce, identica a quella che per tanto tempo gli aveva negato anche il più banale dei saluti.

Ideale risentì rinnovata e forte, dentro di sé, l'oppressione patita negli anni del silenzio, il peso quasi insostenibile dell'indifferenza, il gelo delle notti del seminario, la speranza sciolta nelle preghiere, nella riflessione, nello studio, il dolore assoluto e perfetto che adesso stava tutto in una sola parola, pronunciata o negata di fronte al timore di Cafiero.

Così gli sorrise, lo tirò a sé in un nuovo abbraccio e finalmente, da padre, pronunciò quella frase che per l'eternità avrebbe continuato a desiderare che il Maestro avesse pronunciato:

«Fa' come ritieni giusto, figliolo.»

Cafiero non posò la doppietta. Gli bastò un braccio per cingere la vita dell'Annina e posarsela accanto, e ancora soltanto con una mano le accarezzò il volto e i capelli. Gli abbracci furono per dopo, quando, messo al riparo il cavallo nel giardino della casa vicino alle mura, l'accompagnò nella sua stanza e lì rimasero fino al mattino scambiandosi l'amore che avevano aspettato per tutte quelle settimane in cui la morte aveva attraversato in lungo e in largo le strade e le campagne del Colle.

Stretto nell'oscurità all'Annina, Cafiero l'avvolse con la stessa delicatezza con la quale avrebbe toccato un cristallo, per la paura di far male con le sue grandi mani a quel corpo così minuto e levigato. Forte dell'eredità che sua madre gli aveva trasmesso nei suoi racconti notturni, amò l'Annina così come il Maestro aveva fatto a suo tempo con la vedova la notte in cui, tornati dalla loro prima passeggiata, avevano cominciato la loro vita insieme.

Imparò a conoscerne la forma con le carezze, seguendo le linee del volto, la discesa dei seni, le rotondità delle cosce, incontrò le sue mani e il suo desiderio, si immerse nel suo odore fino ad assorbirne l'essenza e non dimenticarla mai, provò la leggerezza comune di sentirsi uniti, indissolubili in un'esplosione di luce così forte da accecarli di stupore.

Sfinita dall'amore l'Annina si addormentò con la testa sul suo petto, e Cafiero se ne rimase immobile per il tempo che restò fino al sorgere del sole, incredulo e stordito da quel viaggio attorno al mondo che adesso riposava su di lui.

Da quel momento rimasero insieme, a vivere nella casa vicino alle mura nonostante la modernità scesa negli anni dalla ferrovia avesse contaminato il gusto degli abitanti del Colle Alto per tutte le cose naturali e inevitabili come l'amore tra due persone. Per la prima volta si interruppe l'armonia che aveva sempre regolato la vita di quel luogo e accolto con felicità prima l'unione del Maestro e della vedova e poi, più tardi, quella di Libertà e Maniero, cosicché i due giovani dovettero affrontare un venticello fino allora sconosciuto, fatto di sguardi furtivi, di piccole chiacchiere, di biasimi più o meno velati.

I più ostili a questo amore furono i Bertorelli, ritenendo un vero e proprio scandalo che della loro famiglia entrasse a far parte il figlio di un noto sovversivo, lui stesso in odore di socialismo. L'Ettorre andò su tutte le furie e ricordò all'Annina che il suo "ganzo", com'ebbe a chiamarlo, era fratello a quel prete della Piana che non perdeva occasione per parlare e scrivere contro di lui, contro il Baldini della fornace e contro tutti gli imprenditori dell'Italia, maledetto di uno.

E pure Telemaco temette di veder sfumare per sempre le sue speranze di essere appoggiato dai Conti del Malgardo nel suo progetto di diventare, un bel giorno, sindaco del Colle. Pertanto tentò in tutti i modi di rivendicare una patria potestà che, per regola, apparteneva ancora a tutti gli effetti alla Rosa, cercò di porre condizioni, minacciò denunce e ricatti.

L'Annina non si scompose più di tanto. Era figlia dell'Ulisse e dall'Ulisse aveva imparato l'arte del commercio, il saper valutare a occhio, con rapidità e precisione gli elementi di un affare, il loro valore singolo e complessivo e dunque un pomeriggio, seduta sugli scalini della casa vicino alle mura, considerò la pesantezza di tutte le obiezioni che gli zii stavano ponendo sul tavolo di una questione che invece appariva ai suoi occhi piana come una lastra di marmo.

Si avvicinò al muretto che dava verso la valle, e guardando in fondo alla pianura, prima che la collina riprendesse ad alzarsi, intuì la lontananza del Prataio. Lo vide piccolo, un puntino color mattone perso nella vastità dei colori che sfumavano, dal verde più intenso all'azzurro del Padule. E dentro quel puntino si immaginò Telemaco, e le sue preoccupazioni di perdere la propria rispettabilità di futuro notabile del borgo, e l'elettrico Ettorre, sempre pronto a far fruttare i quattrini anche a costo di servirsi della miseria della gente. E con loro l'Isolina, che ormai non aveva altri occhi e altra testa se non per un figlio che non era suo ma che stava crescendo come l'unico, prestigioso erede di famiglia. E la Rina, che dall'allevare conigli e galline e figli era passata con determinazione all'impegno di diventare, finalmente, una ricca signora con cameriera e chauffeur.

Rimanevano, puntini nei puntini, i piccoli figli, esili fiori persi in un fitto bosco.

Mentre l'Annina pensava queste cose, Cafiero arrivò dal lavoro. Lei sentì il cancello del vialetto aprirsi e si voltò, lo vide chinato, intento a chiudere la serratura, e poi, una volta di fronte a sé, alto e bello come l'immagine di suo padre nel dagherrotipo d'argento che conservava sul tavolo ingombro di libri.

Così andò incontro a Cafiero, lo baciò rapidamente e gli disse:

«Aspetta, devo fare un salto al Prataio.»

Quando arrivò alla grande casa Telemaco era appena tornato dal Portale con il nuovo autocarro e stava controllando coi garzoni un carico di maiali. Guardò arrivare la nipote e non nascose il disappunto. "È figlia dell'Ulisse" pensò, "e porta solo guai."

Ciononostante le fece un cenno di saluto, mentre lei smontava in fretta dal cavallo.

«Vi interessa un affare?» fece l'Annina senza tanti preamboli.

Lo zio la squadrò sorpreso. Che diavolo aveva mai in mente quella sgualdrina?

«Un maiale?» domandò con un sorriso sarcastico.

«Un uomo» gli rispose la nipote, tenendo alto lo sguardo. E poi, con voce ferma precisò:

«Voglio comprare marito.»

Telemaco sobbalzò, fece rapidamente cenno ai garzoni di sparire. Poi si guardò attorno come per accertarsi che nessun altro assistesse a quel colloquio scabroso.

«A voi e all'Ettorre interessa che io non vi rompa le uova nel paniere, e che non porti in questa casa chi considerate un affronto. A me interessa sposarlo» sputò fuori l'Annina tutto d'un fiato.

Sapeva che lo zio era una vecchia volpe e stava aspettando che fosse lei, per prima, a lanciare le condizioni del contratto, pertanto rimase zitta e immobile, continuando a fissare Telemaco dritto negli occhi.

Era grande e grosso, lui, commerciante da tanti anni,

e in quei tanti anni aveva imparato molto bene come si trattano le offerte degli uomini che ti vogliono proporre un affare, che cercano dentro di te un'esitazione, che vogliono capire dov'è il varco che permetterà loro di inserirsi, di allargare le tue difese, di entrarti dentro e carpirti una decisione per farti spendere più del necessario o strapparti un prezzo che non avresti mai dovuto accettare. Conosceva ogni trucco del mestiere, il modo di reggere il toscano per mandare il fumo negli occhi di un compratore sprovveduto affinché non vedesse i difetti della merce, quello di presentargli le bestie migliori con poche e secche parole tenendogli un braccio sulla spalla come a un fratello di latte, quando si doveva giurare e spergiurare sui santi e sul sangue e quando invece bastava una stretta di mano senza neppure il taglio di un sensale.

Aveva venduto animali zoppi, malati e persino scrofe infeconde come ottime fattrici, e neppure s'era fatto scrupoli di mettersi in affari coll'esercito e far la cresta a quella massa di cialtroni addobbati di medaglie che quasi gli avevano ucciso i nipoti. Sapeva, Telemaco, come si affronta lo sguardo di chi vuole comprare e vendere con te, ché vendere e comprare è come costruirsi l'anima mercato dopo mercato, maiale dopo maiale, e l'anima la puoi vedere solo dentro gli occhi degli uomini.

Questo conosceva Telemaco, ma quando fissò gli occhi dell'Annina dentro di essi non riuscì a vedere né maiali, né autocarri, né stalle, né case e neppure poderi o qualsiasi altra cosa solida che lui potesse riconoscere come materia utile a costruire la vita degli esseri umani.

Vide invece qualcosa che non capì. Una forza, un colore, forse lo stesso fuoco dell'Ulisse il giorno in cui, già rosicchiato dalla follia, aveva firmato davanti al notaio la divisione delle loro proprietà per poter esser finalmente libero di parlare ai maiali, di regalarli, di sbraitare sull'istinto animale, sul sonno e sul sangue, di soffrire così tanto da sterminare le sue bestie e impiccarsi coi loro intestini.

Telemaco non capì, dunque, e dapprima abbassò lo sguardo verso terra, poi lo spostò verso l'orizzonte, guardando un punto indefinito, i pollici agganciati al panciotto.

«Che cosa vuoi?» le chiese finalmente.

«Vi lascio la mia parte di casa, la stalla e il prato dietro la strada» disse lei.

Telemaco si voltò verso la casa, poi guardò la stalla e infine si girò dalla parte del prato.

«La collina dov'erano i cipressi e la tomba della Mena d'ora in poi sono roba mia» concluse con voce ferma.

«E in cambio?» le domandò lo zio.

«Mi prendo Nocciolino, e voi non dite niente» fu la risposta.

L'uomo rimase in silenzio un buon minuto.

«Dovrò parlarne con l'Ettorre, non so lui che ne pensa, è roba anche sua e...» cominciò a bofonchiare quasi tra sé Telemaco.

«L'offerta è valida soltanto adesso» lo interruppe la nipote.

«Tu sei matta» rispose scuotendo la testa Telemaco, «come pensi di...»

«Prendere o lasciare» ribadì lei.

Telemaco si guardò intorno, quasi cercasse un aiuto, un consiglio. Quella sciagurata lo stava mettendo in imbarazzo in ogni modo, con il suo comportamento immorale, con quelle sue intenzioni folli, con il matrimonio che voleva fare a tutti i costi, e ora con questa proposta con cui l'aveva appena incastrato. Si sentiva giocato: qualsiasi decisione avesse preso sarebbe andato incontro a problemi, con l'Ettorre, coi parenti, coi Conti del Malgardo, con gli altri notabili del Colle, con la Regia Polizia, col Vescovo, col Papa, col mondo intero, maledetto di uno.

Lo sguardo abbassato, Telemaco fissava la punta delle scarpe e con una mano cominciò a tormentarsi i baffi. L'Annina capì che era giunto il momento di chiudere la partita.

«Salute a voi, zio, e i miei rispetti all'Isolina. Che la vita vi sia lieve, a tutti quanti» disse tirando il cavallo verso il cancello del Prataio.

Telemaco la guardò allontanarsi. Non riusciva a capire se gli stava bruciando di più perdere un affare o essere giocato da quella donnetta che se ne andava tranquillamente per la sua strada. Si voltò verso il prato, guardò ancora una volta la stalla e la casa. In fondo se ne sarebbe andata comunque, pensò.

«E sia!» le urlò dietro.

L'Annina ritornò verso di lui senza fretta, allungò la mano e stringendo con forza quella dello zio ribadì:

«La tomba della Mena e il colle dov'erano i cipressi sono roba mia.»

Telemaco annuì, il viso rosso come il vino.

«Allora intesi» concluse con voce dura l'Annina, «il venduto è comprato: e non più una parola su me e Nocciolino.»

Il cuore in gola, l'Annina aveva guardato Cafiero avvicinarsi al cavallo, l'aveva visto allungare il braccio e s'era sentita stringere la vita da una presa che per lei sancì definitivamente la loro unione. E per i brevi istanti che lui impiegò per calarla dalla groppa e posarsela vicino, l'Annina sentì svanire il peso della solitudine che aveva respirato nelle stanze del Prataio, e dunque, quando quella stessa mano si posò sulle sue guance e sopra i suoi capelli, si lasciò scivolare nel mare di tranquillità che la stava invadendo.

Allo stesso modo, quando fu nell'oscurità della stanza di Cafiero, stesa accanto a lui, le piacque perdersi nei suoi abbracci, lasciare che lui imparasse a conoscerla come un viaggiatore un Paese sconosciuto, così come per tanto tempo aveva immaginato che avrebbe fatto Sole alla ricerca di Oriente.

E a sua volta si fece vincere dalla curiosità di esplorare il continente che le stava accanto, e allora si stupì che sua madre avesse sempre raccontato l'amore tra un uomo e una donna come il tramestare d'animali che, quasi per conferma, l'Ulisse aveva poi esercitato nei confronti della Mena. E invece, mentre Cafiero per la prima volta entrava in lei, l'Annina gli si strinse contro e le parve di essere lei a possederlo, di essere un cielo così vasto da riuscire a tenere quella nuvola di carne tutta dentro il suo piccolo abbraccio, di portarselo dentro a conoscere luoghi che non avrebbe mai immaginato, e fuori di sé, di corsa e lentamente, in una camminata senza fine.

E il cielo sognò, più tardi, sfinita da quel viaggiare, e sognò anche le nuvole e l'Oriente, e l'acqua che risaliva i fiumi, e una notte piena di luce, e un treno che procedeva in retromarcia, e la Mena che seppelliva i propri vestiti, e lei che finalmente dormiva tranquilla sopra un nocciòlo.

Nei giorni seguenti, sola nella casa vicina alle mura, sentì questa tranquillità come qualcosa alla quale non avrebbe mai potuto rinunciare, qualcosa che era saldato col sangue a Cafiero, e quando si accorse di sentire ancora su di sé l'impronta del suo corpo capì che non avrebbe mai potuto rinunciare a quel peso, né per le chiacchiere del paese, né per il Prataio, né per il buon nome dei Bertorelli.

Così pensò di risolvere la questione con Telemaco a modo suo, e si comprò quello che per lei non aveva altro prezzo se non la sua vita, e lo sposò qualche settimana più tardi, salendo le stesse scale del Comune che l'Ulisse aveva salito per registrarla all'anagrafe con un nome con il quale nessuno ormai più la chiamava.

La festa delle nozze fu una serata felice che fece risuonare d'allegria la casa dei novelli sposi. Un paio di vecchi quasi centenari vennero con commozione a salutare, col matrimonio dell'ultimo figlio del Maestro, un pezzo della loro vita ormai lontano. Dal Padule i pescatori portarono ricotte e anguille ancora vive, mentre una mezza dozzina di ferrovieri della Piana, compagni di lavoro di Cafiero, oltre alla fisarmonica che segnò il tempo delle danze, recarono dolci e vino in quantità per brindare a quell'unione, e benedirla per sempre.

A proposito di benedizioni, nonostante le insistenze degli sposi Ideale preferì non essere presente alla firma dell'atto, certamente per gli impegni cui il suo ufficio parrocchiale lo chiamava alla Pieve, ma soprattutto per non inasprire ancor più gli animi con la presenza di un prete in una circostanza laica e priva di sacramenti.

Più tardi, quando al Pianoro il buio era ormai fatto, terminate tutte le incombenze, nel momento in cui si apprestava a coricarsi si sentì all'improvviso lontano da tutto. Allora la stanchezza della giornata gli cadde addosso come un maglio e lo costrinse a sedersi un attimo sul letto per rifiatare. Immobile, le mani appoggiate alle ginocchia, guardò attorno la stanza illuminata dalla debole luce della lampadina, e gli sembrò ancora più spoglia di quanto solitamente gli apparisse. Una cassapanca di ciliegio vecchio, un tavolino appoggiato al muro a fungere da scrivania, due sedie, il letto su cui sedeva, un braciere e un semplice scaffale, pieno di libri.

Fu proprio sui libri che il suo sguardo si fermò. Nelle ultime due file, in alto, c'erano quelli che la vedova aveva conservato per lui, il traditore, appartenuti al Maestro, sui quali il Maestro aveva trascorso ore a studiare, a pensare, a immaginarsi un futuro diverso per il Colle, per Milano, in Francia, in Brasile o chissà dove. Ideale si alzò con fatica, si avvicinò alla libreria e dalla fila tolse con delicatezza un volume ricoperto da un foglio di giornale. Foderato da quella carta ormai ingiallita, non era possibile scorgerne il titolo né l'autore, ma Ideale lo conosceva benissimo. Il sorriso sulle labbra, passò tre o quattro volte, lentamente, il palmo della mano sulla fodera. Poi ve lo posò sopra, come se il libro fosse un torace e lui volesse percepire i battiti di un cuore.

Erano, quei battiti, l'eco della voce di sua madre che ancora sentiva leggergli le lettere del Maestro in esilio, le raccomandazioni paterne di non trascurare lo studio e le letture. Erano le ore solitarie, lui ragazzo, passate su quei

libri difficili a cercare di comprendere se fosse più grande il desiderio di scontare la colpa per un padre sempre
in fuga o l'utopia che essi gli raccontavano. E ogni volta,
ognuna delle migliaia di volte in cui aveva cercato di risolvere quel rebus sprofondandosi nella lettura, quando
aveva alzato la testa dalle parole gli era sembrato che la
realtà perdesse pezzi e persone, che tutto tornasse per
andarsene per sempre, lontano da lui, oscuro e impene-
trabile. Se n'era andato Mannuzzu, in Brasile, a cercare a
Cecilia il tesoro che racchiudeva il libro ora nelle sue mani. Se n'era andato il Maestro e se n'era andato Maniero,
anch'essi dietro il sogno di quello stesso libro. E assieme
a loro era scomparso Bartolo, e Mikhail, abbracciato dal
dolore, e anche Libertà, la dolce, se n'era andata dopo essere tornata nel passato a salutarli.

Ideale allora s'avvicinò ancora di più allo scaffale, appoggiò la guancia sui libri e allargò le braccia nel tentativo di chiuderli dentro di sé. Ogni pagina un respiro,
ogni parola un'attesa, ogni titolo la speranza di qualcosa di nuovo. Là era tutto quello che lui era stato.

Si sciolse da quello strano abbraccio e ritornò verso il
letto. Quello che lui era adesso stava invece attorno a
lui, in quella camera spartana, nelle pietre della Pieve
che lo riparava con la sua penombra e con il suo fresco.
E nella miseria dei pescatori, giù al Padule, nella curiosità dei loro figli, nella rabbia degli operai della fornace
e dell'officina del Bertorelli.

Il pensiero di quel nome gli evocò l'Annina. L'aveva
vista più volte cavalcare a pelo come un uomo. Eppure
era minuta, dolce, e il suo sguardo esprimeva un fuoco
che lo incuriosiva. Sorrise. Era felice che l'amore l'avesse unita a Cafiero poco dopo la scomparsa di Libertà,
quasi che la vita volesse affermare sempre e ancora il
suo continuo rotolare, senza paura di fronte agli ostaco-
li, senza soste di fronte ai pregiudizi, per mettere in
scacco la morte. Dunque il suo presente era anche nella
loro unione, e questa unione andava ancora in qualche
modo benedetta, pensò. "In fondo misteriose e infinite

sono le vie del Signore, e come fare si vedrà" si disse ancora mentre già aveva inforcato la bicicletta e imboccato la via del Colle.

Dalla Pieve fino al borgo occorreva oltre mezz'ora di strada, e durante il tragitto il tempo si guastò, così che per il vento e la pioggia quella diventò una notte da lupi. Quando Ideale arrivò alla meta, l'ultimo evviva per gli sposi si era già spento da parecchio, e tutta la casa sembrava dormire in una pace meritata. Fermo di fronte alla porta, Ideale guardò quei muri tanto amati, pensò alle stanze piene di ricordi, persino gli parve di risentire il fruscio delle gonne di sua madre, e alla fine considerò un sacrilegio rompere il cristallo di quella tranquillità. Allora, così come il vecchio don Ubaldo aveva fatto in occasione della sua nascita, nel buio di quella notte da lupi alzò un braccio e tracciò nell'aria gelida una croce in segno di benedizione. Quindi voltò le spalle e, borbottando contro il freddo, iniziò lentamente a scendere verso la Pieve.

Telemaco sistemò in fretta la faccenda dell'Annina con il fratello, e in pochi minuti s'accordarono su come spartirsi quanto la nipote aveva lasciato loro in cambio della sua tranquillità.

In verità, l'Ettorre non fu subito felice di quella sorta di contratto che, alzando la voce, giudicò una vera e propria beffa. Di fatto la sgualdrina, come chiamò la nipote, non solo aveva ottenuto quello che desiderava ma avrebbe comunque messo in grave imbarazzo la famiglia.

«Con quale faccia tu credi che potrò discorrere col Conte del Malgardo, quando verrà a sapere che la nipote del suo socio fa tresca coi sovversivi?» urlava l'Ettorre. «E tu, bella schiatta di commerciante, tu cosa farai per diventare sindaco? Ti metterai tra i socialisti, visto che ora abbiamo un nipote rivoluzionario?»

Telemaco lo ascoltò con calma e poi lo ammansì con poche, tranquille parole.

«Il rischio c'è, fratello, ma non avevo altra scelta. L'Annina lo sai, è figlia dell'Ulisse, e se non era questo invaghirsi di Nocciolino qualche altra mattana l'avrebbe comunque studiata. Ricorda quello che abbiamo passato con suo padre, la storia del suicidio, la violenza alla Mena, la fuga della Rosa e tutto quanto. Tutto è ormai passato, scivolato via coi mesi. Le stagioni cambiano, e c'è un tempo per seminare e uno per raccogliere...»

L'Ettorre ebbe un gesto di stizza:

«Non mi sembra proprio il momento di tirar in ballo le Sacre Scritture» disse acido.

Telemaco fece un leggero movimento del capo, come a indicargli che lui la sapeva molto lunga.

«No, niente bibbie, ma la saggezza dei vecchi contadini. Bisogna saper aspettare che i semi crescano e il raccolto maturi. Poi si vedrà. Le cose prima o poi cambiano, e allora sarà il momento, per noi, di riscuotere. Per adesso teniamoci le stanze dell'Ulisse, il suo prato e la stalla, e aspettiamo quando arriverà il tempo di raccogliere nocciole» concluse con un sorrisetto malizioso.

«Ricordati» fu l'ultima cosa che disse all'Ettorre, «le cose cambiano.»

Le cose, in effetti, in quei difficili mesi che seguirono alla guerra e all'epidemia, cambiarono velocemente. La morte, la fame, le difficoltà economiche continuarono a colpire soprattutto quei miserabili che di sofferenze, di inedia, di povertà ne avevano sempre avute a sufficienza. I venti della rivoluzione che arrivavano da est cominciarono a soffiare forti sulla brace della speranza di chi aveva solo la speranza, alimentando tra quei disperati l'idea che fosse possibile trovare l'unità e la forza per migliorare una vita che, fino ad allora, era stata solo miseria e durezza.

Anche al Colle un refolo di ribellione arrivò, producendo alla fornace del Baldini e all'officina dell'Ettorre i primi scioperi da parte degli operai che cominciarono a parlare di otto ore di lavoro e di una paga da esseri umani. Per diversi mesi parve allora che una nuova epidemia avesse attraversato la Piana, lambito il Padule fino a intrufolarsi nelle vecchie case del borgo. Un morbo che colpiva solamente i più sciagurati e infondeva in loro una sorta di ottimismo, una nuova aspettativa, quasi fornendo un'andatura più sciolta a contadini che da centinaia di anni avevano portato il giogo della servitù e della mezzadria, una baldanza prima sconosciuta a operai che, anche al Colle, ripresero con più fiducia a unirsi in lega per discutere e sognare. E quando persino i mansueti pescatori del Padule cominciarono a protestare di fronte al Comune per le troppe imposte che si mangiavano il loro lavoro, ogni abitante del borgo comprese che i tempi erano definitivamente cambiati e principiò a dimenticare molto di tutto quello che aveva costruito la tranquillità e la storia di quel luogo.

Così, proprio i nipoti di coloro che avevano accolto il Maestro e il suo amore per la vedova, l'esilio, il suo arresto e il suo ritorno senza far mai chiacchiere né domande ma adattando la realtà al loro gusto per il paradosso, per l'amore e per il raccontare, iniziarono a temere che la nuova epidemia potesse impadronirsi non dei loro corpi ma delle loro case, dei loro commerci, dei poderi e delle automobili che transitavano sempre più numerose dalle parti della Stazione. Dunque, molti di coloro che possedevano case, attività commerciali, officine, poderi e automobili, iniziarono a loro volta a organizzarsi per non permettere che il sacrosanto diritto di avere, investire e far fruttare un capitale, così come quello di possedere qualsiasi bene, potesse essere spazzato via da una rivoluzione che, stando a quello che si raccontava, non aveva rispetto né della proprietà privata né delle tradizioni, delle religioni, delle gerarchie e persino del Re.

Telemaco fu tra i primi, al Colle, a intuire la necessità di organizzarsi. Intanto perché cominciava ad averne

179

abbastanza di garzoni che si facevano sempre più irri-spettosi, poi di quella cappa pesante fatta di chiacchiere sulle fabbriche occupate del Nord, dei discorsi sempre più frequenti sulla terra data ai contadini, e infine del-l'Ettorre che non passava giorno, non un santo giorno che non l'assillasse con quella sua litania sul qualcosa da far con urgenza, perché il peggio doveva ancora arri-vare, e i cosacchi e gli anarchici sarebbero presto venuti a uccidere lui e il Conte, a prendersi l'officina e a mette-re nel Prataio quei cenciosi del Padule.

Ma la spinta definitiva per intervenire gli venne data una mattina quando, poco prima di partire per il Porta-le, l'Isolina entrò nella stanza che fungeva da ufficio per avvertirlo che un giovane, alla porta, chiedeva di lui.

Telemaco s'alzò e andò a vedere. Non amava far en-trare estranei in casa e dunque lo affrontò sulla soglia, con poca cortesia:

«Che vuoi?» fece squadrandolo dall'alto in basso.

«Vorrei parlarvi di una cosa che certo vi interessa.» quello disse.

«E chi sei tu perché a me interessi qualcosa da te?» ri-lanciò Telemaco per mettere ben in chiaro le gerarchie.

«Son l'Adelmo Bollani, il figlio del Bollani della Piana, operaio di vostro fratello» rispose allungando la mano.

Telemaco neppure fece il gesto di rispondere alla cor-tesia, anzi, alzò le mani e attaccò i pollici al bordo del panciotto, rimanendo in silenzio e fissando il giovane negli occhi.

Questi ritrasse il braccio con un certo imbarazzo, portò la mano alla tasca della sua giacchetta e tornò a tenderla verso Telemaco porgendogli un foglio che lui non degnò neppure di uno sguardo.

«Leggete» disse allora il ragazzo, «potrebbe esservi utile per sanare il conto in sospeso che avete con una persona.»

"Pezzente di uno" pensò Telemaco, "ecco lo spirito del tempo che permette al figlio di un operaio della Piana di pensare che può venir da me, a casa mia, a parlar dei miei conti." Era sul punto di chiudere quella faccenda con un ceffone, quando quell'altro disse una sola parola:

«Nocciolino.»

Telemaco rimase ancora qualche secondo immobile, poi, sempre con gli occhi fissi su quelli del ragazzo, prese dalla sua mano il foglio, e solo dopo un po' cominciò a leggere, e non seppe trattenere un sobbalzo di sorpresa.

«L'ho trovato nella giacca di mio fratello, che lavora in ferrovia con lui» disse il ragazzo anticipando ogni domanda.

«E perché sei venuto da me?» chiese Telemaco incuriosito.

«Perché proprio mio fratello m'ha raccontato del patto di vostra nipote con voi, che voi certo non avete ancora digerito.»

«E allora, che vuoi tu?»

«Voglio che facciate in modo che mio fratello ne resti fuori» fu la risposta, il dito puntato sul foglio.

«Uhm» grugnì Telemaco, e come a sancire un patto allungò la mano verso il giovane.

«Un'ultima cosa, padron Bertorelli» rilanciò questi.

«Mi piacerebbe lavorare per voi» sputò infine l'Adelmo dopo un lungo momento di silenzio.

Telemaco piegò in quattro il foglio, e mentre lo metteva in tasca disse:

«Va bene, mi sembri uno sveglio. Torna qui domani e cerca del Bazzini, gli parlo io stasera.»

Quindi, prima di avviarsi verso la stalla a controllare il carico per il Portale, andò alla porta dell'Ettore e bussò. Venne ad aprire l'Ida, una ragazza del Malgardo che la Rina chiamava con i familiari "la cameriera", altrimenti "la servitù".

«Il signore non c'è» biascicò quella.

Sicuramente, in un'altra circostanza quell'appellativo così servile e pomposo nei confronti dell'Ettorre l'avrebbe fatto andare su tutte le furie. Ma quel giorno no. Quasi per assicurarsene sfiorò la tasca della giacca con la mano: con quel foglio in tasca, no.

«Allora di' al signore una cosa da parte mia» fece, calcando la voce sul "signore".

L'Ida si sporse ancora in avanti, quasi a concentrarsi.

Telemaco allora disse:

«Avvertilo che è arrivato il momento di raccogliere le nocciole.»

Mentre il bastone di Pietrino Rosati ancora lo colpiva al capo e i calci del suo compare Adelmo Bollani gli sfondavano il torace, forse confuso dalla mano che il terzo farabutto in orbace gli stringeva per tenerlo fermo, Ideale ripensò a quando suo padre lo aveva portato a Lugano, a vedere gli anarchici. Ma forse non era Lugano, e nel ricordo si sbagliava, perso com'era ormai in una sensazione di caldo che aveva sostituito il dolore delle botte.

Nella nebbia degli attimi infiniti prima della morte, disteso sul pavimento guardò garrire sul soffitto della stanza le bandiere rosse e nere, e vide un lago illuminato dal sole, e sentì i canti e le parole del Maestro che s'era quasi inginocchiato davanti ai suoi occhi di bambino, indicandogli un uomo che dal suo punto di vista di piccino gli era sembrato un gigante, alto e barbuto, ritto in piedi tra la folla, mentre la voce di suo padre gli spiegava:

«Quello è Bakunin.»

Il viaggio strano, in treno prima, e poi in carrozza sulla strada interminabile, inerpicata tra i sassi e la neve di un monte alto alto che tutti chiamavano con rispetto San Gottardo. Poi la discesa, la pioggia, l'umido e il freddo, e il letto caldo di una casa della città dove s'erano fermati. Questo ricordava Ideale, e suo padre che l'accarezzava e baciava, rimboccava le coperte, e poi scivolava nella stanza accanto, dove gli uomini con la barba erano riuniti a parlare.

Anche il Maestro aveva la barba, e un vestito col panciotto nero dal quale penzolava la catena dell'orologio nascosto nel taschino. Un fiocco, nero anch'esso, pendeva sulla camicia. Non era mai passato un giorno, pensò Ideale, in cui lo vedesse senza quel fiocco. Gli parve di sentire il suo odore, un misto buono di tabacco e carta, lo stesso che aleggiava nella casa del Colle, e desiderò il suo sorriso, quella gentilezza cara, i gesti morbidi e mai scontrosi di quando il padre gli parlava ancora, prima di chiudersi nel suo sdegno, chiudere ogni porta, negare ogni parola, ogni possibilità di dialogo. Persino un saluto.

Sentì che la vita se ne stava andando, che tutto era ormai stato, e troppo in fretta. Riuscì ancora a udire le urla dei suoi assassini che scendevano per le scale bestemmiando.

«Merda di un prete anarchico. Prova ora a parlare, e scrivi adesso se ci riesci!»

Prete anarchico. Sorrise.

Il Maestro finalmente uscì dal soffitto, da dietro le bandiere. Scese vicino a lui e cominciò a raccogliere i libri che gli squadristi avevano sparso per terra, sui quali per spregio avevano orinato.

Ideale allungò una mano verso la figura del padre chinato sul pavimento. Il Maestro si girò, incrociò lo sguardo del figlio che moriva e lasciò perdere i libri in terra. Gli porse il braccio e dopo tanto tempo gli regalò un sorriso. Poi, col figlio accanto, mano nella mano, ritornò sul soffitto, a Lugano, vicino al lago e alle bandiere.

Telemaco e l'Ettorre si dettero presto da fare. Il giorno dopo la visita dell'Adelmo si recarono a parlare al Conte del Malgardo e questi convenne con la loro proposta di invitare almeno il Baldini della fornace, l'avvocato Magnoni, suo amministratore, il Capirossi, grosso commerciante di granaglie della Piana, un altro paio di proprietari terrieri del Pianoro e Terenzio Soldani di Sanse-polcro, un ex capitano di Fanteria che aveva lasciato un braccio sul Monte Grappa.

Il Conte accettò di buon grado di spostarsi al Prataio, per non dar troppo nell'occhio, e dunque la riunione si tenne nella vecchia stalla, trasformata in magazzino dall'Ettorre, proprio nell'unico spazio libero tra le casse di materiali meccanici, sotto la trave a cui l'Ulisse si era impiccato.

Come padrone di casa, parlò per primo Telemaco, con la sua solida rudezza e il suo spirito pratico tracciò in poche parole il quadro di una situazione che non esitò a definire preoccupante. Le notizie che arrivavano dal resto del Paese lasciavano intuire che, se non si fosse corsi ai ripari anche qui, l'orda sovversiva – proprio co-sì la chiamò Telemaco – non avrebbe tardato a spazzare via tutti loro.

Quindi chiese ancora un minuto d'attenzione e lesse ai convenuti il foglio che gli aveva dato l'Adelmo. Subi-to gli animi si scaldarono, il Baldini su tutti urlò che lì si palesava un tradimento alla Patria mentre il Capirossi gridò all'infamia. Telemaco lasciò che l'indignazione si placasse, poi, appena tornata la calma, disse:

«Dunque, signori, credo sia tempo di cominciare il gioco», e dopo un attimo, sventolando il foglio, concluse:

«E la palla in mano, ora, l'abbiamo noi.»

La discussione non fu lunga. Il Conte si offrì di parla-re al Prefetto del contenuto della lettera, saggiando la possibilità di tener fuori da quella storia il fratello del-l'Adelmo. Ma a determinare una svolta nella serata e nella storia prossima del Colle fu il capitano Soldani, che fino ad allora s'era defilato dalla discussione e, se-duto su una cassa di legno, s'era limitato ad ascoltare.

Questi disse che anche dalle sue parti, come del resto in tutto il Paese, la marea montava e la situazione non era troppo differente. Cospiratori, vermi disposti a sfa-sciare l'Italia per una falsa idea di progresso, traditori, socialisti e bolscevichi: essi erano infidi e forti più di quanto si pensasse, e quella lettera lo dimostrava, persino le Regie Ferrovie...

Dunque – disse – la Prefettura, certo sarebbe stato utile..., l'appello alle istituzioni, il ricorso alla polizia e quant'altro avrebbe potuto arrestare quella vergogna, ma con un'avvertenza, con la consapevolezza che le istituzioni non stavano dando dimostrazione di quella fermezza e di quell'eroismo che erano stati la base della vittoria contro l'invasore austro-ungarico.

Quello serviva. A costo della propria vita bisognava fare una barriera come sul Piave, e poi contrattaccare, colpo su colpo, senza timore. A Milano, guidati da Filippo Tommaso Marinetti centinaia di prodi avevano assaltato gli anarchici che dimostravano in corteo, e li avevano dispersi come i nemici austriaci a Vittorio Veneto.

«Un colpo di pistola, e poi due, tre, venti, trenta. Sassi, randelli volanti e randellate precise» sentenziò.

E poi, vedendo alcune facce perplesse attorno a lui, spiegò.

«Esistono per buona sorte molti giovani arditi che sapranno raccogliere il grido che oggi sale anche dal Colle Alto e dare appoggio al lavoro politico che proprio dalla mia città si sta spandendo, come una benefica ala, in tutto il Paese. I giusti si stanno riunendo in fasci di combattimento e dunque la vostra unione sarà la stretta che aiuterà questo borgo, il Padule e la Piana a conoscere la vera giustizia.»

Furono date assicurazioni, presi accordi, e Soldani raccolse pure le offerte che qualcuno dei presenti volle dare per la battaglia che si andava ad affrontare. Quando già, per ultima, l'auto del Conte si avviava verso il cancello del Prataio, Telemaco si avvicinò al capitano e gli disse:

«A proposito di arditi, ho un giovane che lavora per me, tale Adelmo Bollani, tipo svelto. Credo che possa farvi comodo. Lo manderò da voi domani, sul mezzogiorno.»

Il Soldani fece un cenno con la testa e infine si avviò anche lui verso il paese.

Quando Telemaco rientrò in casa l'Isolina stava chinata sui ferri dai quali spuntava il lavoro a maglia, forse un vestitino per il piccolo Enea.

«Dov'è?» le chiese.

«Di sopra, appena dorme. La balia s'è giusto allontanata.»

Telemaco salì le scale lentamente, cercando di non far rumore. Nella piccola culla, accanto al letto, l'Enea dormiva supino, le braccia dietro la testa; sorrise: in quella buffa posizione sembrava si stesse arrendendo a lui che arrivava. Sbirciò alla luce della candela il volto del nipote, ormai suo figlio.

"Tu arrenditi pure" pensò, "che a combattere basto e avanzo io. Per te, per l'Isolina, per la Rina, per quel coglione dell'Ettorre e per tutti i suoi ragazzi."

Guardò ancora l'Enea e rimase sorpreso da quanto gli assomigliasse. Del resto era figlio di suo fratello. Ma, si disse subito, l'Ulisse se n'era andato, e la Mena neanche si sapeva dove fosse finita. Un mucchio di vestiti vecchi e un paio di ciabatte, quello era rimasto di lei. E anche l'Annina avrebbe dormito ancora per poco sul suo nocciòlo. Poi nessun altro, niente più l'avrebbe tormentato.

"Sì" pensò con gli occhi fissi sul bambino, "questo ragazzo somiglia proprio a me, sputato."

Dal giorno in cui aveva stretto la mano a Telemaco comprandosi la tranquillità e il matrimonio, l'Annina non aveva più messo piede al Prataio. Quegli ultimi mesi erano volati in un baleno, settimane che sembravano istanti, talmente piene di vita nuova che, quando una mattina s'affacciò alla finestra della camera ch'era stata del Maestro, vedendo in fondo alla pianura il puntino rosso prima della collina sentì una fitta al cuore, perché si rese improvvisamente conto del lungo tempo in cui s'era voluta dimenticare della casa dell'Ulisse e dei suoi parenti.

Contò nella mente e arrivò fino a sei mesi, poi si fermò quasi per vergogna. Un briciolo di nostalgia cominciò a grattare. Gli odori delle stanze, i suoi paesaggi di bambina, la camera di Sole, la tomba della Mena, la caldaia e la stalla. Tutto era ancora là, dentro quel puntino rosso, davanti all'orizzonte. Aveva impressi nella mente i volti degli zii, ma quelli dei ragazzi no. Della Penelope ricordava solo i capelli biondi, e ai tratti dell'Oreste si sovrapponevano quelli dei suoi fratelli morti, e poi dei figli dei pescatori giù, alla scuola popolare del Padule.

Si sentì confusa. Aveva riempito quei mesi con l'entusiasmo di un amore nuovo, profondo, allargato da carezze, da baci, ma anche da serate passate insieme a Ideale, al Pianoro, e poi alla scuola a dare una mano per il tanto lavoro che la miseria e l'ignoranza portavano sempre con sé.

Cafiero, dopo il suo turno alla ferrovia, spesso si trovava coi colleghi e altri amici della Piana a discutere di politica, ma anche a darsi da fare così come molti altri anarchici e socialisti nel resto del Paese.

Presa in questa attività l'Annina dunque s'era quasi scordata del Prataio e solo quella mattina, guardando casualmente verso il piano, si fermò a considerare quanto ancora fosse legata a quel luogo. Rimase a fissare per un altro momento quel puntino, finché le venne in mente che in fondo aveva ancora delle proprietà, laggiù, e allora decise di affrontare di petto quella nostalgia, si tolse lo zinale e uscì a prendere il cavallo.

Prima di andare, si fermò dal Codacci, il ciabattino, e per la Mena comprò delle pantofole nuove, rivestite di morbido panno, "Ché almeno da morta" pensò, "ne abbia un paio come si deve". Così, appena fu al Prataio, si fermò davanti alla tomba, rimise a posto il ghiaino affinché la scritta che aveva tracciato fosse leggibile, ben chiara, e infine posò il suo regalo proprio sotto la croce, dove in genere si lasciano fiori.

Si sedette vicino alla tomba, l'Annina, e raccontò alla Mena di Cafiero, del suo bel volto, uguale, le disse, a quello di quel Maestro che lei le descriveva nelle storie dell'infanzia. «Ricordi, Mena» le sussurrò, «com'ero triste quando mi parlavi dell'esilio e delle passeggiate della vedova lungo la ferrovia, dopo la morte a Milano?»

Passarono le ore, e l'Annina seguitò a raccontarle la sua vita, le parlò della scuola del Padule, dei pescatori, e dei colleghi ferrovieri di Cafiero che le ricordavano i pensionanti della vedova Bartoli, nella casa vicino alle mura dove adesso lei viveva. E infine le parlò dell'amore. Le spiegò di come la Rosa si sbagliasse nel pensarlo una cosa da cani, e pure l'Ulisse, con quelle sue storie sul sangue e la passione animale. Le disse quanto le dispiaceva che lei l'avesse conosciuto solo come un errore, un orrore, ché invece era un viaggio bellissimo attorno ai continenti, un prendere e un dare, un gioco a nascondino.

Quando si alzò dalla tomba era già pomeriggio inoltrato. Dalla casa, più volte, qualcuno aveva scostato le tende sbirciando verso di lei, e in un paio di occasioni aveva visto in lontananza Telemaco arrivare e ripartire sopra un'automobile nuova fiammante. Lei non si curò di nessuno e invece salì sulla collina dove un tempo erano i cipressi, e lassù si sedette a guardare verso il basso. Così si accorse come in quei mesi il Prataio avesse cambiato fisionomia. Non tanto la grande casa, che era ancora la stessa, con la ferita del balcone abbattuto sotto la finestra della camera della Rosa. Era tutto l'insieme che pareva diverso: intanto erano state aggiunte almeno un altro paio di stalle e un piccolo capannone. Sul cortiletto di fronte a questo erano parcheggiati tre autocarri e soprattutto, là dove un tempo s'aggirava soltanto il povero Mero, ora almeno una mezza dozzina di uomini andava e veniva dagli edifici.

E poi, guardando così dall'alto, si poteva chiaramente vedere quale sarebbe stato il risultato del lavoro delle persone che stavano trafficando nel grande cortile. A iniziare dalla parte dell'Ettorre, infatti, la terra era già stata smossa e il vecchio cortile, costruito dall'Ulisse a mo' delle antiche aie, stava diventando un giardino.

Si vedevano chiaramente i segni delle aiuole e, accanto a una decina di grossi vasi di fiori, si potevano scorgere altrettanti alberelli che avrebbero senz'altro reso più elegante quello spazio. L'Annina chiuse gli occhi e provò a immaginare come sarebbe stato il Prataio quando quel giardino, di lì a qualche anno, sarebbe stato colorato e rigoglioso, ma per quanto lo pensasse raffinato e signorile lei continuava a preferirlo così come l'aveva conosciuto: semplice, pratico, un po' contadino.

E mentre ancora se ne stava con gli occhi chiusi, sospesa tra un Prataio che non c'era più e un altro che ancora doveva arrivare, una voce alle sue spalle la chiamò:

«Annina, che fai qui?»

Il Prataio si frantumò all'istante, e di fronte a sé vide il volto sorridente dell'Oreste, e subito sentì il suo abbraccio pieno di gioia. Lui la strinse così forte da farle quasi male, ma lei lo lasciò fare, felice di sentire, in quella forza, la sicurezza di una salute riconquistata, poiché l'ultima immagine che aveva del cugino era quella di un ragazzetto smagrito, spaventato e pallido, seduto su una poltrona con una coperta sulle ginocchia, come un vecchio moribondo.

«Sono venuta a controllare le mie proprietà» rispose l'Annina non appena la morsa si sciolse, e subito notò l'espressione di delusione sul volto dell'Oreste.

«Via, sciocco. Son venuta per la nostalgia, che dal Colle vedo il Prataio come un puntino e voi cugini, vi penso tutti come fiori...» disse allora per consolarlo.

«E lo zio Telemaco, come lo vedi da lassù, come un carciofo pieno di spine?»

Risero di gusto tutti e due, si abbracciarono di nuovo come per assicurarsi ancora che il tempo trascorso non avesse crepato l'affetto. Poi, avidi di notizie, iniziarono a raccontarsi delle loro vite. L'Annina parlò di Cafiero, della casa vicino alle mura e della scuola del Padule, ma evitò di entrare in particolari, pensando che all'Oreste, quelle storie di disgraziati non interessassero più di tanto.

Lui ascoltò tutto con attenzione, fece domande, le chiese soprattutto di Cafiero, di come fosse la vita con il leggendario Nocciolino la cui storia aveva fatto in tempo a sentire narrare anche lui dalla Mena. E quando l'Annina ebbe finito di raccontare, fu il suo turno di ragguagliarla su quanto era successo dopo la sua partenza, sulla proibizione assoluta che lui e le sue sorelle avevano di frequentarla, parlarle o anche solo salutarla nel caso l'avessero incrociata. Le disse di come l'Ettorre li aveva riuniti tutti insieme nel salone nuovo – sì, le spiegò, la Rina aveva voluto un grande soggiorno con divani e un lungo tavolo dorato e le sedie dallo schienale più alto della testa –, riuniti tutti, persino la Didone ch'era bimbetta, e con l'aria molto preoccupata li aveva avvisati che lei aveva buttato nel letamaio dietro casa – «proprio "in mezzo alla merda" ci disse» – l'onore della famiglia Bertorelli concedendosi a quella specie di buffone da strapazzo – "buffone" aveva detto di Nocciolino –, acrobata da piroette, sovversivo figlio di un sovversivo famoso assassino ucciso dal Regio Esercito – e "una giustizia c'è, per Dio" aveva sottolineato praticamente urlando –, fratello a un disgraziato attentatore sanguinario anche lui passato per le armi e ancora fratello a un rinnegato con la tonaca, che sobillava la gente alla Piana e faceva scuola di rivoluzione bolscevica ai pescatori del Padule – «disse bolscevica ma non so cosa vuol dire, Annina».

«Dunque tu, da quel momento in poi, saresti stata terra bruciata, nero della notte, fumo disperso nell'aria, e a chiunque avesse fatto domande su di te, amici, compagni di scuola, clienti, parenti e passanti, si doveva rispondere con un rispettoso "non so, non la ricordo, mi scusi per grazia". Cancellare. Dimenticare. Quelli erano ordini, non consigli, e guai – ripeto guai – a chi avesse

191

sgarrato, compreso avvicinarsi alla tomba della Mena e salire sulla collina.»

L'Annina rise di gusto:

«Vedo che tu hai ubbidito subito.»

Oreste l'abbracciò nuovamente.

«Come potrei ubbidire, Annina mia? A volte vengo qui sopra, mi stendo sull'erba, ché nessuno da sotto mi possa vedere, e guardo il Prataio come era quando era bello.»

L'Annina rimase in silenzio, passò solo un braccio attorno alle spalle del cugino e lo spinse verso terra.

«Allora sta' giù, non rischiare punizioni per colpa mia.»

L'Oreste si stese, lei accanto, e continuò:

«Io voglio bene al babbo, credimi, lo rispetto e gli voglio molto bene. L'ho visto piangere e maledire Iddio quando la febbre si portò via Paride, Ganimede e tutti gli altri. A volte penso che sia stata la morte a cambiarlo, ma forse ero solo io che ero un bambino e adesso son più grande e le cose di prima non mi piacciono più» e, voltandosi verso l'Annina «o non ci sono più. Come te, come Sole, come la Mena.»

«Ora» continuò «ha deciso che io devo andare giù all'officina e cominciare a comandare qualcosa, ché nella vita, mi ha detto, o si comanda o si sta sotto. E poi mia madre, vedessi, s'è messa in testa che vuole fare la signora, e compra e cambia mobili quasi tutti i mesi.»

La voce dell'Oreste era ormai quasi un sussurro.

«Nelle stanze vostre ci hanno messo a dormire la Ida, una poveretta del Malgardo presa a servizio che mamma chiama "la servitù", e nella tua tiene bauli e cose vecchie che ancora non vuol buttare.»

L'Annina provò a immaginarsi quella stanza ingombra di roba come un magazzino, e una fitta le serrò lo stomaco, allora allungò la mano e strinse con forza quella del cugino.

«A volte penso che avrei fatto meglio a morire come i miei fratelli» disse l'Oreste, e lei ebbe uno scatto d'ira, e quasi urlò:

«Non dire bestemmie, stupido di uno, sapessi quanto ho pianto gli occhi di Anchise. Tu hai una vita giovane, e tutto ancora può cambiare, tutto è diverso appena attraversi il cancello del Prataio.»

«Forse hai ragione» disse lui con un velo di tristezza, «ma io non ne ho la forza.»

«La forza si trova, prima o poi si trova, dammi retta.»

L'aria era immobile, e il silenzio all'improvviso si fece pesante tra loro. Così l'Annina per spezzare quell'imbarazzo disse:

«E poi hai da pensare anche alle tue sorelle…»

L'Oreste fece un sorriso tirato.

«Sei stata lontana troppo a lungo, cuginetta mia. Qui è rimasta solo la piccola Didone, appena nata: l'Ecuba e la Penelope, povere bimbe, le hanno mandate in città al collegio delle Orsoline con le figlie del Malgardo, ché dovranno essere due giovanette istruite e a modo, buone per il bel mondo, mica come te che ancora cavalchi a pelo e monti sui nocciòli.»

A queste parole i cugini risero di gusto, e il buonumore tornò subito tra loro, cosicché poterono rimanere ancora a lungo a discorrere del passato e di un futuro che entrambi facevano fatica a immaginare. Prima di andarsene, e permettere all'Oreste di ridiscendere al Prataio senza pericolo, l'Annina lo abbracciò per l'ultima volta:

«Oreste caro, non sai che piacere è stato questo incontro. Sentivo di dover venire e non avevo torto. Dunque ti prometto che ritornerò, e insieme troveremo il modo per tenerci in contatto e non perdere l'affetto che ci unisce come fratelli.»

Sdraiati sull'erba, alleggeriti da quella promessa nessuno dei due immaginava quanto breve sarebbe stata l'attesa che l'Annina assolvesse all'impegno, e nel modo peggiore che si potesse immaginare.

Le cose cambiano, avrebbe detto Telemaco, cambiano le stagioni e tutto torna, e forse pensare di sfuggire a questo rotolare è cosa ingenua, debole luce che contro il tempo non vale.

Spronando il cavallo verso il Colle, ancora piena della felicità di quella promessa l'Annina certo non immaginava che il prossimo ritorno sarebbe stato amaro come il sale.

La felicità durò ancora poche settimane, durante le quali la sua vita continuò a scorrere tra il vecchio borgo, la Pieve del Pianoro e la scuola del Padule. Ogni mattina guardava Cafiero scendere con la sua bicicletta verso la Piana e con lo sguardo lo seguiva fin quando, dopo la svolta verso la stazione, la strada fa un ultimo ricciolo prima della ferrovia per poi scomparire del tutto dietro il lungo muro della fornace. Col pensiero, invece, lo seguiva ben oltre quel muro, lungo la campagna, giù fino allo scalo merci dove lo immaginava smontare, appoggiare la bicicletta ed entrare nel casotto dei manovratori per iniziare il suo turno.

E poi quando, terminato di riordinare la casa, steso il bucato o concluse le altre incombenze domestiche, l'Annina si preparava a scendere al Pianoro o al Padule, mentre montava a cavallo ancora pensava a lui, e spesso si divertiva a immaginare il momento in cui avrebbe terminato il turno e avrebbe compiuto a ritroso i gesti fatti all'arrivo, avrebbe aperto dalla parte inversa la porta del casotto, staccato la bicicletta dal muro e ripercorso in direzione opposta la strada del mattino fino a raggiungerla a casa, alla Pieve o alla scuola.

E ancora si sorprendeva dell'emozione per l'attesa del suo arrivo, di quel distrarsi per brevi momenti dai lavori con le donne del Padule, dai discorsi di Ideale, dal cucinare il pranzo alla Cooperativa, per sbirciare la porta e sperare di vederlo accanto allo stipite, così come l'aveva visto appoggiato al cancello del Prataio la notte del loro primo abbraccio. E dopo ormai quasi due anni, ancora le piaceva sentire il cuore sobbalzare nel riconoscere il suo passo lento, o udire la sua voce lanciarle un saluto, e poi il suo braccio attorno alla vita, e quella breve stretta, complice e rassicurante, di una mano grande tanto da contenere da sola le sue.

Abbracciata a questa felicità, l'Annina pensò non potesse esistere nulla di più forte di quello che stava provando, ché solo vedere qualcosa che appartenesse a Cafiero la metteva di buonumore: il toscano sul tavolo, la bicicletta, il cappello appeso a un gancio.

Si dovette ricredere la mattina in cui capì che il loro amore avrebbe generato presto un figlio, perché questo s'era già sistemato dentro di lei come un cuore dentro a un cuore. Quasi pianse quando lo capì, neanche avesse ricevuto una sberla a mano aperta, in piena faccia, e poi pensò che fosse come un oggetto di Cafiero affidato a lei, che ora lei avrebbe custodito, e così rise felice. Un libro, il panciotto: macché. Un figlio. Il suo amore aveva lasciato un figlio, dentro di lei.

L'effetto violento della sberla si sciolse con quel riso, dunque, e l'Annina sentì che doveva riportare a Cafiero quell'oggetto, o almeno avvertirlo che lei lo stava attendendo. Doveva subito avvisarlo, si disse, e saltò a cavallo, e corse verso la Piana per fargli sapere che il loro amore, la felicità, ce l'aveva lei dentro di sé, e non si preoccupasse.

Intanto, al casotto dei manovratori la polizia era arrivata da poco. Le quattro persone della squadra erano tutte là, pronte a montare in servizio lungo la ferrovia. Cafiero aveva appena posato la sua borsa e stava discorrendo con Libero Bassani, mentre questo si allacciava le scarpe. L'ufficiale entrò e disse che non facessero mattane. Erano circondati come neanche a Caporetto. Poi trasse dalla tasca un foglio e lesse un ordine d'arresto per i signori sottoelencati, come da disposizione. Cognome, nome, paternità e maternità, nascita e luogo di residenza. Sapevano tutto fino alle virgole.

Erano tre nomi. Quello di Cafiero era il primo, e per la precisione dopo il cognome e il nome l'ufficiale lesse e sottolineò, "detto Nocciolino". Per secondo chiamò Comunardo Benzi, e poi Libero Bassani.

195

I tre nominati guardarono istintivamente verso l'ultimo rimasto. Lorenzo Bollani quasi gettò un urlo strozzato.

«Non ti crucciar, Lorenzo» disse il Bassani mentre lo portavano via, «vorrà dire che avrai avuto i tuoi motivi.»

Bollani era terreo, sembrava non respirasse, tra sé farfugliava qualcosa, forse una giustificazione, forse un nome. Ancora mentre li caricavano sul carro per tradurre i suoi compagni in carcere cercò di articolare una parola, e soltanto quando l'automezzo era ormai una nuvola di polvere lontana lanciò un urlo disperato nello spazio deserto dello scalo merci.

L'Annina arrivò col suo carico di felicità, ma nel casotto e lì attorno non trovò nessuno. Pensò si fossero già incamminati verso il primo scambio, di sotto alla roggia grande, in tempo per il diretto della mattina. Così si avviò, e proprio dietro la torretta dell'acqua, appeso con la catena del traino, si trovò di fronte il corpo di Lorenzo Bollani che pendeva senza vita.

Di colpo le parve che il tempo fosse tornato indietro, rivide l'Ulisse dondolare dalla trave del porcile, e temette che ancora tutto il dolore provato dovesse piombarle addosso, uguale e perfetto. Così si mise a correre, fino alla bicicletta di Cafiero. Vi saltò sopra con la speranza che almeno quella potesse trasmetterle nuovamente un po' della tranquillità che sentiva sgretolarsi come fosse costruita con la sabbia, spinse con forza sui pedali, cercò di essere luce, vento, di correre via, scappare dalla sua stessa vita che la stava inseguendo, e correndo dentro un sogno all'incontrario si precipitò da Ideale, a chiedere aiuto.

Dunque spettò a Ideale informarla dell'arresto, e tentare di portare alla ragione qualcosa che ragionevole non era. La prima notte volle che l'Annina restasse alla Pieve, e l'affidò alla Bruna, la perpetua, che le facesse compagnia e lenisse con la pazienza della vecchiaia la sua ansia disperata. Intanto si dette da fare, cercò rinforzi alla Cooperativa, e nei giorni seguenti andò fino in città, alla Lega, a cercare un buon avvocato che desse una mano contro le accuse infamanti della polizia. Mobilitò persone, scrisse appelli e organizzò gli aiuti per i familiari degli arrestati.

Com'era già stato ai tempi dell'arresto di suo padre e in seguito del collegio, della ribellione e della morte di Mikhail, Ideale si trovò ad ascoltare reprimende, a tentare mediazioni, a sperare in qualcosa che non arrivò mai, e che alla fine si tradusse in una condanna, per tutti gli arrestati, a due anni di penitenziario duro.

In quei mesi tremendi l'Annina conobbe, grazie a Ideale e ai compagni di Cafiero, una parte di quella solidarietà che un tempo era stata nell'anima di tutto il Colle, e grazie a essa sollevò appena un lembo della pesante coltre di buio che l'aveva avvolta dal momento in cui i suoi occhi s'erano posati sul collo impiccato di Lorenzo Bollani.

Perché davvero il buio sembrava spandersi dai canali del Padule fino al vecchio borgo e alla Piana, si cominciarono a vedere sempre più spesso bande di giovanotti armati di spranghe, pistole, manganelli e quant'altro fosse utile ad assalire chiunque si opponesse all'ordine di cui essi si ergevano a difensori.

Due volte furono lanciati sassi e sterco contro la scuola popolare del Padule, mentre quattro operai della fornace, tra i più attivi nelle rivendicazioni salariali, vennero bastonati e lasciati morenti di fronte alla porta della Cooperativa, con un cartello che recitava "Traditori!".

Il sindaco, l'avvocato Milani, tentò senza successo di mediare, chiese più fermezza al Prefetto, fece chiamare il comandante dei Carabinieri, ma poco poté contro una marea che montava da lontano, e trascinava alla deriva, fino al Colle, i marosi di un'ondata nera di morte.

Nella casa vicino alle mura l'Annina continuò a conservare l'amore di Cafiero dentro di sé, sentendolo crescere a ogni istante, cullandolo con i racconti attraverso cui aveva consolato la sua infanzia complicata dalla follia del padre e da una madre soave che s'era dispersa come una nuvola. Cullò se stessa, e il suo futuro, attraverso le storie di cos'era stato, nel bene e nel male, lo spirito del Colle, da quando il Maestro era sceso dalla ferrovia a quando il suo ultimo figlio aveva toccato con mano la galera e il tradimento.

"Se tutto rischia di morire, che almeno il filo della vita di questo luogo possa arrotolarsi e srotolarsi attraverso le sue parole" pensò l'Annina in quelle giornate di nuova solitudine – e se proprio un filo c'era, nelle sue storie, allora le sembrò che narrarlo fosse il solo scopo di tanta vita.

L'automobile si fermò di fronte alla canonica facendo crocchiare il ghiaino. Ideale alzò gli occhi dal quaderno, sentì le voci concitate e capì.

«Va' via» disse alla Bruna.

La vecchia perpetua lo guardò stupita, e forse pensò di ribattere, ma lui la precedette con un tono di voce ch'era di ordine, non di desiderio.

«Va' via di qui, in fretta!»

Sicché quando l'uscio si aprì i tre giovinotti in camicia nera lo trovarono solo, in piedi e con il quaderno ancora in mano, quasi li stesse aspettando. Il quarto non entrò, rimase sulle scale, a far la guardia per quella bravata.

«Te non ti conosco» fece Ideale rivolto al più alto, «ma tu sei Pietrino Rosati della Stazione e tu Adelmo Bollani della Piana.»

«Meglio così, prete, almeno non s'han da fare le presentazioni» disse l'Adelmo con un sorriso gradasso.

«Proprio te, Bollani. Non avevi animo per venire a bastonarmi da solo, che ti sei portato la quadriglia?» continuò Ideale.

«Noi codeste cose si fanno insieme, così non ci si ruba il piacere l'un con l'altro. Per carità cristiana...» lo schernì l'Adelmo.

Ideale si irrigidì.

«Ma per far arrestare Nocciolino e gli altri e far passare per traditore il tuo fratello t'è bastato il tuo, di coraggio» gli buttò addosso tutto d'un fiato.

Un ceffone lo colse in pieno viso.

«Come osi parlar di tradimenti, tu che hai venduto la tua fede ai sovversivi?» strillò allora il fascista, mentre, neanche fosse un segnale prestabilito, i suoi due compari si avvicinavano alla libreria.

Ideale si fece il segno della croce, poi si passò la mano sulla guancia colpita.

«Meglio così. Mi chiedevo come si fa in questi casi. A chi spetta dare il primo colpo, se c'è, come dire, un cerimoniale. Invece vedo che non è niente di nuovo. Soltanto la vecchia, antica rabbia. Comunque, intanto abbiamo rotto il ghiaccio. Forza dunque.»

Nel frattempo Pietrino Rosati estraeva i libri dagli scaffali e li passava con fare plateale al suo compare che con molta lentezza, sadicamente, staccava una copertina, stracciava un fastello di pagine e le buttava per terra.

Per un lungo attimo l'Adelmo e Ideale si guardarono negli occhi.

«Anche se ti condanno, io ti perdono, Adelmo Bollani» disse poi il figlio del Maestro.

La bastonata lo colpì sul collo, e per un attimo credette di svenire. Poi un calcio al ventre, poi altri ceffoni, cazzotti, chissà cos'altro. Ideale non reagì, piegò soltanto le gambe e cadde in ginocchio, come se pregasse. Vide di fronte a sé il fascista più alto orinare sui fogli che aveva ammonticchiato ai suoi piedi, e dal mucchio notò che sbucava un volume ancora quasi integro, foderato da una carta di giornale ingiallita.

Quella vista lo ferì più delle percosse che ormai si stavano perdendo in un caldo avvolgente. Vide là dentro la sua infanzia, suo padre, il sogno che non s'era mai realizzato tramutato ora in un dolore perfetto, accecante. Allungò il braccio, Ideale, per aggrapparsi a quell'ultima luce, e invece trovò la mano del Rosati ch'era venuto a dare aiuto al compare nel tener fermo un uomo per poterlo meglio bastonare.

Un colpo alla schiena lo fece sdraiare, perso ormai sul pavimento fattosi d'acqua. Supino com'era, sul soffitto vide Lugano e le bandiere, e poi il Maestro da dietro le bandiere scese vicino a lui per offrirgli un sorriso dopo tanto silenzio.

Ideale avrebbe voluto abbracciarlo, ringraziarlo per ogni parola, per tutto ciò che gli aveva insegnato, per tutta quella vita, ma aveva in gola un cuore di sangue, e gli occhi appannati come da un velo. Allora rinunciò alle parole, si lasciò prendere per la mano da suo padre e finalmente si fece portare tra le nuvole bianche della Svizzera, dentro il suo cielo.

Non passò molto tempo dalla morte di Ideale che Telemaco riuscì finalmente a coronare il sogno di diventare sindaco del Colle. Grazie alla regìa del capitano Soldani, le bande di camicie nere costrinsero al silenzio gli ultimi oppositori con gli argomenti del bastone, delle minacce e delle purghe. E poiché il sindaco, l'avvocato Milani, continuava a sollecitare l'intervento del Prefetto, Soldani stesso non esitò a recapitargli una sorta di ultimatum.

Arrivò infatti a tutta velocità davanti al portone del legale facendo fischiare le gomme della sua automobile e rimbombare l'androne dell'antico palazzo con un rumore di passi battuti sul pavimento che il povero avvocato non riuscì mai a dimenticare.

Scortato da due scherani come fosse un generale, l'ex combattente del Monte Grappa piombò nel suo studio senza neanche farsi annunciare, facendo anzi spalancare la porta dai suoi compari e mettendo a tacere le sacrosante rimostranze del sindaco con un colpo di frustino sulla scrivania che indicava senza ombra di dubbio quale piega avrebbe preso l'incontro se egli non avesse cessato immediatamente le sue proteste.

«Non è certo questo il momento delle buone maniere» disse senza mezzi termini, «la salute della patria ha ben altre esigenze dei salamelecchi che voi pretendete. L'ora delle decisioni è giunta anche per il Colle: ho qui per voi un messaggio del camerata Compagni, segretario del Fascio», e così dicendo allungò verso il sindaco una busta con lo stemma del partito.

Milani l'aprì con le mani tremanti più per l'indignazione che per la paura. Il messaggio diceva:

"Dato che l'Italia dev'essere degli Italiani e non può quindi essere amministrata da individui come voi, facendomi interprete dei vostri amministrati e dei cittadini di qua, vi consiglio di dare le dimissioni da sindaco entro domenica 17 aprile, assumendovi voi, in caso contrario, ogni responsabilità di cose e di persone. E se insisterete a ricorrere, come sembra vostro uso, per l'ennesima volta alle autorità a causa di questo mio pio, gentile e umano consiglio, il termine suddetto sarà ridotto a mercoledì 13, cifra che notoriamente porta fortuna. Con i più sinceri ossequi."

Milani rimase stupefatto, e trovò soltanto la forza per urlare qualcosa ai tre manigoldi che se ne stavano andando dopo averlo salutato con il braccio teso. Poi si riebbe e giurò a se stesso che non si sarebbe mosso di un centimetro dal palazzo che dominava il Colle Alto accanto alla Rocca.

Quello stesso pomeriggio il vecchio usciere del Comune quasi ci lasciò il cuore salendo a tre alla volta i gradini dello scalone per correre ad avvisarlo che la sua Fiat stava bruciando come una torcia in mezzo alla piazza. E alle sue ripetute proteste il Prefetto rispose che capiva perfettamente, non erano momenti facili per nessuno con certe teste calde in giro, però gli suggerì di considerare come in fondo quella moda di costruir vetture in così gran numero facesse diminuire il loro prezzo, buona cosa, ma perdiana!, i difetti poi erano mille. Molto meglio anche solo una di quelle belle auto che facevano all'officina del Bertorelli o, per dire, un'Isotta Fraschini se non, a poterselo permettere, una veloce Bugatti.

E infine, la sera di quella disgraziata giornata il figlio di Milani, l'Ubaldo, arrivò trafelato a casa raccontando come mentre camminava per strada era stato avvicinato da un paio di ceffi in camicia nera che, spintolo in un androne, l'avevano pregato, il pugnale a un centimetro dalla gola, di avvisare il signor sindaco suo padre che il termine pattuito s'era ridotto al 13 di aprile. Il vecchio avvocato capì, si afflosciò sulla poltrona e disse al figlio che non poteva mettere a repentaglio la vita sua, di sua sorella, di tutta la famiglia per resistere a quei manigoldi che ormai s'erano presi l'Italia e non avrebbero certo rinunciato al Colle e al Padule.

Telemaco ebbe dunque la strada spianata, grazie anche all'influenza del Conte del Malgardo sul Prefetto, e a quanto Soldani disse al Partito sul decisivo appoggio che gli aveva fatto avere nel momento del bisogno.

Dunque salì le scale dell'antico Palazzo Comunale col cuore in gola e un senso di urgenza che si stemperò soltanto quando fu seduto dietro la grossa scrivania e da lì, attraverso la vetrata, vide la piazza, le case di pietra e in fondo, a limitare il verde della campagna, il barluccicare del Padule Lungo.

Davanti a quel panorama, la soddisfazione infine lo pervase, scacciando l'ansia che l'aveva attanagliato, fortissima, nel salire gli ultimi gradini che lo separavano dal suo sogno. Appoggiò le mani sul bordo intagliato, quasi a volere tener ben fermo il suo traguardo. Ce l'aveva fatta, pensò, nonostante tutto e tutti. C'era riuscito nonostante il lavoro duro di commerciar maiali che per tanti anni aveva fatto, giorno dopo giorno, ora dopo ora. Nonostante l'Ulisse e la sua follia. Nonostante la fuga della Rosa, e nonostante quel coglione dell'Ettorre, la Rina e l'Isolina. Nonostante la guerra, e la spagnola, e l'Annina che era andata a imparentarsi con quei sovversivi. Era riuscito a passare indenne in mezzo a mille difficoltà, e finalmente avrebbe potuto preparare la strada per il futuro e per l'Enea, ora che la famiglia aveva una grande casa, agiatezza, rispetto, e anche il potere.

Tutto stava andando per il meglio e lui, pensò, sarebbe stato un sindaco giusto, autorevole, senza uguali.

Poi gli venne in mente che sarebbe stato bello avere uno stemma, un simbolo per rappresentare i Bertorelli, come le famiglie nobili. Guardò verso la pianura dov'era il Prataio, provò a immaginare. Subito dopo scoppiò a ridere, sonoramente, fino quasi a sentirsi male.

L'unica immagine che gli veniva in mente spiccava rosa in campo nero: era un suino rampante, con un manganello tenuto ben stretto nella sua zampa di maiale.

L'Annina portò avanti la gravidanza divisa tra il lavoro e il peso della carcerazione di Cafiero. Trascorreva quasi tutte le giornate con la gente del Padule, occupandosi dei bambini, delle case, delle barche e di quel poco della scuola popolare che era sopravvissuto alla morte di Ideale. Spesso ascoltava le donne che, in circolo, ripulendo assieme a lei le lenze o i cordami raccontavano quanto si diceva stesse avvenendo in città e oltre, parlavano di persone che ormai avevano sostituito i vecchi personaggi della storia del Colle, la loro epica e la loro levità. E pur se a volte le più anziane di loro, la Renzia o l'Armida sopra tutte, tentavano di condire quei tristi resoconti di miserie con particolari piccanti e pettegolezzi da paese, l'Annina, sempre col sorriso sulle labbra, aveva un pensiero per la cella in cui immaginava costretto il suo uomo, e il buonumore si smorzava in un tremito o in uno sguardo perduto.

Dal Padule, la sera, tornava al Colle salendo la ripida strada con la bicicletta di Cafiero, con la quale aveva ormai sostituito il cavallo venduto al Portale per avere due bicci con cui apparecchiare cena. Saliva pedalando con rabbia, l'Annina, dondolandosi sui pedali troppo alti per lei, così che sembrava una specie di Ganna ubriaco impegnato sopra un passo alpino. E anche quando l'ingombro della gravidanza fu evidente, l'Annina continuò a scendere e a salire sopra quel coso nero troppo grande, incurante della preoccupazione delle donne per lo sforzo ripetuto o per l'accidente di una caduta.

La sera si coricava nella casa vicino alle mura senza

il conforto dell'abbraccio nel quale, in tempi che ora le sembravano lontanissimi, aveva trovato la tranquillità. Si alzava spesso nella notte, a guardare dalla finestra verso la pianura le scarse luci che la segnavano, e nell'oscurità giocava a indovinare il filo della ferrovia, a seguirla oltre il viadotto, fino oltre il limite del Padule, verso la città dove Cafiero era chiuso in una gabbia.

E anche se le donne la pregavano di rimanere a dormire assieme alla Renzia o alla vecchia Armida vedove e sole, l'Annina non sentiva ragioni e con qualsiasi tempo, in qualsiasi stagione, s'arrampicava sulla bicicletta nera per guadagnarsi con una dura salita l'intimità di quelle sue notti in cui voleva restare in solitudine, a immaginarsi Cafiero nel buio.

Solo l'Oreste, disubbidendo come sempre all'ordine di suo padre, ebbe il coraggio di interrompere l'isolamento di quelle notti, salendo dal Prataio come un ladro su per i sentieri che il Maestro aveva percorso durante le sue passeggiate. Arrivato sotto la casa vicino alle mura, tirava qualche sassolino sui vetri dietro ai quali vedeva l'Annina intenta a immaginare l'amore nel buio.

Allora lei finalmente sorrideva, e scendeva ad aprirgli la porta del giardinetto così che lui entrasse dal retro senza dar nell'occhio. E poi con emozione lo abbracciava e ascoltava le novità dell'officina, del Prataio e della Rina che ora non voleva più cucinare e aveva preteso dall'Ettorre una cuoca e uno chauffeur con cui andare in città almeno una volta alla settimana a trovar le figlie dalle Orsoline e, soprattutto, i sarti e i parrucchieri.

Erano momenti di felicità, brevi oasi in quei deserti che erano le notti dell'Annina e lei, mentre il cugino raccontava, centellinava le sue parole come un assetato avrebbe bevuto l'unico bicchiere d'acqua rimasto. Lo osservava parlare, sottolineare i racconti con le mani, con i sorrisi, con rabbia o foga, e spesso, quasi a sincerarsi della sua esistenza, allungava un braccio verso di lui e posava sulla sua guancia una carezza, talvolta a quietare una sua preoccupazione, altre a sottolineare un piacere, sempre per ringraziare dell'affetto che il cugino le portava durante quelle visite furtive.

E fu proprio questo affetto a condurre l'Oreste sotto la finestra della casa vicino alle mura la notte in cui l'Annina partorì. Quella sera lei era salita dal Padule a piedi, che dondolarsi sulla bicicletta di Cafiero con quel cocomero davanti le era ormai impossibile, arrivando al Colle sfinita, un dolore mortale in mezzo alla schiena. Il ventre le pulsava e il cuore lo sentiva in gola. Contò un'altra volta il tempo e si disse ch'era ancora troppo presto per il parto, mancava un mese abbondante, quasi due. Così, nonostante il dolore continuasse a picchiarle tra i fianchi, rimase un'ora almeno in piedi, affacciata verso la pianura a guardare la notte e a immaginarsi l'amore. E mentre seguiva per l'ennesima volta il filo della ferrovia perdersi dentro al nero, sentì le gambe bagnarsi e capì che il figlio di Cafiero aveva deciso di venire al mondo in quel momento, e sebbene fosse sola, nel buio, senza nessuno ad assisterla, si sentì felice perché pensò che da quel momento sola non sarebbe mai più stata.

Ma poi una coltellata nel ventre e un'altra sui fianchi la costrinsero a distendersi sul letto, e là cominciò a provar paura. Non per sé, ma per quella vita che sembrava volesse lacerarle le viscere per uscire, quasi cercando nei meandri del suo ventre una strada che non sapeva trovare. Spingeva, il suo figlio, fin quasi a strapparle la carne e il fiato, e poi sembrava ritrarsi, così che l'Annina riusciva, in quei momenti, a toccar la differenza tra l'inferno che brucia e il paradiso dove mancano le fiamme.

E lei, mentre tentava di non affogare in quel mare di fuoco, immaginava l'urgenza di questo suo povero figlio imprigionato anche lui come il padre, ma in una galera di carne, stretta, avvolta di sangue, pulsante. Lo vedeva dentro di sé, spingere, le labbra e gli occhi chiusi per lo sforzo, minuscolo minatore della sua pancia, cercare la vita a forza di pugni. E subito dopo lo immaginava stremato, immobile, riprendere fiato prima di ricominciare l'assalto verso la luce, e aveva paura che le sue mani ancora piccole si rompessero contro quelle pareti troppo strette, maledetta lei, incapace di essere nulla, di esplodere, di diventare aria, di aprirsi come fanno i fiori all'aria tiepida, alla luce, a un insetto.

Così cercava di assecondare lo sforzo e quando lui grattava lei si sforzava di allargarsi le viscere, le gambe divaricate, gli occhi serrati per non voler guardare in faccia un dolore così tremendo da farla urlare. Minuto dopo minuto, per oltre un'ora l'Annina scavò assieme al figlio la strada per farlo uscire nel mondo, finché questi, con un pianto dirotto, annunciò finalmente di aver terminato quella fatica e di essere pronto ad affrontarne un'altra, ancora sconosciuta.

Sfatta dalla stanchezza, lei si mise a sedere e lo prese per la prima volta tra le mani rimanendo sorpresa da come l'ossesso che le aveva straziato la pancia fosse un cosino minuscolo, fragile, tutto bagnato. Prima di tagliare il nastro di carne che ancora li univa, lo tenne un po' sul suo ventre e cercò di parlargli ma la voce, adesso, non le usciva. Si era congelata nella gola, ghiacciata dall'amore per quella vita che la legava per sempre a Cafiero.

L'urlo con cui ruppe quel gelo sorprese anche lei, perché già pensava di aver finito il calvario: invece ecco che si ripresentava, più forte di prima, qualcos'altro a spingere da dentro, a rodere, a scavare, e allora l'Annina sentì forte, sopra di sé, il peso da cui non si scappa, e le parole dell'Isolina ancora le risuonarono in mente, l'incapacità delle Baglini di portare a termine un parto come Cristo Signore comanda, le storie della Rosa sulla nascita avventurosa di Sole, poi la Mena quasi morta per partorire l'Enea, e adesso lei e quella maledizione nel ventre.

Urlò, l'Annina, disperata, con quel primo minuscolo figlio tra le braccia e un altro tra le gambe a grattare, a pigiare, a cercare di mantenersi la vita anche se messo di sbieco, schiacciato, mezzo strozzato.

L'Oreste arrivò sotto la casa vicino alle mura e per la prima volta non vide la cugina affacciata. Attese qualche minuto, poi com'era solito tirò qualche sassetto sui vetri per avvertirla della sua presenza. Una lieve preoccupazione cominciò a montare, ma subito dopo ricordò dell'ultima sua visita, quando lui stesso aveva insistito perché l'Annina cominciasse a rimanere al Padule, a dormire con l'Armida o la Renzia che avrebbero potuto darle una mano, ora che il suo ventre era un cocomero quasi maturo.

Così sorrise tra sé, e pensò che quella testona una volta tanto avesse seguito il suo consiglio, e nonostante di fronte a lui avesse ringraziato ma detto di no, gentilmente ringraziato ma negato ogni bisogno, alla fine fosse venuta a più miti consigli: più tranquillo, si era già voltato per ridiscendere al Prataio quando sentì l'urlo dell'Annina. Era attutito dalle pareti e dalla lontananza, ma era ugualmente possibile percepirvi la forza che sposta le montagne.

L'Oreste capì. Saltò sul muretto e da questo, con un balzo, si aggrappò alla grondaia, arrampicandosi fino alla finestra. Ruppe il vetro con un calcio ed entrò, correndo in aiuto della cugina. Nel vederla in quello stato, rossa e stravolta per lo sforzo, gemente e con un grumo di carne viva tra le mani, si perse d'animo, cominciò a mormorare e piagnucolare così che, paradossalmente, dovette essere proprio l'Annina a rincuorarlo.

«Sciocco di uno» gli disse a denti stretti, «vai a chiedere aiuto che qui son nei guai seri davvero.»

E visto che il cugino esitava, porgendogli il figlioletto appena nato quasi gli urlò:

«Avvolgilo in un panno e portalo alle donne del Padule. Di' loro che ne ho un altro da fare, e ho paura che sia come per mia madre e per la Mena.»

In che modo l'Oreste arrivò a casa della Renzia neanche lui avrebbe saputo dire. Scese di corsa fino alla stazione, dove aveva lasciato l'automobile dell'Ettorre, e con questa volò fino al Padule senza quasi veder la strada, e lì si mise a fare un tale baccano che presto in quasi tutte le casupole dei pescatori la luce s'accese, la notizia si sparse e un gruppo di gente assonnata, affollandosi davanti casa della vecchia Renzia, come in un presepe corse a vedere il primo nipote del Maestro.

L'Oreste informò tutti dell'accaduto, e subito ognuno disse la sua, avanzò ipotesi, nomi diversi, previsioni tristi, frasi smozzicate, finché l'Armida, irritata da tanto ciarlare, sbottò:

«O manigoldi, cos'è codesto cianciare mentre l'Annina è al Colle, sola, con un cittino che le può morire in pancia?»

I presenti fecero silenzio e si voltarono verso di lei che subito indicò la Morena e disse:

«Tu, Morena, va' con l'Oreste a convincere la vecchia Maddalena a salir fin dall'Annina. Dorìco, vai con lei ché la Maddalena andrà alzata di peso.» Così, in un minuto furono tutti a casa della vecchia levatrice.

Immobile sulla sua poltrona, la Maddalena scosse la testa incredula. Come avrebbe potuto lei, che non si reggeva in piedi ed era mezza cieca, aiutare la figlia dell'Ulisse? Erano quasi cinque anni che non usciva di casa, che la lasciassero tranquilla ad aspettar la morte e andassero a cercare aiuto da chi davvero lo poteva dare.

L'Oreste allora le si inginocchiò accanto, le prese una mano e le parlò:

«Maddalena, vi ricordate? Voi avete fatto venire al mondo l'Annina, e avete con lei un obbligo quasi di madre. Avete l'arte e la magìa delle vostre parole e delle mani con cui avete dato la vita a lei e al suo fratello, cavandolo da dentro alla Rosa neanche fosse una patata. Lei m'ha detto che ha la stessa maledizione di sua madre e della Mena. Voi che conoscete queste situazioni, pensate che possa esserci davvero qualcuno al Colle capace di scioglierla come avete fatto in passato?»

La vecchia strinse la mano dell'Oreste, e sembrò guardare ancora con più attenzione nella foschia che la cataratta le calava sugli occhi. Stette in silenzio per qualche minuto, poi prendendo il suo braccio sbottò:

«Due uomini robusti stiano accanto a me, che son ridotta grossa come un armadio. Prendete e portatemi dalla mia Annina. Sarà l'ultima volta che farò nascere qualcuno in questo mondo schifo, tanto ormai son così vicina alla morte che lei non se n'avrà troppo a male se indico la strada a un altro pulcino. Vorrà dire che per pareggiare i conti me n'andrò via un po' prima io a ingrassar la terra a' ceci.»

La caricarono di peso sull'automobile e correndo come pazzi arrivarono alla casa vicino alle mura quando ormai l'Annina era più morta che viva. Con un debole sorriso salutò la vecchia levatrice che le passò le mani sul volto asciugandole il sudore.

«Stai tranquilla» le disse, «la Morena sarà i miei occhi e l'Oreste con Dorìco le mie gambe. Le mani, se Dio vuole, l'ho ancora buone e basteranno.»

Così, facendosi reggere dai due uomini e domandando alla Morena di dirle quello che vedeva, la Maddalena cominciò a posare sul ventre dell'Annina le mani con cui l'aveva fatta nascere e attorno a lei le parole che avevano addolcito le bizze della Rosa, la notte del parto. Con quelle stesse storie l'avvolse, e la convinse a stendersi sul morbido panno di verbi che le aveva preparato, e poi con infinita pazienza arrotolò e srotolò nomi, congiunzioni, periodi lunghi e rime baciate con le quali sciolse la durezza dei nodi in cui si era imbrigliato quel piccolo maldestro, e sempre massaggiandolo di carezze e di parole lo convinse a scivolare fuori dal suo rifugio, e continuò a parlare finché quel fregnino non iniziò a berciare come un ossesso, ormai definitivamente nato.

Mentre la Morena si occupava del piccino, lei dette un'ultima carezza all'Annina addormentata, e poi chiese ai due uomini di portarla fuori di lì. L'Oreste l'accompagnò nel giardino e la fece sedere su una poltrona che Dorìco aveva posato accanto al muretto, verso la pianura. La Maddalena fece cenno al ragazzo di rimanere accanto a lei.

«Là sotto c'è la Stazione, vero?» domandò.

L'Oreste rispose di sì, e allora lei gli chiese di descriverle ancora una volta quello che si vedeva, e lui le disse della strada che scendeva fin davanti alla fornace, e poi del lungo muro, e della ciminiera e del cortile con i mucchi di mattoni, e poi oltre, delle prime case della Stazione, della ferrovia che piegava in una curva dolce, quasi il volo di un uccello. E man mano che l'Oreste parlava la vecchia levatrice annuiva, e ripeteva i nomi delle persone che aveva fatto nascere e che abitavano le case nuove o la fattoria di cui ora stava parlando, e sorrideva o storceva la bocca come se quella gente l'avesse proprio di fronte a sé, di fronte ai suoi occhi pieni di nebbia, e ancora provasse simpatia per quello o dispiacere per quell'altro, o per una malattia o uno sgarbo, e conoscesse i segreti di una tal persona, e i suoi difetti, e gli amori, e le mattane.

Solo quando l'Oreste arrivò al fondo della pianura, là dove il suo sguardo si perdeva e riusciva a malapena a distinguere un albero o una strada, la Maddalena disse che poteva bastare e se ne rimase in silenzio a fissare davanti a sé l'aria immobile del mattino appena nato, ad ascoltare il primo canto degli uccelli e il rumore del vecchio borgo che si stava svegliando come ogni giorno, senza sapere che lei l'aveva ingoiato tutto dentro di sé, per sempre.

L'Oreste sentì la stretta delle sue mani farsi più leggera e pensò si fosse addormentata. La stanchezza di quella notte stava pesando anche su di lui, così serrò le palpebre per gustare la pace di quel momento. Ma un pensiero improvviso lo scosse subito, e allora le riaprì, e provò a chiamare più volte la vecchia levatrice, a stringerla, ad accarezzarla e a trovare un modo per fermare la commozione che lo stava soffocando, per trattenerla vicino a sé ancora per un po', lei che intanto se n'era già andata ed era ormai oltre il Padule, tra le case della Piana, verso la

Pieve e là dov'erano tutti quelli che aveva aiutato a venire al mondo e che dal giardino della casa dell'Annina non avrebbe mai potuto vedere.

Soltanto parecchi mesi dopo Cafiero riuscì a riabbracciare l'Annina e i due figli nati durante la sua prigionia. Così com'era successo per suo padre, arrivò con la ferrovia e dalla stazione chiese un passaggio fino al vecchio borgo. Da quando era partito, poco pareva essere cambiato nell'aspetto delle cose, ma Cafiero sapeva bene, per averlo provato sulle sue ossa, quanto più pesante fosse l'aria da respirare per tutti coloro che avevano amato la libertà e la giustizia. Quasi istintivamente guardò verso la Piana, nella vana speranza di poter scorgere il campanile della Pieve troppo lontano per gli occhi, ma non troppo per immaginare le tombe di Ideale e Libertà, nel piccolo cimitero accanto alla canonica.

La tristezza di questo pensiero si sciolse non appena arrivò di fronte alla casa vicino alle mura, e diventò felicità pura quando finalmente poté riabbracciare l'Annina e vedere per la prima volta i loro figli, ai quali lei aveva imposto i nomi di Sole, l'ultimo nato, e Ideale, il primogenito. Dal Padule, la sera, arrivò la Morena col marito, Nardo, che ragguagliò Cafiero sulla situazione politica, raccomandandogli prudenza. Telemaco Bertorelli era riuscito a diventare sindaco, anzi podestà, come ora veniva chiamata la più alta carica del Colle, e il capitano Soldani con i suoi scagnozzi, anche se con minor frequenza rispetto a un tempo, era sempre pronto a far assaggiare il bastone e la purga a chi manifestasse idee non troppo in linea con quelle del Duce di Roma.

Dunque niente mattane, e occhi davanti e dietro le spalle, ché per quanto possibile la lotta non si sarebbe mai fermata, ma ora andava pensata in un modo diverso, senza colpi di testa e certo non alla luce del sole. Intanto era cosa sicura che il suo ritorno al Colle fosse stato segnalato e dunque registrato, osservato, e controllati i suoi movimenti e le amicizie. Tutto quanto. Già quella loro riunione comportava un rischio ed ecco perché lui e la Morena sarebbero tornati subito al Padule, tanto più che adesso, perso il lavoro in ferrovia, tempo per parlare ce ne sarebbe stato: Cafiero avrebbe potuto cominciare a dare una mano ai pescatori in attesa di trovare un altro modo per sfamare le due nuove bocche della famiglia, voraci come un drago.

Gli avvertimenti del Nardo si rivelarono giusti, visto che l'indomani il Soldani, con l'Adelmo e Pietrino Rosati a fargli da scorta, non tardò a farsi vedere attorno alla casa di Cafiero, e così continuò a fare almeno un paio di volte al giorno. Furono tempi duri, nei quali Cafiero sperimentò l'opprimente esperienza della galera in libertà, di una vita sotto sorveglianza.

La pesantezza di quei giorni fu aumentata dal fatto che il piccolo Sole non godeva di buona salute. I primi pareri dei medici locali ai quali l'Annina e Cafiero si rivolsero per capire il motivo della sua gracilità, delle labbra spesso scure, del poco appetito e della differenza grande tra il crescere suo e quello del gemello, non riuscirono a dare che una vaga spiegazione. Tutti concordarono per un patimento dovuto al parto prolungato, forse uno schiacciamento cerebrale o qualcosa di traumatico accaduto in quella nascita invero miracolosa. Nessuno però riuscì a trovare una cura precisa per quel male, finché Cafiero, disperato dal veder tanta sofferenza in una creatura così piccina, chiese ai compagni del Padule di dargli un aiuto che gli permettesse di rivolgersi a un medico vero, uno di città che sapesse dove mettere le mani. Spremuta la miseria dei pescatori e degli amici, prese Sole e l'Annina e saltò sul treno in cerca di una speranza.

Il responso del luminare fu che si trattava di un difetto del cuore, congenito, probabilmente una valvola sfasata, un riflusso di sangue, insomma qualcosa che avrebbe reso al bimbo la vita difficile, sospesa a un filo, fragile foglia al vento che, forse, col tempo, avrebbe potuto migliorare oppure schiantarsi in un attimo, per uno starnuto. Dunque mille cure, alimentazione controllata, pochi sforzi, un uovo dentro l'ovatta. L'Annina cercò di farsi coraggio, si disse che la vita va comunque assecondata e se quello era un fragile uovo lo avrebbero tenuto con mille attenzioni finché il guscio non si fosse rinforzato.

Pur essendo cosciente di non aver nessuna responsabilità diretta, nella parte più profonda di sé Cafiero invece si convinse di aver avuto la colpa di essere assente nel momento in cui l'Annina aveva messo al mondo quel bimbo, e questo sentimento rigò per sempre la sua vita, come un peso nascosto che faticava a trascinare, rinnovato a ogni sguardo di quel suo figlio malato, a ogni suo passo lento, a ogni suo respiro affannato. Da parte sua Sole, nonostante la gracilità, crebbe con uno spirito vitale, rinforzato dalla compagnia allegra di Ideale e della Filomena, nata l'anno seguente e, su tutto, dal vigore dell'Annina che accompagnò la sua delicata infanzia irrorandola con le storie con cui, a sua volta, suo fratello l'aveva accompagnata prima di andarsene a cercare l'Oriente.

Il piccolo Sole, per tramite di quella sua malattia, conobbe fino in fondo il tempo lento delle parole e la magìa del raccontare, la possibilità di trovare un respiro largo negli oceani dell'immaginazione e nella memoria del passato, e il battito del cuore nel coraggio di persone ormai scomparse, e la corsa sfrenata in geografie di luoghi lontani e affascinanti, o vicini a lui ma ormai cambiati irrimediabilmente dal tempo trascorso.

Se dunque furono le parole della Maddalena ad aiutarlo a nascere, quelle dell'Annina e di Cafiero lo nutrirono di quanto il suo cuore necessitava per rafforzarsi e affrontare la vita che lo aspettava fuori dalla casa vicino alle mura. Una vita che non esitò a dimostrarsi in tutta la sua durezza, innanzitutto per le difficoltà economiche e poi per la continua persecuzione che Soldani e i suoi sgherri riservarono al figlio del Maestro. Non c'era occasione, infatti, in cui Cafiero non subisse minacce, intimidazioni o controlli. Durante le visite al Colle e nelle città vicine di notabili o funzionari governativi di spicco, veniva inoltre costretto a presentarsi presso il Comando dei Carabinieri per essere interrogato e trattenuto a scopo preventivo.

E una sera, la stessa del giorno in cui l'anarchico Lucetti attentò alla vita del Duce di Roma, l'Annina, non vedendo tornare Cafiero dal Padule, ormai a buio fatto gli scese incontro lungo la strada con un presentimento angoscioso nel petto. Attorno tutto improvvisamente le parve deserto, con un'immobilità che non preannunciava nulla di buono. Iniziò a piovere, e sotto quel pianto del cielo lei si sentì altrettanto disperata. Ben oltre la fornace vide la bicicletta di Cafiero a terra, accanto al muro. La raccolse e si aggrappò a quel ferro nero come a una speranza, poi chiamò, urlò, mischiò le sue lacrime a quelle della pioggia, riprese a scendere verso il Padule e prima del canale grande lo vide, seduto accanto a un paracarro. Allora lasciò andare la bicicletta e si precipitò da lui, e gli asciugò il sangue con le mani, e gli baciò gli occhi chiusi dalle botte, gli carezzò le mani scorticate, e pure se lei era uno scricciolo e lui una montagna di roccia ormai spezzata riuscì a sollevarlo e ad appoggiarselo alle spalle, a convincerlo con le parole più dolci a muovere lentamente le gambe, un passo alla volta, un bacio dopo l'altro, e in quel modo, come una pietà scolpita da un artista pazzo e crudele, si riportò a casa quello che restava del suo uomo, urlando nella pioggia contro Soldani e il Duce, contro il Re e quel farabutto di Telemaco, e contro la viltà di quelli che se ne stavano chiusi in casa a lasciar morire libertà e compassione che ormai nessuno più conosceva, animali vigliacchi che non erano altro.

Da sola portò al riparo Cafiero, lo asciugò, gli medicò le ferite, gli preparò una tazza di vino bollente addolcito da miele e da cannella e poi lo mise a letto come un suo bambino, ed ebbe per lui e per le sue ferite lo stesso amore che aveva per i loro figli. Gli si stese accanto, nel buio, e ascoltò il suo respiro aspro, sussultò per ogni suo gemito, raccolse ogni suo lamento. Sentì la sua pelle da fredda diventare tiepida e poi bollente come un tizzone, gli bagnò le labbra secche e pregò, desiderò d'esser lei a soffrire, a morire, a sobbarcarsi quella pena insopportabile, lo cullò per tutta quella notte d'agonia stringendolo forte per impedirgli di arrendersi, di aggrapparsi a un altro sogno e andarsene lontano come avevano fatto la Rosa, l'Ulisse, e la Mena, e Sole, e tutti quelli a cui lei aveva voluto bene.

Lo strinse, lo tenne abbracciato così a lungo e così forte che la mattina il Nardo e la Morena dovettero staccarle a fatica le braccia da quel corpo ormai gelato, per poi accompagnarlo verso la Piana, in corteo con gli altri amici del Padule, a regalargli un tempo più lieve, perché riposasse per sempre accanto a Libertà e Ideale nel piccolo cimitero della Pieve.

Telemaco dimostrò subito ai suoi concittadini che cosa intendesse quando si era ripromesso di essere un sindaco giusto, autorevole e senza uguale. Da un lato non fece mai venire meno il suo appoggio al Soldani, pur guardandosi bene dal lasciare tracce visibili di quella complicità, dall'altro non mancò di rendere palesi i suoi interessi verso il miglioramento sociale del Colle, promuovendo l'edificazione di una nuova scuola verso il Padule, il rinnovo dell'acquedotto e la costruzione di una carrozzabile larga e sicura che unisse il vecchio borgo alla Piana e poi alla città.

Come al Duce di Roma, a Telemaco piaceva apparire sulle aie del Malgardo, alla fornace o all'officina dell'Ettorre, per intrattenersi con i contadini e gli operai, guidare i nuovi trattori del Conte, provare una fresa o una rifilatrice meccanica. Inoltre, anche se con meno assiduità di prima, continuava a praticare il mercato del Portale, a concludere affari, a stringere mani, a condividere con colleghi e clienti pranzi e bevute così come aveva fatto per anni. Forte di questo suo legame con la gente e con la terra, Telemaco curò di non oscurare mai l'autorevolezza che gli derivava dall'essere un commerciante rispettato.

Dopo la sofferenza della guerra e della spagnola, dopo il disordine degli scioperi e dei malcontenti, pagati con bastonate, morti e carcerazioni, un'apparente tranquillità si stese sopra le antiche case del Colle, vigilata dalla presenza sinistra del Soldani e delle sue camicie nere. L'ultimo focolaio di ribellione, quello che veniva dai miserabili del Padule, scomparve col Padule stesso, quando Telemaco chiese e ottenne di inserire quel territorio nel vasto programma di bonifiche che il governo aveva appena messo in cantiere.

Così com'era avvenuto con l'arrivo della ferrovia, frotte di persone sbarcarono con carri e automezzi, con pale, picconi e strumenti meccanici, e invasero la terra paludosa con la quale, per millenni, il Colle aveva tenuto distante il mare, accontentandosi di quell'acqua mezza putrida ma comunque piena di vita.

Questa invasione ebbe l'effetto paradossale di costringere i discendenti degli antichi abitanti del Padule a collaborare alla distruzione definitiva di quel luogo nella speranza di un'occupazione e di una vita migliori. A eccezione di pochi pescatori più anziani, la maggior parte di costoro lavorò a scavare canali e scoli, a costruire i ponticelli, le centraline dei pozzi e a montare le gigantesche idrovore che si bevvero in qualche mese l'acqua da secoli immobile nella pianura prima del mare.

E al termine di quel lavoro qualcuno di loro si adattò persino a vivere nelle piccole case che vennero costruite sulla nuova terra emersa, mentre gli altri continuarono la loro vita di speranza andando a cercar fortuna in Francia o nelle Americhe, attraversando finalmente quell'acqua vera, infinita e sempre in movimento che avevano sempre guardato con diffidenza e da lontano.

Il Padule diventò così la Bonifica, di modo che cessò di esistere nei suoi abitanti e nel suo essere il luogo di magìa e di pena che era sempre stato, e le case del vecchio borgo rimasero da allora per sempre orfane dello scintillare che regalava loro al tramonto, della commozione e delle maledizioni, dei sospiri e dei mille sguardi lanciati nei secoli sopra quel surrogato di mare e ormai definitivamente svaporati assieme a lui.

Del Padule rimase soltanto una piccola parte troppo fonda da asciugare, una sorta di laghetto costiero, mezzo salato. Una cicatrice insignificante, quasi un insulto, piena di niente se non dei pesci fittizi che molti anni più tardi il nipote del Nardo avrebbe pensato di gettarvi come facili prede per turisti domenicali i quali, senza fatica e con poca spesa, per qualche ora si sarebbero creduti dei pescatori.

L'Annina non volle accompagnare Cafiero alla Pieve. Mentre il piccolo corteo funebre scendeva verso la Piana, lei rimase affacciata alla finestra ad allattare la piccola Filomena e a guardare andarsene per sempre l'uomo che aveva aspettato per quasi due anni immaginandoselo ogni notte dentro al buio. Con il peso di quell'addio ficcato nel petto, volse lo sguardo ai due figli che la Morena stava accudendo nell'altra stanza, e pensò che forse proprio loro e quella gattina che teneva attaccata al seno sarebbero stati l'antidoto al suo dolore sordo, perfetto, gliel'avrebbero cavato assieme alla solitudine, con la loro esistenza, con l'affetto, succhiandoglielo da dentro come faceva la Filomena col latte suo, e trasformandolo nell'essere figli, nell'avere vita e ricordo, e amore per quanto lei avrebbe loro raccontato di Nocciolino che si salvò in volo, e del Maestro che lo generò per amore dalla vedova Bartoli prima di morire sognando. E del loro zio Sole, ancora in cerca d'Oriente, della follia dell'Ulisse, del suo fuoco animale per una donna bellissima ch'era fuggita con chi curava i balocchi e non vendeva maiali, e di una caldaia che bruciava l'amore, e di una tomba dove le ossa erano vestiti e pantofole usate, e insomma di tutta la vita che il Colle aveva vissuto e che ancora avrebbe avuto se anche loro avessero continuato a raccontarla. L'Annina non si perse d'animo, dunque. Cacciò il dolore e tenne per sempre con sé i figli e il ricordo di Cafiero e dei suoi abbracci. Ogni volta che ne ebbe l'occasione, inforcò la bicicletta nera e corse fino alla Pieve a raccontare al marito dei figli, dei progressi del piccolo Sole, di quanto crescesse bene e fosse bella e sveglia la Filomena. E mai scordò una parola per Ideale, un fiore, e ancora un pensiero sopra la tomba di Libertà, prima di salutare tutti e tornare al Colle.

Non si perse d'animo l'Annina, e continuò a vivere, e visse grazie anche all'affetto e alla generosità dell'Oreste che qualche soldo, di nascosto, glielo fece sempre arrivare alla faccia dell'Ettorre e dei suoi divieti, e pure qualche regalino ai bambini, e magari un prosciutto rubato dai magazzini del Prataio. Visse, l'Annina, aiutata dal Nardo e dalla Morena e dai pochi altri che la Bonifica non aveva cacciato dal Padule che ormai Padule più non era.

Ma nonostante gli aiuti e la sua volontà, presto si trovò a mal partito, soprattutto per la malattia di Sole che, dopo i primi miglioramenti, quando il bimbo ebbe circa sei anni prese una piega difficile che lo costrinse all'ospedale, in città, per oltre una mesata. Furono giorni tremendi, passati tra le preoccupazioni e i disagi nel dover affrontare una tale situazione da sola, con gli altri figli piccini lontani, a casa. Le cure non furono sufficienti e secondo i luminari si rendeva necessario un intervento, urgente, presso un professorone di Milano.

L'Annina si disperò. Già soltanto il nome di quella città le suonava sinistro per i racconti sulla morte del Maestro e la diffidenza naturale che Cafiero aveva sempre provato per quel luogo che ora, come uno sberleffo del destino, si ripresentava sulla loro strada a decidere di un'altra vita.

In lacrime cercò inutilmente consiglio sulla tomba del marito, ascoltò il Nardo, la Morena e gli altri amici che nella loro semplicità non seppero darle altro che conforto. Infine si consigliò con l'Oreste, e in lui trovò appoggio, tanto che egli l'accompagnò in quel viaggio disperato.

Lui si inventò una scusa con l'Ettorre, accennò a una questione di donne e chiese qualche giorno di assenza dall'officina per risolvere i suoi casi, poi prese l'Annina e il bimbo e con l'automobile li portò fino all'ospedale di Milano dove restò qualche tempo, pagando una parte delle spese; e quando, avvenuto l'intervento, tutto sembrò andare per il meglio, se ne tornò al Colle più sollevato.

Il fatto fu che alle spie di Soldani poche cose sfuggivano, e il movimento dell'Oreste fu segnalato subito a Telemaco e da questi all'Ettorre. Quando il ragazzo arrivò al Prataio suo padre era già pronto ad accoglierlo, e certo non fu un'accoglienza festosa. Volarono parole grosse: l'Ettorre rinfacciò al figlio un'ingratitudine profonda, la mancanza di rispetto per lui e per suo zio, il podestà, che già dovevano sopportare la parentela con quella sgualdrina senza bisogno che la gente avesse altri argomenti di pettegolezzo. Che cosa credeva, che loro avessero gli occhi e le orecchie foderati di prosciutto? Forse che non s'erano accorti delle sue visite al Colle e di quell'andare e venire dal Padule? Ora la misura era colma, caro il signorino, niente più automobile e soldi da dare a quella puttanella e ai suoi bastardini. E alla sequela di accuse e urla vennero aggiunti i pianti della Rina che addirittura, quando l'Ettorre, in un accesso d'ira violento, schiaffeggiò il figlio, ebbe un mancamento plateale e dovette essere rianimata a forza di sali.

L'Oreste se ne àndò dal Prataio sbattendo la porta e quella notte cercò alloggio all'Osteria Etrusca. Per il suo carattere buono e remissivo, quella fuga era stata uno sforzo sovrumano e dunque, stanchissimo, si stese sul letto, diviso tra una sensazione leggera di liberazione e il peso dell'incertezza su cosa avrebbe fatto l'indomani. Non era mai stato un risparmiatore e non disponeva certo di un capitale cospicuo su cui fare affidamento, e per trovare un'occupazione non sapeva da che parte cominciare: al lavoro manuale non era proprio avvezzo e, quanto all'officina, era sempre stato dietro al Conte e all'Ettorre, seguendo i loro ordini e senza capirne più di tanto. Il futuro quindi gli apparve oltremodo nebuloso, per il suo lavoro e per il destino di un amore segreto di cui, ora più che mai, non sapeva che fare.

Ma a un tratto, in mezzo a quei pensieri che non lasciavano spazio al sonno, "domani" gli sembrò la parola magica. Domani ci avrebbe pensato, al mattino, fresco, la testa sgombra dalle angosce avrebbe affrontato i problemi uno alla volta, e ripetendo a se stesso di rimandare subito si sentì più tranquillo, e iniziò finalmente a scivolare in un sonno ristoratore. I colpi alla porta lo destarono dopo neanche dieci minuti, e ancora si trovò nella stanza dell'osteria, a cercare a tentoni il lume sul comodino per andare ad aprire e capire chi bussasse a quell'ora della notte.

Dietro l'uscio c'era Telemaco, involtato in un pastrano nero e con un borsalino ben calato sulla fronte. Un paio di sgherri, anche loro intabarrati, rimasero come due cariatidi nel corridoio, ritti accanto allo stipite. Telemaco entrò senza neanche dire una parola e si andò a sedere sull'unica sedia della stanza, mentre uno dei suoi uomini chiuse la porta. Poi si tolse il cappello, si passò una mano sui capelli bianchissimi e alzò lo sguardo verso il nipote che, le braccia conserte, era rimasto in piedi, accanto alla porta.

«Che significa codesta entrata plateale?» disse questi.

«Significa che io e te dobbiamo parlare» gli rispose Telemaco.

«Io non ho niente da dirvi» rilanciò allora l'Oreste con la voce offesa.

Telemaco sospirò. Aveva sempre odiato i giri di parole, i testardi e i presuntuosi e questo suo nipote, in quell'istante, gli parve portare con sé tutte queste tre cose insieme.

«Senti signorino» disse con un tono così perentorio che non lasciava alternative, «a me sta bene che tu non abbia niente da dirmi. Sono io che ho da parlarti. Dunque, siediti e ascolta.»

L'Oreste avvampò, la rabbia gli montò, ma subito si mischiò al timore che i modi dello zio gli avevano da sempre provocato. Sentiva di voler bene a suo padre, di non essere d'accordo con lui su molte cose, di non apprezzarlo per quel che faceva, ma non ne aveva paura, quella paura che provava, invece, nei confronti di Telemaco. Un brivido lungo la schiena, un tremore. A volte un sospetto.

«Tu con l'Annina hai passato il segno. E sai cosa intendo, dunque non mi dilungo oltre. Non voglio altre scenate al Prataio. Tua madre ha avuto un mancamento, la Didone s'è spaventata, poverina, e mi c'è voluta un'ora buona a calmare l'Ettorre che voleva venire a prenderti a cinghiate. Questa è l'ultima volta. Ho già parlato con i tuoi genitori. Da domani vai a studiare in città, ché per mandare avanti l'officina ci vuole gente in gamba, laureata, che sappia dove metter le mani e la testa. Ingegnere, contabile, avvocato, scegli tu. Ma da domani te ne vai dal Colle» disse Telemaco come un comando.

«Vi ringrazio, zio, e un grazie anche ai miei per avermi lasciato un'ampia scelta» rispose l'Oreste con la voce incrinata.

Telemaco tacque.

Il nipote allora non riuscì più a trattenere la rabbia e sbottò:

«Ma cosa credete, podestà, di comandar la vita dei cristiani sempre, in ogni momento, con un latrato e la bacchetta così come comandate agli scagnozzi del Colle? E con quale legge voi e i miei adorati genitori pensate di imporvi alla mia vita, con quale...»

Telemaco non fece una piega, alzò una mano a interrompere il nipote e con la sua voce ancora più sprezzante disse:

«Senti bamboccio, finora t'è andata bene perché sei un Bertorelli e quelli là fuori hanno chiuso un occhio, a volte anche tutti e due. Ma adesso t'ho detto basta, basta con l'Annina, col Padule e colle tue letterine d'amore segrete a codesto Massimiliano.»

A quel nome l'Oreste sentì una coltellata nello stomaco.

«Già, che se non ti fermo prima io tu sei capace di fare una mattana come la tua degna cugina, e magari spifferare ai quattro venti di queste tue... passioni» gli disse, sottolineando l'ultima parola con un evidente disprezzo.

«Per certe cose c'è anche il confino, mio bel nipote, a meno che non ci pensino prima altre persone...» concluse, con un cenno alla porta. Poi, mentre s'alzava dalla sedia cavò dalla tasca del pastrano un fastello di lettere legate da uno spago.

«Queste le tengo io» disse, «diciamo per sicurezza. Tua e mia.»

L'Oreste s'accasciò sul letto. Nel vedere quelle lettere in mano a Telemaco la rabbia sbollì all'improvviso e lasciò il posto a un senso di oppressione totale. Pensò agli occhi dello zio mentre leggevano i versi di Verlaine che lui aveva copiato con tanta attenzione per ben altri occhi, pensò a come, e a chi, e a quanti si fossero intrufolati tra le parole che avrebbero dovuto restare segrete nella passione che non aveva altra colpa se non di essere passione, mentre ora era usata come un grimaldello per scardinargli la vita. Improvvisamente si sentì nudo, violato e vinto come se l'avessero già bastonato, gli avessero addirittura stuprato l'anima con una forza che non avrebbe mai più dimenticato. Così si rannicchiò sul letto e cercò di trattenere le lacrime che già gli stavano colmando gli occhi.

Telemaco aveva ormai una mano sulla maniglia.

«Vestiti ché torniamo al Prataio» disse infine al nipote, e poi, quando già aveva aperto l'uscio, si voltò.

«A proposito, ai tuoi ho risparmiato queste intime notizie» fece, sventolando il pacchetto delle lettere, «ché sennò davvero tuo padre t'avrebbe ammazzato a cinghiate.»

Poi dette un ultimo sguardo sconsolato al nipote che se ne restava immobile, la testa nascosta tra le braccia, e uscì sul corridoio.

«Noi scendiamo» disse rivolto a uno dei due uomini, «tu tra dieci minuti portalo di sotto.»

Quindi cominciò a scendere le scale e sentì, improvvisa, piombargli addosso la stanchezza, e un fastidio sottile, come un ingombro. Non bastava, pensò, un fratello impazzito, una cognata fuggita col primo venuto, una nipote sgualdrina e sovversiva. Ora anche questo pederasta, porco di uno.

Si appoggiò un attimo alla portiera dell'autovettura e tirò un lungo respiro gettando uno sguardo sopra di sé. La notte era fresca, il cielo del Colle ghiacciato e senza neppure una stella. Enorme come il mare.

Scosse il capo, aprì del tutto la portiera e si sedette in attesa che l'Oreste finalmente si decidesse ad arrivare.

La bonifica del Padule contribuì a disperdere quasi del tutto le ultime voci in dissenso con le parole del Duce di Roma, e nel tempo, sotto la podestà di Telemaco, anche il Colle sembrò adagiarsi nella convinzione che la grandezza del Paese sarebbe stata tale da rinverdire i fasti antichi di una civiltà immensamente ricca: una ricchezza che molti, comunque, continuarono a cercare invano nelle officine, nei campi, nei deserti dell'Africa o, ancora, al di là dei confini e addirittura varcando oceani.

Ma allo stesso tempo, quei lavori di risanamento furono l'occasione che l'Ettorre aspettava per dare una svolta alla sua attività. In effetti, dopo il primo successo dovuto alla novità e al pregio delle autovetture che l'Officina Bertorelli aveva prodotto, il comparire di un sistema di produzione più organizzato aveva permesso ad altri di fabbricare autovetture più moderne e a prezzo concorrenziale. Infatti, agili modelli di vetture mai viste prima arrivarono ben presto a transitare per le strade, e più il loro numero aumentava più le artigianali e raffinate automobili dell'Ettorre trovavano con fatica acquirenti.

L'Ettorre, su questo, si spaccò il cervello. Gli pareva impossibile che la maggior parte dei clienti potesse preferire certe vetturette anonime e senza classe, meramente per una questione di prezzo. Il Malgardo concordava con lui, tanto più che era uno di quelli che amava viaggiare solo su fuoriserie e, accanto a un modello che aveva fatto costruire apposta per sé in officina, possedeva una Bugatti blu che pareva un sogno con la quale sfrecciava per le strade della Piana.

Il Malgardo era dunque d'accordo, ma si sforzò di spiegare al suo ostinato socio che il mercato ha le sue regole e, prima che le loro ottime ma ormai obsolete automobili finissero definitivamente nel dimenticatoio, occorreva correre ai ripari. Dunque, la tecnologia stava cambiando in fretta, e sarebbero stati necessari nuovi investimenti per ampliare e riprogettare tutto il sistema di produzione. Bisognava studiare soluzioni nuove e trovare capitali freschi da investire nell'opera.

Fecero qualche conto, sentirono i loro consulenti, tirarono alcune somme finché, in prossimità della decisione finale, il Malgardo cominciò a dubitare dell'utilità di tutta questa impresa. In fondo, disse, lui s'era messo in affari così, per investire qualcosa, dar da lavorare a qualche persona, anche per divertirsi con la sua passione delle auto. Ma adesso, qui si parlava di fare un grosso salto di qualità, trovare molto, troppo denaro, aumentare la mano d'opera con chissà quali rischi, cercare di far concorrenza a chi sfornava quella roba a quei prezzi. No, forse non era più cosa per lui, forse non si sarebbe appassionato più di tanto. Piuttosto, avrebbe investito nei nuovi, portentosi idrovolanti Dornier-Wal che stavano costruendo nelle officine in riva all'Arno. E l'Ettorre, mentre il Malgardo mimava con le mani il volo planato degli idrovolanti, vedeva precipitare il suo sogno in un baratro.

L'idea di Telemaco arrivò puntuale, perfetta, proprio nel momento più opportuno, quando il Conte era già idealmente salito ai comandi di un Dornier, immaginandosi accanto ad Amundsen verso l'Alaska, il Polo Nord o chissà cos'altro.

«Lascia perdere quel vanesio» disse al fratello, «quello ha i grilli per la testa.»

«Dici bene» rispose l'Ettorre affranto, «ma meglio i grilli dei debiti che presto avrò io se non trovo una soluzione.»

Telemaco attaccò i pollici al panciotto e si accomodò sulla poltrona.

«La soluzione è nel Padule» disse.

L'Ettorre sbottò:

«Fratello, non mi sembra l'ora di celiare.»

«Ascolta, grullo. Ascoltami con attenzione» Telemaco si sporse verso di lui come per fargli entrare meglio le parole nella testa.

«Di qui a qualche mese verrà avviato un grande progetto di bonifica di tutta la fascia costiera, e io conto di metterci dentro anche questa parte del Padule» disse indicando la mappa del territorio comunale, «dall'inizio del viadotto fino alla Piana.»

«E per far questo avete bisogno delle mie automobili?» lo interruppe il fratello.

Telemaco sospirò.

«No, Ettorre. Di pompe meccaniche, idrovore, martinetti, ponteggi e tutte le diavolerie che un'officina meccanica può produrre per asciugare una palude» quasi urlò.

«E io che ci incastro con codesti marchingegni?» ribatté l'altro.

Telemaco credette di scoppiare.

«Benedetto d'uno» disse abbassando la voce, come per ammansire un bambino, «invece di produrre automobili artigianali che nessuno più vuole ti metti a fare "codesti marchingegni". Lo capisci che ci sarà lavoro per anni? Si bonifica qui, e qui, e qui, e qui...» e intanto che parlava picchiava col dito i vari punti sulla carta topografica.

L'Ettorre finalmente parve intuire. Annuì.

«Capisco.»

«Alleluia» sospirò sarcastico il fratello.

«È che ci vorranno tempo e soldi» continuò l'altro dubbioso.

«Dammi retta. Tempo ne abbiamo. Tra una cosa e l'altra non si partirà prima del prossimo anno. Intanto tu lascia andare il Malgardo. Non fare parola di questa cosa, anzi, proponi di rilevare la sua parte di officina a un prezzo stracciato, tanto le vostre vetture nessuno più le vuole, e tu dovrai studiarti qualcosa, spendere, licenziare e via dicendo. Chiaro?»

L'Ettorre capì.

«Compra per un pezzo di pane, poi vieni da me che ti metto in contatto con un paio di persone che ti spiegheranno come fare per la questione delle pompe. Ti assicuro, è più semplice che costruire automobili» e così dicendo andò all'armadio dietro la scrivania e prese due bicchieri e una bottiglia di vino.

L'Ettorre si alzò, il calice nella mano.

«Brindo all'acqua, dunque, che va prosciugata» disse felice. E d'un fiato vuotò il bicchiere.

Telemaco ricambiò il brindisi:

«Sì, ma non così in fretta, Ettorre» disse, «con calma, pian piano, negli anni.»

Risero di gusto, si abbracciarono e si salutarono.

Tutto sembrava tornato a posto, a meraviglia.

Telemaco si sporse dalla finestra del suo ufficio e sulla piazza vide l'auto del fratello girare scoppiettando verso l'Arco Etrusco e infilarsi sotto la sua volta. Sull'orizzonte brillava il riflesso del Padule.

Vide quelle due cose insieme e automaticamente pensò ch'erano entrambe destinate a finire, le vecchie auto dell'Ettorre e le acque stagnanti, e al loro posto sarebbe nato un altro futuro.

"Le cose cambiano" pensò. "Tutto prima o poi è destinato a essere cambiato."

Poi alzò ancora una volta lo sguardo verso l'orizzonte incendiato di luce, e con una stretta allo stomaco si accorse che presto non avrebbe più luccicato.

La malattia di Sole volse al meglio, ma troppo lentamente i vantaggi portati dall'intervento chirurgico riuscirono a dare forza a quel gingillo di bambino. Allontanatosi dal Colle l'Oreste e quasi scomparso ormai il Padule, l'Annina rimase con l'amicizia del Nardo e della Morena, gli unici ad aiutarla nel difficile compito di allevare i tre figli e lenire il peso della solitudine. Era, questa, la compagnia più difficile da sopportare, ostinata, cattiva, che inutilmente lei tentava di respingere con le mille attività che la cura della casa, dei bambini e la necessità di sbarcare la giornata le imponevano. E più si dava da fare per cacciarla lontano, per immergersi totalmente in quella minima vita quotidiana, più quella faceva capolino non appena lei, finito di rigovernare, si sedeva un momento sul muretto del giardino a guardare verso la Piana; o le si presentava con prepotenza nelle domande ingenue dei figlioli, in un loro sguardo uguale a quello dell'Ulisse, nei loro volti su cui, all'improvviso, appariva il sorriso di Cafiero o, in una smorfia, l'incertezza della Mena, la gentilezza della Rosa, la risata argentina di suo fratello Sole.

La notte poi, era un uragano di silenzio a rompere l'immobilità del buio nel quale lei continuava a vedere quello che ormai era lontano, attraverso ricordi, sensazioni e immagini di una forza e una costanza tali da diventare un'abitudine opprimente e dolorosa. Ma accanto a queste compagnie, nel tempo, si fecero sempre più reali i numeri. A gruppi, a castelli, rivoli di cifre si intromettevano tra i volti e le voci del passato, e ricordavano all'Annina i debiti da pagare, le cure per il piccolo Sole, il mantenimento di una casa che era diventata ormai troppo grande e pesante da mandare avanti. Oltretutto, per affrontare le spese dell'intervento di Milano, ne aveva ipotecato la proprietà confidando, in futuro, di poter riscattare un debito che invece aumentò, proprio come i numeri che ossessivamente, ogni notte, popolavano i suoi sogni. E se, finché l'Oreste le fu vicino, con una sorta di filastrocca tranquillizzante riusciva ogni tanto a sottrarre qualche cifra dal mucchio dei debiti contando e ricontando mentalmente finché il sonno non arrivava, quando anche quel rivolo benedetto di generosità si seccò, sbarrato dall'intransigenza degli zii, le cifre tornarono puntualmente a crescere e ingigantirsi, occuparono prima la parte del letto vicino a lei, poi scivolarono sul pavimento e infine cominciarono notte dopo notte a riempire la stanza, e il corridoio e la cucina finché, prima che arrivassero a sfondare la porta delle camere dei figli, le invadessero, e magari soffocassero il sorriso della Filomena e il respiro ancora debole di Sole, l'Annina decise.

Svegliò di buon'ora i suoi ragazzi e li vestì con quanto di meglio aveva messo da parte per loro. Tenendosi in braccio la piccina, Sole e Ideale al suo fianco, si presentò all'istituto di credito che aveva acceso quella famelica ipoteca, e giunta al cospetto del direttore disse semplicemente:

«Mi arrendo.»

Dopodiché, di fronte allo stupefatto funzionario, rispolverando la sua antica sapienza commerciale rimase a discutere un'ora buona sul locale mercato immobiliare dimostrando una inattesa quanto tenace competenza. Vagliò col direttore ogni possibilità, cercò di saggiare il margine di trattativa constatando, nella fermezza del bancario, come a volte un essere umano possa essere più freddo e duro dell'acciaio, finché, ben consapevole delle spietate regole del gioco del prendere e del dare, firmò e cedette quel pezzo di storia del Colle per la misera cifra che lo sconto dell'ipoteca le permise di spuntare.

Quindi fece chiamare una vettura di piazza e si fece condurre al Prataio. Chiese all'autista di attendere in auto con i bambini e bussò alla porta di Telemaco.

«Di grazia» le disse l'Isolina quando aprì, «e tu che cerchi da queste parti?»

«Cerco del mio zio» rispose lei decisa, «il fratello dell'Ulisse mio padre, se non v'è d'incomodo.»

L'Isolina non fece parola, rimase a guardarla solo un attimo, una mano ancora sull'uscio mentre allungava l'altra verso un ragazzino che, saltellandole accanto, tentò di scivolar fuori.

L'Annina lo fermò prima che fosse all'aperto.

«Tu sei certo l'Enea» disse, e intanto si chinò per baciarlo.

Ma l'Isolina fu più svelta di lei, e quasi glielo strappò di fronte, dicendo che andava subito a cercar di Telemaco, incurante degli strilli che il bimbo lanciava dimenandosi nella sua stretta.

Telemaco arrivò dopo dieci minuti buoni, vestito di tutto punto, la cimice del Partito sulla giacca, la camicia stirata, il panciotto sul quale faceva bella mostra di sé la catena d'argento dell'orologio. Arrivò di fronte alla nipote e si fermò, le braccia conserte, a fissarla negli occhi.

L'Annina non stette a girare troppo attorno al problema. Conosceva le regole, e sapeva d'esser sconfitta in partenza. Non aveva nulla da proporre. Solo una richiesta.

«Ho bisogno di tornare al Prataio» semplicemente disse.

Telemaco rimase zitto. Per un attimo forse cercò di capire se quel diavolo di donna ancora una volta avesse in serbo per lui qualche sorpresa, una mattana, un colpo di coda come l'incastro che gli aveva rifilato quando qualche anno prima era andata a sposarsi con quell'anarchico figlio di cane. Ma poi capì che era soltanto, e finalmente, la domanda che lui s'attendeva da tempo, da tutti i mesi in cui aveva aspettato che l'ipoteca sulla casa vicino alle mura desse i suoi frutti com'è natura, pesche e ciliegie mature, parole dolcissime per le sue orecchie. "Perché i tempi cambiano, e prima o poi il seminato si raccoglie, e dunque la nostra cara nipotina" pensò, "finite le nocciole, come previsto ha finito pure i gusci."

Telemaco si sentì invadere da una gran soddisfazione, e come per prolungare quel momento, il sorriso sulle labbra, le domandò:

«E perché mai dovresti?»

L'Annina lo guardò dura.

«Il perché di certo già lo conoscete.»

«Forse. Ma diciamo che lo voglio sentire da te» fece lo zio sprezzante.

Lei si voltò di lato per non mostrargli direttamente l'emozione:

«Ho dovuto vendere la casa vicino alle mura» disse.

«Buon per te» sbottò quasi con una risata l'altro, «spero tu abbia fatto un buon affare.»

L'Annina sentì la rabbia dentro di sé, qualcosa di molto vicino all'odio che avrebbe voluto esplodere contro quel sarcasmo assurdo e cattivo.

«Ascoltate» disse con tutta la decisione che si ritrovava, «so d'essere sconfitta e non sono qui a pretendere. Sono a chiedere, e so che nel commercio chi parte chiedendo, senza altro da dare, spunta sempre un prezzo più alto. Dunque, da parte mia ho solo da darvi il mio sangue, che è il vostro e quello di vostro fratello. Se pure sotto quelle vostre camicie nere e dietro gli orpelli con cui vi ornate esser fratelli, e uomini, e gente fatta di carne ha ancora un senso, vi dico che sono una Bertorelli, figlia dell'Ulisse Bertorelli, e quelli dentro l'auto» disse allungando il braccio «sono nipoti vostri, fratelli e cugini allo stesso tempo della creatura che vi chiama padre e che…»

Telemaco fu colpito da quelle parole come da un sasso. Il passato gli tornò di fronte in un attimo, l'Ulisse impiccato, la Mena che partoriva l'Enea, quel mescolarsi di morte, sangue, vita, fratelli, padri, cugini.

«Che vuoi?» disse allora, senza tanti fronzoli, a voce alta, dura, come per interrompere la vertigine che quasi l'aveva assalito.

«Vi chiedo di poter tornare nella casa che fu di mio padre, con i miei tre figli. I soldi della vendita mi servono per curare Sole, e vi assicuro, non mi sarei fatta questo pensiero se avessi avuto altra scelta: ma soprattutto lui ha bisogno di una casa vera, come la vostra, non come quelle che avete tirato su alla Bonifica per i contadini. Io posso aiutare qui al Prataio in qualsiasi lavoro ci sia da fare. Sapete che conosco i maiali, conosco il mercato, conosco i posti, e lavorare non mi spaventa.»

Telemaco non mosse un muscolo. Rimase a guardarla fisso negli occhi. Uno sguardo lungo, duro, che l'Annina capì non avrebbe potuto, questa volta, reggere o sfidare, così come aveva fatto quando in ballo aveva solo la sua tranquillità e la sua vita. Così, abbassò gli occhi, si guardò i piedi, poi guardò verso l'auto ancora ferma nel vialetto davanti l'entrata.

«E voi» disse allora d'un fiato «che volete?»

Aveva sognato per tanto tempo questo momento, Telemaco, se l'era immaginato, l'aveva fotografato, scritto, interpretato mille volte, l'aveva pensato mentre se ne stava seduto alla sua scrivania, nel Municipio, mentre visitava la Bonifica con la fascia da podestà sul petto e le insegne del Partito in bella mostra. L'aveva accarezzato ogni volta che aveva guardato la collina dove un tempo erano i cipressi e quel cumulo di terra malmessa dov'erano sepolti gli stracci della madre del suo Enea. Dunque ascoltò se stesso recitare, più che pronunciare, le condizioni di una proposta che conosceva a memoria, un diktat senza pietà:

«Se vuoi venire vieni» disse. «Starai al primo piano, nella stanza di tua madre, e i tuoi figli in quelle ch'erano tua e di tuo fratello. Per lavorare puoi fare la donna di fatica a me e all'Isolina che ormai non è più giovane e ha bisogno di una mano in casa. Vitto e alloggio per tutti fino a che non sono in età da lavoro. Se vorranno studiare si pagheranno loro quanto è dovuto lavorando al Prataio dietro le bestie.»

«Sta bene» disse l'Annina col magone in gola.

«Su tutto però una cosa» continuò Telemaco. «Non voglio veder girare per casa il fango del loro padre» rilanciò, fermo, indicando l'auto.

L'Annina esitò. Le sembrò di non capire.

«Che volete dire?»

«Dico che qui siamo tutti Bertorelli. Farò istanza al Tribunale Speciale per ottenere un'adozione formale, una dispensa del Duce, qualsiasi cosa» quasi urlò Telemaco, «ma quei ragazzi qui al Prataio con quel cognome non entrano. Questa è casa solo dei Bertorelli.»

«Voi siete un pazzo prepotente.»

«Prendere o lasciare» fu la risposta.

«Ma vi rendete conto cosa mi chiedete? Son dei...»

«L'offerta è valida soltanto adesso» l'interruppe lo zio. L'Annina si voltò e si incamminò verso l'auto. In quel momento avrebbe voluto andarsene, scappare da quel luogo e lasciarsi tutto alle spalle, il Prataio, gli zii, il Colle e tutto quanto. Nei pochi passi che fece le sembrò di non poter più reggere l'umiliazione e un peso troppo grande per lei, ma poi vide Sole aggrappato al finestrino, vide le sue labbra scure aperte a metà, e il rumore dei propri piedi sulla ghiaia le sembrò il grattare del suo respiro affannato. E accanto a Sole vide spuntare con un guizzo il volto di Ideale, subito aperto in un sorriso, e dietro a lui gli occhi ancora pieni di sonno della Filomena, mentre sentiva la voce di Telemaco come se arrivasse dal passato, a portarle le stesse parole con cui un tempo lei aveva creduto di comprarsi la tranquillità:

«Salute a te, nipote, e i miei rispetti ai bimbi. Che la vita vi sia lieve, a tutti quanti.»

L'Annina capì, e prima che lo zio rientrasse, come leggesse una partitura, urlò verso la porta la stessa risposta che allora lui le aveva detto:

«E sia!»

Telemaco andò verso di lei senza fretta, allungò la mano e stringendo con forza la sua ribadì:

«Le condizioni sono quelle dette.»

L'Annina annuì. Le lacrime le scivolarono sul viso chino, coperto dai capelli.

«Allora intesi» concluse con voce dura suo zio, «il venduto è comprato: e non voglio più sentir quel nome in casa dei Bertorelli.»

Dunque l'Annina tornò al Prataio a far da serva a Telemaco. Sistemate le stanze dell'Ulisse con quanto riuscì a portare dalla casa vicino alle mura, s'adattò a star dietro alle esigenze dell'abitazione del podestà. Pulì i pavimenti, rigovernò le stoviglie, pensò al bucato e al desinare accettando l'umiliazione di quel lavoro senza mai lamentarsi delle tante manie dell'Isolina e neppure di fronte alla furia dell'Enea che rendeva ogni lavoro più complicato.

Cresciuto infatti come una sorta di principino ereditario, il figlio della Mena, come sovente accade ai fanciulli troppo viziati, sembrava incurante di ogni disciplina e di ogni raccomandazione alla prudenza. Anzi, più l'Isolina si sgolava a redarguirlo, a tenerlo a bada, ad avvertirlo con mille moniti e mille divieti, più quell'ossesso sembrava andare a cercarsi i guai, molestare cose e persone, riuscire a rovinare o rendere inutile la pazienza e il lavoro dell'Annina.

Questa sua esuberanza pareva inoltre essere incentivata dal rapporto con Telemaco, poiché questi spesso sminuiva di fronte al bambino quanto la moglie gli riferiva sui suoi comportamenti, o addirittura ne rideva, ritenendoli delle marachelle innocenti e buffe. E questa sua sorta di generosità, paradossalmente, aveva per risultato che in fondo l'unico a essere ascoltato da quella furia era proprio lui, Telemaco, dalla cui presenza autoritaria probabilmente l'Enea traeva timore e, nello stesso tempo, vantaggio.

E un giorno l'Annina dovette assistere a un fatto che, in qualche modo, contribuì ad avvicinarla all'Isolina. Mentre assieme a lei stava preparando la vasca per il suo bagno, il ragazzetto scappò nudo per la casa e nel tentativo di sfuggire alle due donne che lo inseguivano si nascose in cucina, salendo su una scansia nella quale, dietro una tendina a fiori, si conservavano le terraglie e il vasellame di portata. Il mobile evidentemente non resse e lo sconquasso, nonché lo spavento, fu enorme. L'Enea si trascinò dietro qualche dozzina di piatti, bicchieri, pentolazzi che rovinarono a terra con un fracasso da fine del mondo. Mezzo intontito per la botta e senz'altro per l'imprevisto risultato, quel diavolo rimase nudo e muto, pietrificato in mezzo ai cocci, a contemplare quello sfacelo, mentre l'Isolina, certo per dare sfogo alla tremenda tensione, finalmente si decise a rompere una sorta di sacra inviolabilità, raggiungendo il bimbo e assestandogli qualche sonora manata sul fondoschiena.

Attirato da quel trambusto, Telemaco arrivò in quel momento, proprio quando l'Enea ancora se ne restava immobile e – stupefatto da tanto ardire e forse chissà, persino consapevole di essersi meritato quella punizione – si guardava bene da profferire qualsiasi lamento o urlo.

A urlare fu il padre, che vedendo la mano della moglie alzata sul bimbo le ordinò di smettere e, tolta prontamente la cinghia dai pantaloni, si avventò sulla povera donna menandole quattro fendenti sulla schiena e gridando che non s'azzardasse mai più a toccar suo figlio, cagna di una. Cascasse il mondo, mai più!

E mentre rinfilava il cuoio tra i passanti, l'Isolina a terra in lacrime e l'Enea che, capita l'antifona, già cominciava una sequela di miagolii che neanche una prefica, chiosò il suo intervento pedagogico in questo modo:

«Ricordatevi, voialtre, che l'uomo, anche nudo e rifinito, dalla donna dev'esser riverito» disse, e uscì dalla cucina senza neanche degnar d'uno sguardo la moglie.

Di lei dovette occuparsi l'Annina dopo aver rivestito

alla meglio l'Enea. Tornò dall'Isolina, che ancora piangeva riversa a terra, la sollevò, l'aiutò a salire in camera. Le scoprì con cautela la schiena e controllò il danno delle scudisciate. Quindi, memore di quanto le aveva insegnato il Mero, ridiscese in cucina e in un mortaio batté del lardo con malva e prezzemolo, facendone in fretta una sorta di unguento che corse a spalmare sulle piaghe della zia.

L'Isolina non disse una parola, non commentò con l'Annina nulla di quanto successo. Soltanto, prima di rivestirsi e scendere per rimettere in ordine, la toccò leggermente su una spalla e, quasi vergognandosi, le rivolse un «Grazie», appena sussurrato. Non ci fu altro, né confidenze né discussioni, ma quello probabilmente bastò a tessere tra le due donne un filo sottile fatto di sguardi, di mezzi sorrisi, di impercettibili gentilezze che segnò, nel muro di ghiaccio che le divideva, l'inizio di un lento, inesorabile disgelo.

Di quello che l'Isolina teneva chiuso dentro di sé l'Annina non capì più di tanto, vi intuì solo un groviglio di sensi di colpa per la maternità mai avuta, per la sua ignoranza e le sue origini umili, per un continuo sentirsi inadeguata e inferiore, e una remissività a lei incomprensibile, quasi una devozione verso la prepotenza dell'uomo che un giorno aveva deciso di sposarla, e in seguito, verso quella del figlio della Mena.

E ancora, molti anni più tardi, l'Annina continuò a non capire quel suo ringraziarla e chiederle scusa, quasi che morire recasse un disturbo a Telemaco, all'Enea, al Prataio, al Colle e a lei stessa, la sua serva nipote che raccolse le ultime parole prima che l'Isolina se ne andasse ammazzata dalle botte di un figlio del quale aveva tentato invano di essere madre.

Sole crebbe curato dall'amore della madre e di Ideale, che per il fratello ebbe sempre attenzione e protezione. La scelta dell'Annina di tornare al Prataio, col passare del tempo, non si rivelò sbagliata perché quella casa forte sembrò giovare alla sua salute permettendogli una vita tranquilla e, tutto sommato, normale. Certo, non poteva affaticarsi oltre un tanto e, comunque, non lo si sarebbe potuto definire un ragazzo prestante, ma questo non sembrò pesargli più di tanto anche grazie a Ideale che, sin da bambino, assunse su di sé le incombenze più ingrate e pesanti, lasciando a lui e alla Filomena compiti più facili.

E anche se, com'è naturale, non mancarono tra loro litigi e incomprensioni, l'affetto che legò i due fratelli rimase inalterato per tutta la vita e senz'altro rese meno difficili per l'Annina anni pieni di fatica e di umiliazioni, un'esistenza dura che lei sopportò di buon grado vedendo che quel suo sacrificio stava producendo, nei suoi ragazzi, i frutti che aveva sperato.

Trascorso qualche tempo dal ritorno dell'Annina al Prataio, la grande cucina fu divisa tra Telemaco e l'Ettorre, e una più piccola fu attrezzata per lei nella stanza a pianterreno dove l'Ulisse aveva dormito le sue ultime notti balorde; e quando a sera si ritirava nella sua parte di casa e apparecchiava la tavola con i figli di Cafiero, e li vedeva discutere di frivolezze come sanno fare solo i bambini, e non cessare mai di giocare in allegria, anche mangiando, e chiacchierare e lamentarsi e insomma essere vivi e insieme, allora davvero le pareva che questo fosse sufficiente per provare ancora ad addormentarsi nella stanza dove per anni sua madre aveva sognato la libertà, e affacciarsi a quella stessa finestra a guardare la collina e la tomba della Mena, e poi, nel letto, scivolare con il pensiero indietro nel tempo e nel sonno andare a trovare Cafiero per avere la forza, il giorno dopo, di ricominciare.

L'Annina visse così, dunque, tenendo assieme il passato e i suoi figli, e sciogliendo se stessa nella cera tirata sui pavimenti e sul mogano della scrivania di Telemaco, nei minestroni cucinati e nelle tovaglie rassettate, nelle urla dell'Enea, nello sprimacciare cuscini, dentro i mezzi sorrisi dell'Isolina. Le sue mani si creparono per la soda e la liscivia, e i capelli persero colore, annodandosi in una crocchia perenne. La fatica pensò a rigarle la pelle come un raspare di saggina sull'impiantito e il tempo, alla fine, per lei rischiò d'essere soltanto quello scandito dal ritmo del Prataio, dello stirare, dei bucati, dello spolverare, del ripassar l'argento, del cucito e del rammendo.

Furono i suoi figli a ricordarle che ne esisteva un altro, anche se limitato a poche ore del giorno e alle domeniche di libertà, quando tutti insieme salivano al Colle con la corriera a guardare il ballo della Filarmonica, o a sostare appena un minuto di fronte alla casa vicino alle mura, giusto il tempo per sentire una stretta allo stomaco e poi scappare prima che la nostalgia arrivasse a mordere il cuore, e scendere a passo allegro fino alla ferrovia lungo il sentiero che il Maestro e la vedova Bartoli avevano percorso assieme, a vedere le rotaie che l'avevano uccisa e il nocciòlo dove Cafiero aveva terminato la sua leggendaria capriola. E sotto quell'albero, seduti per far riprendere forza e fiato a Sole, i ragazzi si fermavano ad ascoltare dalle parole dell'Annina le mille storie di quel paese che stava dentro di loro e che, se pure potevano vederlo chiaro sulla collina, ora sembrava così diverso e lontano.

E ancora, un altro tempo era quello delle gite alla Pieve, a portare fiori e tener vivi i morti per difenderli dallo spregio dell'oblio. Tre tombe con nomi fratelli, e un'altra, al Prataio, quella dove i vestiti della Mena raccontavano una storia ancora diversa, un pensiero anche a lei per non dimenticare, «che quando ci dimentichiamo allora siamo scomparsi davvero» diceva l'Annina salendo sulla collina dei cipressi con Sole a cavalluccio di Ideale, la Filomena al suo fianco.

Questo fu il tempo che dette vita all'Annina, e lei lo restituì tutto ai suoi figli, li vide crescere, diventare ragazzi, e fare progetti su quello stesso tempo che lei, strofinando, lucidando, stirando e cucinando aveva regalato loro. Li sentì vivi e non ancora arresi, forti dell'intelligenza di Sole e dell'esuberanza di Ideale. Della sua generosità, lui che un giorno disse che avrebbe pensato a lavorare per tutti, tanto il genio di famiglia era il fratello. A lui sarebbe bastata la fornace, la Bonifica, i maiali o chissà cos'altro.

Sole, ridendo, annuì, e rispose che lui avrebbe studiato volentieri ma se il cuore gli avesse retto, un giorno sarebbe partito anche lui come lo zio di cui portava il nome, a scoprire un Oriente che aveva già cercato sulle carte e sui libri. Anzi, avrebbe portato con sé Ideale e – perché no? – anche l'Annina, ma la Filomena no, tanto lei non poteva capire il mistero di quei posti lontani. E subito cominciò a snocciolare un rosario fatto di Samarcande, di Karachi, Bombay, Benares e Rawalpindi, di Vladivostok, Ulan Bator e Rajahnipur, finché la Filomena non iniziò a piagnucolare, spaventata da tanto mistero e da tanta distanza.

Fu un altro tempo, quello sul colle dei cipressi, quando l'Annina vide l'entusiasmo di Ideale, il buffone, il magico e vulcanico Ideale, promettere e giurare sulla sua lingua: «Che restassi muto per l'eternità» disse ridendo, «se sopra questo luogo sacro alla nostra famiglia non costruirò per te una casetta piccina piccina, Annina, mammina, una piccola casina».

E ancora un altro tempo fu quello passato con l'Oreste, nelle poche volte in cui lui tornò al Prataio, ormai avvocato fatto. Per vivere preferì rimanere lontano dal Colle, dall'Ettorre e da Telemaco, quasi sempre all'estero, dove aprì anche uno studio. Ma quando tornò, ormai poteva parlare con la cugina con un po' più di libertà, e stare ancora disteso con lei sulla collina a immaginarsi il Prataio com'era stato un tempo, a confidarsi i reciproci segreti, le paure, le angosce. Fu l'Oreste a consigliare gli studi classici per Sole, di cui apprezzò l'intelligenza e la sensibilità. Lasciò al nipote molti dei suoi libri, e all'Annina un po' di soldi perché lo aiutasse in un'impresa difficile, che alla fine si risolse col diploma preso a pieni voti, le urla della felicità di Ideale, e le lacrime della Filomena che temette, dopo questo brillante risultato, di rimanere per sempre sola e senza più niente, spaventata per la promessa del fratello di partire finalmente per uno di quei luoghi misteriosi che amava sempre citare, e portarsi via l'Annina e il fratello, tutti dietro le tracce dello zio, a perdersi dietro l'Oriente.

Ideale rispettò la decisione che aveva preso e, nonostante i mugugni dell'Annina, appena fu in età di lavoro chiese e ottenne dallo zio di poter lavorare alla sua officina. L'Ettorre guardò sin dall'inizio con sospetto quella richiesta, diffidando di colui che, pur se poco più di un ragazzo, era sempre e comunque il figlio di Nocciolino, il sovversivo. Tuttavia accettò, ma fin dall'inizio dette ordine di osservare da vicino i comportamenti del nipote, di metterlo alla prova con i lavori più duri e antipatici. Che si sudasse il pane, diamine, e scontasse le colpe di suo padre, pensò. Ma nel tempo Ideale si dimostrò svelto, forte e puntuale, sempre pronto a dare una mano ai compagni, attento alle consegne e persino competente nelle questioni tecniche.

Ben presto all'Ettorre arrivarono pareri positivi e addirittura richieste di impiegarlo in qualcosa di più utile che non i lavori sporchi o la bassa manovalanza. Ci volle ancora qualche mese affinché si convincesse che quei pareri non erano piaggerie dettate da un riguardo verso il nipote del proprietario, ma alla fine acconsentì a passarlo alle macchine, alle costruzioni e alle altre attività nelle quali il giovane si rivelò, ancora una volta, eccellente, dimostrando una sua naturale propensione per la meccanica. Sin da quando si trovò a maneggiare torni, frese e rifilatrici, Ideale scoprì una vera e propria passione che scoppiò, letteralmente, quando il Morini, uno dei decani dell'officina, gli mostrò uno dei motori che un tempo erano stati l'orgoglio dell'Ettorre. L'anziano operaio gli insegnò a smontarlo, gli indicò le bielle, le pulegge e i cilindri, le camme, le valvole, i manicotti, gli parlò di alesaggi, di corse, di compressioni, di calibri, nominò virole, dadi, ugelli, brugole elencando, come Sole quando parlava dell'Oriente, la sequela magica dei nomi che permettevano a quell'ammasso di acciaio inerte di trasformarsi in un cuore pulsante, forte e potente, capace di spingere mille chili come il vento, di alzare un peso sino al cielo o di succhiarsi l'acqua dal Padule fino a tirare fuori la terra.

Ideale si innamorò di quel cuore di metallo che forse, in qualche modo, dentro di lui vendicava l'affronto di quell'altro, di carne, che invece scuriva le labbra di suo fratello e gli rendeva la vita così dura. Se ne innamorò pensandolo, sognandolo la notte, rimanendo a osservarlo anche dopo il turno di lavoro e poi, finalmente, tenendolo nelle mani pezzo per pezzo finché non sentì di averne trovato i segreti, scoperto le delizie e i difetti. Di averlo fatto definitivamente suo.

E questo suo amore diventò, nel tempo, totale, soprattutto da quando, una volta, Ideale si inoltrò con Sole in una lunga discussione teorica e fantascientifica sul futuro. Con la foga tipica della gioventù, i due fratelli si avventurarono in uno scenario che, partendo dalla meccanica dei motori, toccò il loro sviluppo, il progresso della tecnica, l'evoluzione dell'industria e, infine, le prospettive delle risorse. Fu proprio questo a colpire Ideale, che perso dentro il suo innamoramento per il motore a scoppio si trovò improvvisamente di fronte al problema della sua alimentazione. Alle spiegazioni di Sole sul ciclo degli idrocarburi e sull'inevitabilità, in proiezione, del loro esaurimento, fu preso infatti da una sorta di sconforto incredulo, quasi avesse realizzato in quel momento una verità irreparabile e tragica: il gioiello che lui amava, quel cuore potente capace di riscattare ogni debolezza, era destinato a morire proprio come quello degli uomini.

Per molte settimane questa considerazione lo ossessionò, pesandogli addosso e incrinando il piacere di trafficare in officina, di maneggiare gli attrezzi, di riparare un meccanismo. Ormai padrone del segreto dei congegni gli parve di non sapere più che farsene, e che tutto stesse ritornando un ammasso di ferro senza senso.

Ma una domenica pomeriggio, mentre con l'Annina e i fratelli se ne stava sotto il nocciòlo di fronte alla ferrovia, nella sua testa scattò qualcosa, un'intuizione, un'idea che fu oggetto, per anni, dello scherno bonario di Sole il quale, paragonando il fratello a Newton, sostenne che era stato colpito non da una mela ma da una nocciola, e i risultati sarebbero stati purtroppo proporzionali.

Disteso infatti sotto l'albero, gli occhi spalancati a guardare l'azzurro sopra di lui mentre sua madre ripercorreva ancora una volta la leggenda di Cafiero, Ideale vide chiaramente passargli davanti agli occhi, roteando come una trottola nel cielo, il fagotto nel quale era involtato suo padre, e questo roteare si ripeteva uguale e analogo a quello che, da quando era bambino, si era immaginato, nel cielo del Colle, nell'acqua del Padule e in tutte le occasioni in cui aveva pensato alla storia di Nocciolino. Era un movimento plastico, infinito. Perpetuo.

Improvvisamente gli sembrò di capire: se le risorse erano destinate a finire bisognava costruire un meccanismo in grado di creare un movimento che potesse fare a meno delle risorse. Si alzò di scatto e chiese scusa, disse che doveva fare una cosa urgente e corse a chiudersi nella sua stanza dove, in preda a una spasmodica frenesia, cominciò a schizzare meccanismi su tutta la carta che trovò disponibile.

Il giorno dopo corse a casa del Morini e iniziò con lui un fitto conciliabolo così misterioso da preoccupare non poco la Zaira, sua moglie. Finalmente, a sera fatta Ideale riuscì a convincerlo ad accompagnarlo dall'Ettorre, e al cospetto dello zio, grazie all'intercessione del vecchio meccanico che godeva della sua stima incondizionata, parlò per un'ora buona di meccanica calibrata, di orologeria idraulica, di elastica e dei principi convettori incrociati. L'Ettorre finse di capire, annuì ascoltando le indicazioni che il nipote gli suggerì srotolandogli di fronte il disegno di un ingranaggio oleodinamico tedesco del quale, in realtà, non comprese neppure l'orientamento. Convenne, con un certo interesse, sull'importanza delle risorse, tema caro anche al Duce di Roma specialmente in quel momento di sanzioni economiche, in cui la Patria era chiamata a resistere a un attacco vile che voleva minarne la forza, e alla fine acconsentì a che Ideale potesse impiegare per i suoi esperimenti gli scarti meccanici dell'officina e lavorare nella vecchia stalla ch'era stata di sua madre.

Sotto la trave dove un tempo s'era impiccato l'Ulisse, il figlio dell'Annina da quel giorno cominciò così a montare il suo sogno fatto di stantuffi, di pulegge, di cinghie e di leve dinamiche. Appeso a scale, sdraiato sotto putrelle, chino sopra ruote dentate, Ideale avvitò all'acciaio il desiderio di dare al movimento una durata infinita, di creare qualcosa che non si fermasse, che fosse continuo ed eterno come l'amore che lui sentiva per la vita, che fosse in grado di trattenerla e non farla mai scappare via, qualcosa che racchiudesse la stessa forza, la stessa speranza che, prima di lui, suo nonno e suo padre avevano cercato dentro l'utopia.

L'Ecuba e la Penelope tornarono dal collegio ormai signorine fatte, occupando nuovamente le stanze del Prataio che per tanto tempo erano rimaste ad aspettarle e portando, con la loro gioventù, altro fuoco alle smanie borghesi della Rina. Dopo aver fatto e disfatto più volte l'arredamento di casa, dopo aver preteso l'aiuto di una cameriera e un autista che l'accompagnasse nei suoi giri in città, la Rina colse l'occasione del ritorno delle figlie per dare inizio a una nuova ondata di ristrutturazioni.

Per prima cosa pretese e ottenne di smembrare la vecchia, grande cucina che per anni era stata l'elemento di congiunzione delle tre famiglie, giudicando quella comunione come il retaggio di un'usanza contadina barbara e maleducata, un tacito e quasi sacrale obbligo di consumare i pasti riuniti che causava un via vai continuo di persone davvero sconveniente, senza parlare della mancanza di riservatezza.

Molto meglio una cucina indipendente e, a parte, una grande sala per pranzare come gente civile, locale che fu presto ricavato cambiando la disposizione delle camere, facendo abbattere un paio di pareti e comprando un tavolo da banchetti talmente grande che, qualche anno più tardi, i generali alleati non ebbero difficoltà a stendervi comodamente le carte topografiche di tutta la regione.

Nel nuovo salone voluto dalla Rina l'Ecuba e la Penelope prima, e in seguito anche la Didone, dettero le loro feste danzanti finché i cannoni di mezzo mondo non cominciarono a suonare ben altre danze, giocarono a canasta e occuparono così, come si doveva, un posto nella buona società secondo quelle maniere che avevano appreso in tanti anni di collegio.

Utilizzato in tal modo il pianterreno, dunque, la Rina trasferì tutte le camere al piano superiore e si sfogò nell'arredarle con un trionfo di stucchi dorati e di specchi, di armadi veneziani dalle ante dipinte, applique e cornici, ninnoli e tendaggi damascati, tanto che lo stesso Ettorre, che in fondo era rimasto un uomo pratico ed essenziale, provò sempre una certa soggezione a muoversi tra quelle pareti.

Fu durante una delle feste del Prataio che Sole conobbe Natalia. A quei ricevimenti i figli dell'Annina non venivano mai ufficialmente invitati, e loro stessi si guardavano bene dall'avvicinarsi al salone pieno di musica e ai gruppi di ragazzi che sostavano nei vialetti del giardino. E se a Ideale, preso totalmente dai suoi progetti meccanici, questa esclusione non pesò mai più di tanto, Sole la sentì sempre come un affronto stupido e ingiusto, tanto più che, frequentando lo stesso istituto scolastico della Didone, conosceva personalmente molti degli invitati.

Così, durante le chiassose feste delle cugine, preferiva restarsene chiuso in casa, andarsene per la campagna a passeggiare, oppure salire sulla collina dei cipressi a leggere un libro, buttando ogni tanto uno sguardo con finta noncuranza sui movimenti sotto di sé. Fu lì che Natalia lo trovò. S'era allontanata dalla bolgia per confidarsi in santa pace con la sua amica Leda, passare una mezz'ora tranquilla e magari trovare un luogo appartato per fumare un'Arabia al riparo da sguardi indiscreti.

Insieme, tenendosi a braccetto, le due amiche girarono dunque attorno al giardino lentamente, per non dar troppo nell'occhio, intessendo un fitto ciarlare così da scoraggiare qualsiasi intromissione che avrebbe potuto impedire la fuga, e infine, quando già erano defilate, iniziarono a salire verso la collina compiendo il giro più largo. Pertanto arrivarono alle spalle di Sole, il quale preso dalla lettura si avvide di loro all'ultimo minuto: sentendo il fruscio dei passi sull'erba lui si girò per alzarsi proprio nel momento in cui Natalia, gli occhi chiusi in una specie di estasi, aspirando una boccata voluttuosa, arrivava sulla cima della collina. Appena la ragazza li riaprì, nel vedersi di fronte Sole mezzo sdraiato, la faccia sorpresa, si bloccò con la sigaretta a mezz'aria, mentre la Leda, come sempre allegrissima, scoppiò in una risatina mal trattenuta.

Si conoscevano di vista i tre, essendosi spesso incrociati nei corridoi dello stesso liceo. Dunque Sole allargò un sorriso e buttò là un «Ciao» mezzo imbarazzato, mentre Natalia, ritornata padrona di sé, disse:

«Spero tu non sia di quegli uomini che giudicano una ragazza una poco di buono per un po' di tabacco.»

Alzandosi da terra Sole, sempre intimidito disse che no, certamente no, no, di sicuro. E poi, il libro in una mano, rimase impalato a guardarla. Natalia allora avanzò di un passo, e facendo finta di tirare un sospiro di sollievo disse:

«Allora non ti dispiace se continuo» e poi, andando verso il ciglio che dava sul Prataio dette un gridolino:

«Guarda Leda, di qui si può vedere tutto quanto, fino alla Bonifica e oltre.»

«Dunque tu sei una spia» fece poi all'improvviso rivolta a Sole, il quale si schernì, rise, e alzando la mano con il libro disse che sì, si fingeva lettore per spiare tutte le tresche del liceo.

«Certo» rilanciò, «e se no che ci fai qui invece d'esser sotto a ballare?» concluse lei maliziosa.

Sole ebbe un accenno di smorfia e mentre già rispondeva «No, realmente leggevo» la Leda all'improvviso ricordò:

«Ma tu non sei il cugino della Didone Bertorelli?»

«Sì, mi chiamo Sole» disse lui tendendo la mano verso le ragazze, «ma non c'è molta simpatia tra le nostre famiglie, e dunque...»

La Leda fece un cenno con la testa, come per dire che capiva, ma intanto fra i tre era sceso un velo di imbarazzo, cosicché Natalia prontamente cercò di romperlo domandando:

«Montecchi e Capuleti?»

«Per l'appunto» sbottò Sole ridendo, e voltò la copertina del volume che aveva in mano e che rivelò essere *Romeo e Giulietta*.

«Attento che Natalia è una strega» fece allora la Leda, e il ghiaccio fu definitivamente rotto, così che le due ragazze si sedettero per un'ora buona con Sole a scherzare e chiacchierare, ad ascoltare le storie della sua nonna e del balcone demolito dalla gelosia dell'Ulisse, dei cipressi sotto i quali adesso sarebbero stati seduti se la follia non avesse abbattuto anche quelli e della collina dove si trovavano che era, in fondo, l'unica cosa che appartenesse a Sole assieme alla tomba della Mena morta di spagnola, finché da sotto qualcuno cominciò a urlare i loro nomi e così decisero di scendere.

«Meglio che andiamo» disse congedandosi la Leda, «altrimenti tra dieci minuti ti ritrovi una ciurma di scalmanati a distruggere le tue proprietà.»

Natalia si congedò con un arrivederci che gli fece subito accelerare i battiti irregolari del cuore, cuore che si innamorò definitivamente quando lei, ormai avviatasi verso il Prataio, all'improvviso si voltò, fermandosi un istante per fargli un ultimo saluto, e agitando la mano urtò i capelli che si alzarono verso il cielo proprio nell'attimo in cui l'ultimo sole del tramonto le colpiva il volto. Fu un momento brevissimo, forse poco più di un niente, eppure sufficiente a imprimersi dentro di lui e a non lasciarlo più, a tenergli compagnia per le ore e i giorni seguenti, per tutti gli anni in cui amò Natalia seguendo il saltellare dei propri battiti e del fiato zoppo, senza riuscire a stare mai al passo con tanta bellezza.

Forte di quell'immagine Sole cercò ancora Natalia nei corridoi della scuola – e lei si lasciò volentieri cercare –, si trattenne oltre il dovuto in città per accompagnarla in lunghe passeggiate nelle quali lei si lasciò volentieri accompagnare, le continuò a dire del Prataio e dell'Ulisse, della Rosa e della leggenda di Nocciolino, le parlò dei sovversivi e di quando la Bonifica era il Padule con parole che lei rimase volentieri ad ascoltare, e infine la fece innamorare raccontandole la storia dell'infinita passione tra il Maestro, suo nonno, e la vedova Bartoli.

Natalia si abbandonò così ai racconti di quel ragazzo gracile ma gentile, arguto e pungente. Ammaliata dalla magìa delle parole, si lasciò abbracciare da quelle e sul loro morbido tappeto si distese così come avevano fatto la Rosa e l'Annina partorendo sotto le mani della Maddalena. Si fece fasciare, accarezzare e avvolgere, e non le importò nulla se non erano braccia d'acciaio e muscoli d'atleta, ma solo cuscini di sogni e speranze, vento disperso di un tempo ormai passato.

Si lasciò scivolare accanto al cuore zoppicante di Sole, vicino al suo respiro corto e spesso affannato. Si mise al riparo delle sue parole, abbracciò il suo corpo di cristallo e decise che lo avrebbe amato.

Il compimento della maggiore età della Penelope fu celebrato con un ballo che si prolungò fino a notte fonda, riempiendo il salone con i rampolli dei più bei nomi della città, per la gioia della Rina che vide, in quello splendore di gioventù e di ricchezza, il proprio trionfo definitivo.

Alla festa delle sorelle non mancò di partecipare l'Oreste che arrivò espressamente dalla Francia su una motocicletta rossa e cromata, facendo uno scenografico ingresso al Prataio con un rumore di tuono che sovrastò per qualche momento il saltellio dei fox-trot. Fermatosi con una frenata che rigò per dieci buoni metri il ghiaino del viale, sollevò un nuvolone dal quale emerse come neanche un dio greco, in giacca di pelle e occhialoni sopra un caschetto di cuoio, subito sommerso dai baci della Didone, dell'Ecuba, della Penelope e dall'ammirazione dei tanti giovanotti che senz'altro videro in quell'apparizione il manifestarsi di un modello virile superbo.

Lasciate le sorelle e la motocicletta agli invitati, dopo aver salutato i presenti e i genitori, non tardò con una scusa a defilarsi per andare ad abbracciare l'Annina e salire con lei come un tempo sulla collina dei cipressi a parlare dei loro segreti.

Fu ancora una volta lui a tenerla legata al mondo, a dirle di quello che si muoveva fuori dal Colle e dall'Italia, di quello che si andava preparando per un futuro che non pareva, da qualsiasi parte lo si guardasse, un futuro sereno. Fu l'Oreste a dirle di come in Francia avesse conosciuto, esule, un socialista che gli aveva parlato del Maestro e del Colle, un tal Ranieri, fratello di un Maniero di cui sembrava anche a lui di ricordare qualcosa. A quel nome l'Annina quasi sbiancò, come se il passato sempre e ancora le ritornasse addosso con tutta la forza. Maniero, certo, smembrato a Milano dalle cannonate del Re, l'amore di Libertà, la sua cognata che riposava alla Pieve. E dunque le dicesse l'Oreste di questo Ranieri e di quello che si stava facendo in Francia, ma piano e con cautela, ché anche se il Soldani e le sue squadre erano sparite da un pezzo, le spie erano dappertutto, erano gocce di pioggia, zanzare, refoli di vento che ti arrivavano alle spalle e all'improvviso.

Ascoltò, l'Annina, e sentì nelle parole del cugino la stessa passione per la libertà che aveva sentito nei discorsi di Cafiero, che aveva potuto vedere tra i canali del Padule quando ancora la Bonifica non aveva fatto emergere la terra e messo a tacere la dignità. Stesa accanto all'Oreste che parlava, l'Annina sentì nuovamente scorrere dentro di sé qualcosa che credeva di aver per sempre scrostato con gli strofinacci e le saggine, a forza di capo chino e di ubbidienza, annegata nell'abitudine e nel silenzio, e così le sembrò che se un moto infinito c'era, se davvero esisteva quello per cui suo figlio spendeva le notti tra cardini e bandelle, era la voglia di immaginarsi altro, di poter essere liberi di pensare, e parlare, e viaggiare, e amare anche quello che la ragione suggerirebbe di non amare.

Così, prese per mano il cugino e gli chiese di seguirla, scese dalla collina e lo accompagnò alla vecchia stalla. Bussò, e dopo un attimo Ideale aprì, abbracciò con affetto l'Oreste e guardò con riconoscenza la madre.

«Vieni» disse poi all'ospite, «credo che mamma volesse farti vedere questo.»

Attraversarono la stanza, che all'Oreste più che altro sembrò un piccolo garage, un ripostiglio dove, in una confusione indescrivibile, stavano pezzi meccanici, rotoli di disegni, matite, libri impilati, diagrammi appesi ai muri e, in un angolo, una branda che assomigliava, in tutto e per tutto, alla cuccia di un cane.

Sull'uscio del locale attiguo Ideale si fermò, e un secondo prima di premere l'interruttore, disse:

«Guarda...»

La luce inondò la vecchia stalla in cui l'Ulisse s'era impiccato. L'Oreste se la ricordava bene, e così rimase pietrificato sulla soglia riuscendo solo a sussurrare:

«Mon Dieu!»

Quello che un tempo era stato il più grande locale del commercio dei Bertorelli e poi il vasto magazzino dell'officina era adesso occupato interamente da una costruzione indefinibile, una sorta di gigantesca scultura di acciai, tubi, ruote e fili, qualcosa allo stesso tempo di incongruo e armonico, di sgraziato e sublime. Un capolavoro, l'Oreste pensò.

Senza dir nulla Ideale si avvicinò al frontale di quell'ammasso, da dove spuntava una manovella. Si chinò e dette un solo, unico, lento giro. Immediatamente quel groviglio inerte iniziò a cigolare, le ruote si mossero, le cinghie partirono, gli ingranaggi cominciarono a girare e tutto quanto prese vita, sembrò dondolare, ansare, pulsare come un organismo reale.

L'Oreste, la bocca aperta, contemplò in silenzio quell'orchestra di ferri e infine, rivolto a Ideale chiese:

«Ma come funziona?»

«È un po' complicato da spiegare così» disse lui, e intanto già aveva messo un braccio all'interno della macchina, verso un ingranaggio, e con una chiave stava armeggiando su un bullone.

Allora l'Oreste si voltò verso l'Annina, e incredulo le domandò:

«Ma insomma, Annina, che cos'è?»

«In verità non saprei spiegarti nemmeno io» gli disse la cugina stringendosi nelle spalle, «so soltanto che lui l'ha chiamata "Libertà".»

L'Annina guardò Sole innamorarsi con l'apprensione con cui avrebbe guardato un fiore sotto una tempesta. Memore delle avvertenze con cui per anni i medici le avevano raccomandato la prudenza per quel ragazzo di cristallo, si divise tra la felicità per quella passione nascente e il timore che un'emozione forte, un dispiacere profondo, una delusione patita da suo figlio potessero recargli un danno irreparabile.

Ma, al di là di queste sue naturali preoccupazioni di madre, ben altre inquietudini stavano affacciandosi sull'orizzonte del Colle, ed erano le voci sempre più forti che, dopo la conquista dell'Impero, ora parlavano sempre più apertamente di guerra. In tutti quegli anni l'Annina era riuscita ad allevare e rinforzare quel figlio nato con tanta fatica e, così come aveva curato lui, aveva protetto umiliandosi Ideale e la Filomena da Telemaco e dalla prepotenza di chi le aveva ucciso il marito, ma ora si sentiva impotente di fronte a un'eventualità tanto grande, a questo nuovo temporale che sentiva rombare all'orizzonte, alla paura che i suoi figli potessero fare o dire qualcosa che scatenasse l'ira di quelle belve.

Temeva l'intelligenza di Sole, il suo saper riflettere, i ragionamenti colti e pungenti con cui, nelle discussioni domestiche, analizzava spesso i fatti della politica; temeva per la Filomena che vedeva crescere come una ragazzina incerta e indifesa; e temeva soprattutto per Ideale, per quel suo carattere aperto e guascone, per il suo genio che non avrebbe certo sopportato a lungo la stupidità che lo circondava, soprattutto adesso che si apprestava a essere chiamato al servizio militare.

Spesso sognava la guerra, l'Annina, sognava i cannoni che sparavano la febbre spagnola sopra il Prataio, e lei che correva a destra e a manca per cercare di raccogliere microbi grandi come palle di spingarda, che non cadessero addosso a nessuno, che non sfiorassero né un animale né una casa. Poi s'alzava per iniziare la giornata e sentiva che tutto, attorno a lei, ancora parlava di guerra.

Ne parlavano i suoi ragazzi, già a colazione, ne parlava l'Ettorre con Telemaco discutendo del futuro dell'officina, e ne parlava la Rina, pensando all'Oreste e alla Francia. Anche nel modo in cui la gente si muoveva, da come pareva trasformata dalla frenesia o dalla preoccupazione l'Annina vedeva la guerra. La vedeva negli oggetti quotidiani, cose mai prima sentite nominare, nella contraerea, nelle maschere antigas, nei rifugi. Persino i maiali all'Annina pareva parlassero di guerra, con quel loro grufolare fitto fitto, come una massa in fermento.

Tutto parlava della guerra, e alla fine di tanto parlare il Duce di Roma chiamò davanti a sé l'Italia e finalmente dal suo balcone parlò a tutti della guerra. La dichiarò, l'annunciò con una proclamazione spettacolare, la urlò così forte che la sentirono fino al Colle sparata dagli altoparlanti sulla vecchia piazza del borgo gremita di gente, mentre tutto lo stato maggiore del Partito, Telemaco in testa, se ne stava schierato alla finestra del Palazzo Comunale.

La Rina non si lasciò scappare neppure quell'occasione per dare una festa che avrebbe dovuto sancire una nuova era di trionfi. In verità, assieme alla massa che aveva accolto con urla di evviva l'inizio di un'immane sciagura, non furono pochi quelli che, specialmente verso la Piana, l'accettarono con un sinistro brivido al ricordo di quanta disgrazia già un'altra guerra aveva portato da quelle parti. L'Ettore stesso, pensando a quanto Paride e Ganimede avevano patito nelle trincee, espresse i suoi dubbi a Telemaco e ad altri notabili, i quali non esitarono ad assicurargli che quello sarebbe stato un conflitto velocissimo, nel quale era bene entrare a fianco di potenti alleati per poter avere il massimo risultato col minimo sforzo.

L'Enea fu tra i primi a partire, salutato dall'ennesimo ballo d'addio con cui la Rina volle gratificare l'eroe di famiglia che andava a riconquistare per la patria la Corsica, Nizza e la Tunisia. Per l'occasione pensò di creare una coreografia indimenticabile, così che il nipote e gli altri giovani militari avrebbero dovuto conservarne il ricordo negli occhi quando la tradotta li avrebbe condotti al fronte, quando, baionetta in resta, avrebbero assaltato le linee nemiche, e infine quando, trionfanti, avrebbero fatto il loro ingresso a Parigi. Pertanto addobbò il salone con festoni tricolori, scelse accuratamente i musicisti, li volle vestire con divise militari e studiò una sorta di regìa che prevedeva all'entrata del festeggiato un'accoglienza a sorpresa degli invitati, con inno nazionale e applausi.

Come suo uso l'Enea si comportò da gran maleducato. Mentre, già vestito nella sua smagliante divisa di sottufficiale se ne stava in disparte, sul retro del Prataio, appoggiato al muro a fumarsi l'ultima sigaretta prima di scendere in giardino e fare il suo ingresso trionfale nel salone, da fuori vide la Ida entrare in una stanza vicina a lui. Dalla porta finestra accostata la intravide mentre si sfilava la blusa di fatica, pronta a indossare la divisa da cameriera, grembiulino e crestina, che la Rina aveva preteso per il servizio.

L'Enea si avvicinò. La Ida, mezza nuda, andò alla toilette smaltata e, in fretta, si buttò dell'acqua sul volto e sul petto, gli occhi chiusi, strofinandosi con forza la faccia. Quando li riaprì vide di fronte a sé, al di là della porta, l'Enea che, con la sigaretta in mano, l'ammirava immobile. Aveva il cappello in testa, l'alta uniforme: bello, disegnato sullo sfondo verde del prato, in quell'istante le sembrò un miraggio, una fotografia, forse persino un sogno, un Amedeo Nazzari ancora più irreale. E lei probabilmente si sentì Luisa Ferida, o Greta Garbo, ma di certo non l'Ida del Pellai, la serva della Rina.

Poi Gary Cooper toccò appena le ante, la portafinestra si spalancò e, sempre guardandola fissa nel volto, Osvaldo Valenti soffiò nella stanza una lunga voluta di fumo. E quando Clark Gable le circondò le spalle con un abbraccio l'Ida quasi svenne, e l'unica cosa che si sentì dire fu un «No, signorino…» timido e flautato, che era un invito palese a continuare.

L'esito dell'entrata, dunque, non fu dei migliori, poiché, visto che i musicisti e gli invitati erano pronti, la Rina disse a qualcuno d'andare a cercar l'Enea ché intanto tutti quanti, così come aveva previsto la sua coreografia, sarebbero passati da dietro, per fare il loro ingresso a sorpresa nel salone al momento opportuno.

Fu così che arrivando sul retro della casa il numeroso gruppo degli invitati, la Rina in testa a far da guida, si trovò di fronte al groviglio dell'Enea e della Ida che, sdraiati sul pavimento, stavano festeggiando l'entrata in guerra in quel modo piacevole ma poco marziale.

E al colmo della confusione, così come previsto dal

copione, vedendo comparire al di là della porta del salone la Rina che, disperata, urlava il nome del nipote, il maestro credette bene di dare il via all'inno nazionale, e dunque conferì a quel momento una solennità imprevista, che certo fece sorridere più di uno al Colle e al Prataio, rendendo ancora più boccaccesca la situazione, e facendo dimenticare, ancora per qualche giorno, che la mattanza era appena cominciata.

Sole parlò di Ideale all'improvviso. Stava tenendo Natalia per mano, e camminava verso la stazione dove avrebbe preso il treno per tornare al Colle, ma in realtà gli sembrava di scivolare, perso com'era dentro l'amore. La nebulosa morbida nella quale si muoveva scomparve all'improvviso non appena si rese conto che non le aveva ancora mai detto di Ideale. Come colpito da un'esplosione si fermò, e a Natalia che lo guardava sorpresa, domandandosi cosa mai gli fosse preso, disse:

«Ti devo far conoscere un genio» e così le parlò del suo gemello, della persona a cui si sentiva legato e stretto come al proprio respiro, della sua allegria, della generosità, di tutto quello che lui non era e che invece stava dentro il nome del fratello.

Non passò dunque molto tempo prima che i due si conoscessero e che Sole, davvero emozionato, presentasse Natalia a Ideale, e rimanessero a lungo insieme a parlare, e spesso, di quella sua mania della meccanica, senza peraltro che Sole riuscisse a convincere il fratello a mostrare la sua macchina alla ragazza.

«Via, non son cose interessanti» si schermiva – oppure rifiutava dicendo che non era ancora a punto, che non era ancora il momento, che stava lavorando a una nuova idea.

Natalia rimase colpita da quel ragazzo così diverso da Sole, che gli era gemello e invece pareva essergli complementare. Quanto questi era delicato e taciturno, tanto l'altro atletico e ciarliero, uno lento e calmo, l'altro scattante e nervoso, timoroso e a volte incerto Sole, sicuro e guascone il fratello. Di entrambi imparò ad apprezzare la sincerità e la gentilezza e, nel tempo, accanto all'amore che provava per Sole, sentì, chiaro, il grande affetto che la legava a Ideale e alla fine si convinse che, al di là delle apparenti differenze, il legame che unisce due gemelli è davvero sottile e sotterraneo, non visibile alla luce ma palpabile e reale per chi, come lei, aveva unito a uno dei due un pezzo della sua vita. Giorno dopo giorno, parlando con Sole si accorse così di avere aperto un discorso anche con Ideale, e a forza di stargli vicino percepì d'essere scivolata in un punto che la poneva esattamente in mezzo a due metà che erano, da tutte e due le parti, materia d'amore.

Di questo all'inizio non si preoccupò, ché non è sempre cosa facile distinguere una contiguità così ravvicinata. Ma un giorno, dopo aver salutato Ideale che l'aveva accompagnata alla stazione, sul treno si sorprese a pensare con intensità a lui, a desiderare di conoscere qualcosa di più di quel tanto che già sapeva. Lasciandosi dondolare dal movimento della carrozza, le piacque pensare di essere uno degli elementi delle macchine fantastiche che fino ad allora lui le aveva sempre e solo descritto, un giunto cardanico, una ruota dentata che, messa in moto da lui, non si sarebbe mai fermata incorporando ogni sussulto, ogni energia, ogni traiettoria della vita.

Così decise di scendere subito alla Bonifica e si fece riportare da un'auto al Prataio, dove andò dritta alla vecchia stalla e bussò.

«Voglio vedere "Libertà"» disse quando Ideale aprì, e dal suo sguardo, dalla decisione con cui lo spinse di lato lui comprese che ogni tentativo di arginare quel desiderio sarebbe fallito.

Così le fece strada, le mostrò il meccanismo, e rimase a osservarla mentre lei, immobile, cercava di cogliere con gli occhi l'origine del movimento, ascoltando estasiata il cigolio di quella sinfonia d'acciaio. Natalia si accostò alla macchina, la volle toccare, fece domande e seguì con attenzione complesse spiegazioni sull'elasticità dinamica e sulla meccanica idraulica. Si addentrò con lui all'interno del macchinario, nel cuore di quel movimento lento e armonioso, si lasciò affascinare dall'intrico di elastici e di bulloni, si fece rapire dall'ondeggiare delle cinghie, dal ruotare degli snodi e dei cardini, e quando infine Ideale l'abbracciò le parve che quella stretta fosse il porto più naturale per la vertigine che l'aveva circondata.

Come il movimento che Ideale tentava di ingabbiare, l'amore di Natalia rimase imprigionato dall'acciaio di una macchina che pure si chiamava "Libertà" e dalla paura di incrinare irreparabilmente il cristallo di Sole. Sciolta tra le braccia di Ideale mentre attorno a loro il meccanismo pulsava come un enorme cuore, Natalia sentì d'essere prigioniera della sua forza come lo era della fragilità del fratello, di desiderare quel movimento d'acciaio e di amare allo stesso modo l'altro respiro, sottile come un filo.

E a Ideale, che dopo il primo bacio avrebbe voluto inondarla delle stesse domande che lei già si era rivolta, chiese per favore di tacere, di non pensare ora, in mezzo a quella instabilità, a qualcosa che avrebbe reso ancora più incomprensibile ciò che le era oscuro, misterioso e inquietante.

«A meno che» gli disse «tu non sappia costruire una macchina che produca l'amore perpetuo, e sappia rendere felice ogni amato e perdonato ogni amante.»

Tornata a casa, quella sera Natalia non dormì, cercando invano di capire l'amore e quella sensazione di essere innamorata di una persona desiderandone due, di stringerne due fra le sue braccia ed essere innamorata di una soltanto. Da qualsiasi parte guardasse il problema non riusciva a trovare una soluzione e ancora le sembrava di trovarsi inghiottita nel ventre della macchina di Ideale, là dove ogni verità pareva possibile, fragile e resistente, potente come l'acciaio e labile come i fili di seta che legavano le sue mille bandelle. E se da queste si spostava tra le braccia di Sole, vi sentiva tutta la forza della sua fragilità, della profondità e delle parole con cui lui era capace di tenersi vivo, e dare vita al mondo. E così, per ore, continuando a spostarsi tra l'amore dei due fratelli rimaneva perfettamente in mezzo, divisa tra il desiderio di amarli e il timore, nello stesso tempo, di tradirli.

Per diversi giorni rimase in città, chiusa in casa, dicendosi malata, che malata di qualcosa davvero lo era, e le pareva di non essere più in grado di capire, di ragionare, persino di parlare, così che si decise a scrivere, per vedere se fermando sulla carta i pensieri potesse arrivare alla soluzione di un problema che soluzione sembrava non avere.

Scrisse due lettere. Nella prima elencò le ragioni dell'amore. Pensò al respiro di Sole e lo allargò con tutta la passione che conosceva. Scrisse prendendo la forza che aveva conosciuto da Ideale per travasarla dentro a suo fratello. Scrisse parole a cascata, inondando quella lettera con l'armonia che aveva visto scivolare tra gli ingranaggi di "Libertà". Scrisse pensando al Maestro e alla vedova Bartoli, con lo spirito svagato e sognante che aveva conosciuto nelle storie di un Colle ormai scomparso, e con le stesse lacrime felici con cui la Rosa pianse rapita dall'amore per il suo Sole, e l'Annina per il suo.

La seconda fu una lettera d'abbandono, nella quale si lasciò scivolare nella tenerezza e nella nostalgia, pensando a tutto quello che avrebbe potuto essere e invece non sarebbe più stato, all'acqua del Padule prosciugato, al balcone della Rosa e ai cipressi su cui l'Ulisse aveva abbattuto la sua follia. Scrisse dell'impossibilità di trattenere il movimento, dell'utopia, del dolore d'essere liberi, del viaggio di Sole verso Oriente in cerca di Paesi che chissà se mai sarebbero esistiti. Scrisse una lettera fragile e dura, una lettera che, accarezzando, graffiava come sempre graffia un addio inevitabile. Poi chiuse la prima in una busta bianca, e la seconda in una rosa, rimandando alla mattina successiva ogni decisione.

Esausta, svuotata dalle parole e da ogni peso, Natalia s'addormentò, e finalmente scivolò in un sonno lungo, confuso, nel quale ogni aggettivo che aveva scritto si gonfiò, le frasi si arrotolarono su se stesse, i verbi e i sostantivi esplosero come in una violenta febbre terzana che al suo risveglio, molte ore dopo, la lasciò riposata e più leggera.

Si alzò, andò alla scrivania e vedendo le buste ricordò. Allora si sedette, mise la lettera rosa alla sua sinistra e la bianca a destra. Poi strinse forte gli occhi, e nel minimo istante di luce che il buio concede alla mente prima di impossessarsene del tutto vide brillare il volto di Ideale e finalmente sentì la felicità arrivare, invaderla, salire leggera come una spuma.

Forse fu per la fretta di fermare quella felicità, per la paura che svanisse nuovamente nella confusione, o forse fu solo perché le cose accadono senza dar retta alla nostra volontà, e davvero è impossibile costruire un meccanismo che imbrigli ciò che non si può imbrigliare, ma Natalia, quella mattina, sulla busta bianca scrisse il nome di Sole e su quella rosa quello di Ideale, convinta d'averlo legato per sempre al colore dell'amore.

E mentre lei scriveva l'assurda sceneggiatura di un equivoco, il filo sottile che dalla nascita legava i due gemelli condusse Sole fino davanti a "Libertà". Ideale era piegato sugli ingranaggi ad armeggiare e quando lo vide entrare si tirò indietro rimanendo in silenzio, immobile a guardarlo. Tra loro non c'era bisogno di troppe parole.

Sole semplicemente si sedette, la schiena appoggiata alla macchina, e per qualche minuto entrambi continuarono a rimanere muti, finché il suo sguardo si fissò interrogativo su un cumulo di ruote dentate e di putrelle.

«La sto smontando» disse allora Ideale.

Sole rispose con una risata.

«Sei il solito sbruffone» disse, «sarebbe come svuotare il mare perché la gente ci annega dentro.»

Risero insieme, fino alle lacrime.

«Verrà?» chiese Ideale, quando si fece silenzio.

«Verrà» rispose il fratello, «e uno di noi sarà felice per l'altro.»

Natalia invece non arrivò. Arrivarono le sue lettere e Sole, riconoscendo la calligrafia, l'aprì con le mani tremanti e le labbra ormai viola per l'emozione. Subito dopo averla letta andò alla vecchia stalla dove trovò Ideale che come al solito stava lavorando attorno a "Libertà".

«Natalia mi ha scritto una lettera d'amore» gli disse entrando.

Ideale alzò lo sguardo, gli sorrise e poi si rimise a trafficare sugli ingranaggi.

«E tu adesso che fai?» gli domandò Sole con una punta di preoccupazione.

«Non lo vedi?» rispose il fratello indicando il meccanismo. «Rimonto questo bestione.»

Natalia vide da lontano Sole che arrivava e si sentì mancare il respiro. Convinta d'avergli spedito la lettera d'abbandono temette di non essere in grado di reggere il suo sguardo, che già nel vederlo di fronte, il passo affrettato, tutte le certezze conquistate le sembrarono frantumate in un istante.

Dunque si bloccò ad attenderlo, e lui arrivò, rimase immobile davanti a lei per un lungo minuto, poi allargò il più felice dei sorrisi e l'abbracciò. Mentre, sfiorandole con la bocca i capelli, le sussurrava all'orecchio le stesse frasi con cui lei aveva tentato di spiegare l'amore, Natalia ancora non capiva, persa com'era nella convinzione di dover arginare il dolore di un abbandono. Invece erano baci, braccia che la sfioravano, una delicatezza che adorava, erano le sue stesse parole che ora le tornavano dalla bocca di chi non avrebbe dovuto conoscerle mai.

Un poco alla volta, affogata in un abbraccio, Natalia capì. In piedi, sul viale che portava alla stazione, si rese conto dell'inganno che aveva teso a se stessa e a quell'uomo. Di fronte a un amore incoraggiato dalla sua maldestra approvazione, sentì riannodarsi il gioco dei rimandi che aveva creduto di bloccare con due stupide lettere e vide tutto rimettersi in movimento proprio come nella macchina di Ideale. Così, istintivamente, strinse forte Sole nel tentativo di bloccare quel moto infinito, e lasciò che lui credesse a quella stretta fortissima come al sigillo di un desiderio scritto sulla busta sbagliata.

Pianse, e non avrebbe saputo dire nemmeno lei se per rabbia, paura o felicità. Pianse, e continuò a stringerlo per esser sicura di volere il suo amore, di sentirlo ancora emergere dal cristallo del suo respiro e tenerlo finalmente con sé. Per non lasciarlo scappare, trascinato via dalla corrente del movimento.

Natalia e Sole da quel giorno rimasero insieme. Insieme continuarono gli studi e qualche mese dopo, insieme, salutarono Ideale che partì alla volta di Roma, per il suo servizio militare. Andarono a prenderlo alla vecchia stalla, dove lui aveva passato la notte assieme al Morini a imballare gli ultimi attrezzi e dare un po' di ordine alle sue cose. Col bagaglio già pronto Ideale chiamò il fratello vicino a sé e gli spiegò dov'erano le carte e i progetti di "Libertà", quindi gli dette le chiavi della stalla e lo pregò di vegliare sulla sua macchina.

Poi, assieme alla Filomena, si avviarono tutti a piedi verso la stazione, perché Ideale volle passare ancora una volta lungo la ferrovia, a dare un ultimo sguardo al nocciòlo di Cafiero. Arrivato all'albero, volle sedersi un minuto là sotto per guardare il Colle dallo stesso punto da cui l'aveva visto fin da bambino. Sole come sempre lo prese in giro, e disse a Natalia di Newton e della nocciolina, così arrivarono alla stazione ridendo, di un buonumore che durò fino all'arrivo del treno.

Non ci fu bisogno di troppe raccomandazioni tra i fratelli. La Filomena scoppiò a piangere, e Sole dovette consolarla mentre Natalia regalava a Ideale l'ultimo, lunghissimo abbraccio con cui egli impresse per sempre su di sé il ricordo di un corpo che non gli era mai appartenuto fino in fondo. Sole gli dette solo una carezza, quando già lui si sporgeva dal finestrino facendo mosse da buffone per rompere l'imbarazzo dell'addio. Era convinto di rivederlo presto, quel fratello tanto amato, dunque gli lasciò solo quella carezza di sfuggita, meno di un soffio, certo che dopo il primo addestramento sarebbe tornato, forse neppure avrebbe terminato il servizio in una guerra che tutti dicevano sarebbe finita in un baleno. In piedi sulla banchina restò a guardare il treno sfilare via e imboccare il viadotto sotto il quale un tempo si allargava il Padule. Tenne gli occhi fissi sulla mano di Ideale che si agitava, si aggrappò a quella finché il vagone non diventò un punto dell'orizzonte allargato, e solo quando quel punto svanì si rese conto che non sarebbe mai tornato.

L'Annina non volle assistere alla partenza di Ideale. La sera prima scese da lui, alla stalla, lo prese da parte e lo abbracciò.

«Non ho da dirti niente che tu già non sappia» gli disse, «e io a salutare un soldato che parte per la guerra non vengo, mi dispiace.»

Ideale disse che non importava.

«Non ho mai visto una battaglia» continuò l'Annina, «ma ho visto ragazzi tornare spezzati, ho visto la fame e dopo la fame la spagnola. So che la morte non gira mai da sola. Si fa aiutare, e questo mi spaventa.»

Il ragazzo avrebbe voluto replicare, ma questa volta fu lei a dire che non importava. Si lasciarono così, con quelle poche parole, raccomandandosi uno con l'altra la prudenza. Poi l'Annina tornò a casa sua e non provò neanche a dormire, ché tanto sapeva di sognare spingarde caricate a morti. Ne aveva piene le tasche di quella guerra che avrebbe dovuto essere un lampo eppure ancora dopo mesi continuava, della protervia di Telemaco che anche se non era più podestà faceva il brutto e il cattivo tempo, coprendo ogni malefatta di quel farabutto di suo figlio.

Salì nella sua camera, provò a distendersi sul letto e sentì, fortissimo, il desiderio di parlare a Cafiero, di sentirlo accanto a sé, di sfogare con lui la rabbia e l'ansia che l'avevano assalita. Mai, in tanti anni, aveva osato far uscire la sua immagine dal limbo in cui si chiudeva a ricordare. Ma quella notte, la notte prima della partenza del loro figlio verso la morte, l'Annina decise che gli avrebbe parlato, direttamente, come a un marito al quale si confidano le preoccupazioni, si chiede consiglio, col quale si litiga persino per amore dei figli.

Presa da una nuova forza, si sedette sul letto e decise di raccontargli di Sole del quale ancora sentiva i graffi dentro di sé, prima che l'arte della Maddalena lenisse quel dolore perfetto. Gli disse che lui sarebbe stato felice nel vederlo ancora vivo e, a dispetto della sofferenza patita, un ragazzo speciale, intelligente, adesso persino diplomato nelle lettere. Così come sarebbe stato contento della Filomena anche se ancora era una ragazzina che doveva sbocciare, all'ombra dei fratelli e di quella famiglia ingombrante, povera di una. Ma era giudiziosa, la Filomena, e responsabile, e lei se la portava spesso a servizio per farsi dare una mano, e allora avesse visto com'era pronta, attenta alle cose. E premurosa. Di chiedere quell'aiuto l'Annina quasi si scusò ma, gli disse, c'erano giorni in cui si sentiva sfiancata, con due case da tenere in ordine e quattro uomini da seguire, e si giustificò di quel servizio umiliante ricordando nel buio il peso dei debiti, la malattia di Sole, i tre bimbi piccini, la gente del Padule che non esisteva neanche più, i loro amici carcerati o morti o partiti. Persino l'Oreste, spiegò, se n'era dovuto andare, lontano da quelle bestie per cercare di essere una persona, a dare una mano facendo la spola tra la Francia e quelli che qui lavoravano contro le canaglie che l'avevano ammazzato.

Dunque la perdonasse se aveva persino dovuto rinunciare al suo nome per aver del pane da quel farabutto di Telemaco. Alzò la voce, l'Annina, le lacrime che le annodavano la gola si discolpò con l'ombra di Cafiero, e continuò a dirgli che adesso era spaventata perché ancora una volta qualcuno sarebbe andato via, e l'avrebbe lasciata ad aspettare come avevano fatto tutte le persone alle quali lei aveva voluto bene. Urlò la sua paura, disperata, parlando dentro al buio, quasi impazzita al pensiero di perdere Ideale, e in quella disperazione arrivò a rinfacciare al marito la sua assenza, a rimproverarlo per averla lasciata sola con il mondo tutto sulle spalle, ché invece il posto di un uomo è accanto alla sua famiglia e non due metri sotto la terra della Pieve.

Quelle parole risuonarono nel silenzio della stanza come una fucilata. L'Annina le sentì vibrare e si mise una mano sulla bocca nel tentativo di fermarle quando ormai le aveva già urlate, gettandole nel buio contro l'immagine di Cafiero immobile sulla porta. Così rimase gelata a guardare quella figura, la vide muoversi lentamente e venire verso di lei, e solo quando la strinse a sé, al contatto con quel cristallo si accorse che Sole la stava accarezzando, e allora finalmente pianse, e chiese scusa a suo figlio per quelle parole sconsiderate finché lui non la fece tacere a forza di carezze e di baci.

Disteso accanto a lei, nel buio, Sole cullò la madre lenendole il dolore come lei aveva curato con le parole il suo respiro aspro. Le parlò del futuro che sarebbe stato diverso, e sola lei non sarebbe più stata, che c'era la Filomena, e c'era lui, e adesso anche Natalia. Le parlò di lei, della sua allegria, del loro progetto di sposarsi e venire a vivere al Prataio, insieme, ad aspettare che quella guerra infame finisse, cadesse quel buffone che urlava dal balcone e tornasse la libertà.

Abbracciato all'Annina rispolverò il ricordo di un altro Sole che se n'era andato a cercarla a Oriente, quella libertà, e addormentò sua madre esercitando la magìa delle parole che il sangue gli aveva trasmesso. L'avvolse nel racconto di città lontane, di case di fango e oro, di templi splendidi, intarsiati e dipinti, di montagne talmente alte da scalare che non sarebbe bastato il volo di un'aquila a salirle. Immaginò il viaggio di suo zio e con il racconto delle sue imprese fece scivolare il corpo dell'Annina in un sonno tranquillo, fatto di desiderio e speranza, dove la guerra era solo un'idea vaga, e il Colle una luce che ancora brillava in alto, dominando il Padule in lontananza.

La guerra non fu un'idea vaga. Fu reale e lunga, smentendo le chiacchiere e la sicurezza di chi credeva di poter trarre vantaggi da un macello. E dopo i primi mesi di baldoria, quando la sicumera che aveva sopito ogni dubbio circa l'invincibilità delle truppe del Re iniziò a sfaldarsi come le scarpe di cartone dei suoi fanti, la prevista marcia trionfale si trasformò in un penoso arrancare portando con sé, più che gloria, un mucchio di fame e di disagi.

Anche il Colle fu attraversato da qualche mugugno, dal brontolare dei contadini che si vedevano confiscare i raccolti e dei molti che furono costretti a specializzarsi nell'arte di mettere insieme il pranzo con la cena. Telemaco, come sempre, cercò di sfruttare il più possibile la sua privilegiata condizione di benestante e di decano del Partito. Fiutato il cambiare del vento, cominciò a prendere qualche distanza dai vecchi apparati e, nello stesso tempo, a mostrare un'insolita quanto opportuna generosità. Niente di speciale, poche frasi ambigue gettate in mezzo al malumore dei concittadini, qualche critica meno velata del solito e un prosciutto regalato alla persona giusta, la promessa di un animale macellato, la dilazione di un debito.

E quando in un luglio infame di caldo giunse come una fucilata la notizia che il Duce di Roma Duce non sarebbe più stato, lo stesso Telemaco fu pronto ad affermare, in barba a ogni precedente alleanza, che il Paese reclamava la pace e dunque ora non restava che trattare con le truppe alleate appena sarebbero arrivate. Questione di poche settimane. Gli Alleati però non arrivarono. Arrivò invece la firma di un armistizio incomprensibile e frotte di soldati nostrani che credettero davvero a quella firma come a una promessa di pace. Arrivarono a gruppi, mezzi scalcagnati, da ogni parte d'Italia. A piedi, in treno, in bicicletta, sciamando per i campi e per le strade in cerca della loro casa, e diventarono presto selvaggina dei tedeschi e degli irriducibili fedeli del Duce.

Telemaco dovette usare tutta la sua sapienza per giostrarsi in questa situazione, da un lato spendendo comprensione verso chi gli chiedeva aiuto per un parente o un figlio imboscato – e che, non aveva anche lui l'Enea al fronte, disperso? – dall'altro impiegando autorevolezza e diplomazia per difendere il Prataio dall'invasione dei nuovi padroni che pretendevano di sfruttare i beni del podere.

Grazie al passato politico e all'abilità commerciale che Telemaco non aveva mai perso, finché la ferocia dell'Enea non l'attraversò come un tornado il Prataio restò una zona franca nella quale poter trovare ristoro e rifugio durante una fuga come da una battaglia, da una razzia come dalla minaccia di un bombardamento.

In questo andare e venire di gente, l'Annina fu instancabile. Nel preparare un letto di fortuna, nel trovare un angolo sicuro per un paio di sbandati e, nello stesso tempo, nell'aiutare l'Isolina a preparare la tavola per gli ospiti che vi capitavano. Con un certo tremore serviva quegli stranieri, sperando che ancora una volta con l'ubbidienza avrebbe potuto salvare Sole e la sua novella sposa Natalia, altre due persone da proteggere per tenere in vita il futuro, da difendere dalla rabbia che i tedeschi dimostravano ora che, non più alleati, vedevano in ogni abitante del Colle un nemico. Sarebbe bastato uno dei loro ordini imperiosi, abbaiati dietro un fucile spianato, a obbligare Sole a seguirli per una giornata di lavoro che l'avrebbe schiantato, a caricare sacchi di frumento o spaccare i ciocchi dentro la legnaia.

Così l'Annina era pronta a far salire una scrofa su un autocarro come a caricarsi – lei, grande un soldo di cacio – chili e chili di mais sopra una spalla e poi, la sera, felice per aver salvato quel suo figlio fatto di vento, se ne stava alla finestra della Rosa a guardare verso la collina dei cipressi sperando che da quel posto magico, lo stesso da cui era arrivato l'amore che aveva rapito sua madre, sbucasse prima o poi Ideale, tornato a casa così come stavano tornando decine di altri soldati.

E infatti, quando una notte vide una sagoma scura comparire in cima alla collina e furtivamente strisciare scendendo verso la tomba della Mena, sentì il cuore batterle a mille e si precipitò di sotto convinta di poterlo nuovamente riabbracciare: ma solo quando ormai era a due metri dal grumo rannicchiato accanto al cumulo di terra si accorse che non si trattava di Ideale ma dell'Enea che, partito bello e lucidato come un eroe, se n'era finalmente tornato a casa avvolto negli stracci.

«Ah, sei tu» disse soltanto, spezzata dalla delusione, ma poi sentì quel fagotto gemere e nella penombra vide il volto di suo nipote stravolto dalla stanchezza di un ritorno senz'altro avventuroso, e pensò che magari da qualche altra parte del mondo il suo Ideale se ne stava allo stesso modo, stanco e disfatto in attesa di un aiuto. Così si chinò sul figlio della Mena, se lo appoggiò alle spalle raccomandandogli silenzio, perché da quelle parti i tedeschi erano più dei funghi. Poi dette un'ultima occhiata alla tomba, tanto per dire alla Mena che lo faceva anche per lei di aiutar quella canaglia, e se lo trascinò fino davanti a casa di Telemaco, dove bussò.

Quando l'Isolina le aprì quasi ebbe un malore a veder l'Enea tanto malconcio, così che l'Annina dovette quasi pregarla di non star come la Madonna del Dolore, infilzata, a lamentarsi, ma di aiutarla a metter disteso quel figliolo che s'era fatto chissà quanta strada per tornare. Quante volte ebbe a maledire l'aiuto che dette a quel serpente, l'Annina non avrebbe saputo dire: pochi giorni di riposo nascosto in una delle stalle del Prataio e già era di nuovo pieno di boria, pronto a far guai, sordo a ogni raccomandazione di prudenza, nervoso, lesto a scattare e a menar le mani sull'Isolina che, poverella, s'era presa la briga di accudirlo nel suo rifugio. Incurante di quella premura, stanco di stare nascosto l'Enea se ne uscì una sera andando in casa deciso a cambiarsi e girar libero di fare quel che gli pareva.

Attirati dalle urla, Sole e l'Annina arrivarono e trovarono l'Oreste, che il giorno prima era giunto dalla Francia, accanto all'Isolina riversa a terra, il volto una maschera di sangue. L'Enea era uscito sbattendo la porta rincorso dall'Ettorre e da Telemaco che cercavano di trattenerlo mentre già lui scappava chissà dove. L'Isolina morì così, per le sue botte d'animale, scusandosi con l'Oreste e con l'Annina per il disturbo, pregando di non dir nulla a Telemaco, parlando della propria inadeguatezza nel capire il loro ragazzo, giustificandolo fino all'ultimo per la rabbia che lui provava ad avere accanto una donna incapace di essergli madre.

Da quando avevano cominciato la ritirata erano forse passate tre settimane, ma il tempo ormai gli si era sparpagliato attorno, disciolto nella nebulosa bianca che lo circondava. Da troppi giorni ogni momento era uguale all'altro, fatto di gelo, di stanchezza, di passi corti dietro il compagno davanti a sé, cercando di non perdersi nella bufera o nella luce accecante che il sole sparava sulla neve.

Vedeva la morte vicina, Ideale, nei corpi disfatti dei commilitoni, spezzati dalla fatica, abbandonati nella steppa senza una preghiera come foglie cascate dai rami per un colpo di vento. La vedeva nelle carcasse degli animali su cui quei rimasugli di uomini si accostavano come avvoltoi, in cerca di un brandello da mangiare per avere ancora la speranza di un altro passo verso casa.

L'ordine era ritirarsi, andare a ovest, ora che – dopo Stalingrado – era impossibile avanzare e i russi avevano cominciato a inseguirli, a spargli addosso all'improvviso, a tirargli ogni tanto qualche colpo di obice che spezzava il filo fatto di migliaia di soldati: in quell'immensità di bianco sembravano formiche immobili, assurde. L'ordine era camminare, cercare di resistere alla fatica e al dolore, mettersi di fronte un'immagine, il volto della madre, della moglie, del proprio paese, e camminare.

Ma Ideale non riusciva ormai a pensare a nulla. Aveva provato con l'Annina, ma al pensiero che la madre potesse vederlo così s'era presto staccato da lei come per una sorta di pudore. In testa s'era legato la maglia che gli aveva regalato un compagno, prima di sedersi sulla neve e dirgli che ne aveva abbastanza, che andasse avanti lui dentro quell'inferno di freddo. In mezzo al vento tagliente l'aveva visto arrendersi, incurante delle sue parole, incurante degli strattoni, incurante persino degli schiaffi ai quali aveva risposto con un sorriso pacato.

«Lascialo lì» gli aveva detto un caporale, «che almeno lui è arrivato» e l'aveva trattenuto dal prenderlo a cazzotti per svegliarlo dal torpore in cui s'era rifugiato.

Allora Ideale aveva visto ancora una volta la morte, ma una morte bianca, fatta da una morsa di vento e gelo che aveva ghiacciato per sempre lo sguardo dell'amico, e spinto dal caporale l'aveva abbandonato ormai dissolto nella bufera, poi s'era annodato la sua maglia di lanital attorno alla testa per tenerlo con sé, e aveva ripreso a camminare.

Aveva pensato a Sole, e gli aveva ancora sorriso, aveva discusso con lui parlandogli dell'amore per Natalia, di lei e dell'unica notte in cui l'aveva stretta pensando di poterla trattenere senza rubargliela.

Aveva pensato alla Filomena, alla sua giovinezza ormai sbocciata, e se l'era messa davanti per qualche giorno immaginandosi un futuro felice per lei. E, sempre, aveva pensato al Prataio, a ogni angolo che aveva conosciuto, alla stalla dove aveva lasciato la sua "Libertà", alla tomba della Mena e alla collina dei cipressi, e poi da lassù era sceso metro dopo metro verso la Piana, passando dal Malgardo, sulla stessa strada che secondo sua madre la Rosa aveva percorso abbracciata al medico dei balocchi che le aveva rapito l'amore, e così facendo, su ogni passo della steppa ghiacciata aveva impresso il ricordo dei luoghi del suo cuore, rivivendoli e raccontandoli ai compagni vicino a lui, ai loro sguardi persi e accecati, ai loro pastrani inzuppati di fatica, ai loro lamenti.

Ma adesso, ora che aveva percorso ogni angolo dei suoi ricordi, ora che i suoi piedi erano solo due piaghe marce e puzzolenti, ora non aveva più pensieri. Era avvolto da un freddo così forte che non sentiva più nulla, non riusciva a capire, nella bufera che aumentava, se stesse camminando o volando o invece si fosse perso definitivamente dentro a una nuvola. In mezzo a quella luce indistinta, come uno squarcio di scuro, gli sembrò di vedere un giunto cardanico posato per terra. Si staccò dalla fila e andò verso quella macchia. Dal vento che fischiava una voce chiamò il suo nome, una corda di salvataggio lanciatagli dalla scialuppa. Ideale neppure la sentì, continuando a camminare verso il grumo nero, e quando vi arrivò vi si sedette accanto e lo prese in mano.

Finalmente vide di fronte a sé l'immagine di "Libertà", ebbe nostalgia del suo movimento e delle ore passate a cercare di impadronirsi del suo mistero. Seduto in mezzo alla bufera, con quel pezzo di acciaio in mano, Ideale entrò ancora una volta nel cuore della sua macchina come dentro a un'oasi di pace, toccò le cinghie, accarezzò le ruote dentate e con chiarezza, come se fosse stata sempre di fronte ai suoi occhi, vide la soluzione che cercava da anni.

"Che imbecille" pensò, "come ho fatto a non capire?" Alzò lo sguardo e attorno a lui tutto tornò bianco. Allora non sentì più le gambe, né le mani, nulla se non una sensazione di calda stanchezza e pensò che avrebbe dovuto dormire un po', per poi rimettersi in marcia verso il Colle a terminare "Libertà" e regalare al mondo la scoperta del moto infinito. Mentre già il sonno si impadroniva di lui si disse che avrebbe dovuto annotare subito l'intuizione che aveva avuto, per non dimenticarsene, prima di stendersi un momento a riposare, fissarsela bene in mente, fermare quell'idea nel suo cervello congelato e impedire in ogni modo che la steppa si potesse riprendere il segreto che il freddo gli aveva appena regalato.

L'Enea tornò dopo qualche mese dalla morte dell'Isolina, vestito di nero e con un fucile sulle spalle. Tornò assieme ai tedeschi e ad altri quattro soldati della Repubblica del Duce, a prendere quello che c'era da prendere prima che arrivassero gli Alleati. Senza neanche fare una piega passò vicino alla tomba della Mena accanto a cui Telemaco aveva fatto metter l'Isolina uccisa dalle sue botte, e ordinò al padre di dargli quei quattro maiali che gli restavano e tutto il frumento. Telemaco cercò ancora una volta di mediare ma si trovò di fronte alla canna di una mitraglia e a parole altrettanto dure.

«Ne ho piene le tasche di voi e dei vostri giochetti. Cosa credete, che la gente sia tutta scema come l'Ettorre e quelli con cui fate gli affari al Colle?» gli disse.

Poi farneticò dell'Apocalisse che arrivava, e che era l'ora di fare pulizia, come diceva lui, di quel posto e dei traditori che vi abitavano, a cominciare da quel pederasta dell'Oreste, che aiutava i banditi e faceva la spola con la Francia. Così, oltre ai maiali e alla farina, incurante dei pianti della Rina e delle sue cugine, andò a prendere l'Oreste nella sua camera quando ancora dormiva, mentre l'Ettorre si gettava su Telemaco supplicandolo di intervenire a fermare quella follia.

Quindi l'Enea fece mettere tutta la gente del Prataio nel giardino di fronte alla casa e disse che cercava gli imboscati e i traditori, e chi sapeva non tardasse a dirlo, che lui a metter fuoco a tutto ci metteva un attimo, neanche un minuto, e quando vide nel gruppo Natalia la squadrò e con fare sprezzante le chiese dove fosse il suo marito novello, che di quelle nozze aveva sentito parlare, anche se non era stato neppure invitato.

«In città, alla sua scuola. Da poche settimane è insegnante di lettere al liceo dei Penati.»

L'Enea annuì.

Dunque niente in contrario, disse, se lo accompagnava a dare un'occhiata alla famosa macchina di Ideale, il genio partito per la Russia.

«Così. Tanto per far vedere ai nostri camerati tedeschi quanto siamo bravi qui al Prataio, che loro di meccanica se ne intendono davvero» disse in maniera esageratamente pomposa.

Natalia esitò, si guardò intorno, tentò di rifiutare, ma poi l'Enea la prese per mano e quasi la trascinò verso la vecchia stalla.

«Vieni, bella Natalia» disse con un tono da mettere i brividi, «che ora controlliamo se "Libertà" funziona.» All'Annina si gelò il sangue nelle vene. Sapeva che dentro il meccanismo della macchina Sole aveva nascosto tre disertori, e dunque quando vide il nipote trascinare per un braccio Natalia verso la stalla sentì tutto il suo castello fatto di prudenza crollare addosso al figlio e a quella nuora che da poco portava in grembo un futuro nipote. Così urlò all'Enea di lasciarla, che ce l'avrebbe accompagnato lei alla macchina, tanto Natalia neanche sapeva come funzionava.

Per tutta risposta lo vide spianare il fucile e dirle che il meccanismo l'avrebbe fatto funzionare lui, anche se non era un genio. «Magari a colpi di fucile» concluse ridendo. L'Annina chiuse gli occhi per scacciare quell'immagine e rimase dunque così, immobile in mezzo gli altri senza neppure respirare, e quando dalla stalla giunsero gli scoppi della mitraglia cadde in ginocchio e credette davvero di morire, e quasi non sentì le urla degli altri, e la confusione che seguì, gli spari improvvisi, la gente che fuggiva e quella che rimaneva a terra, fulminata.

Di quell'incubo non avrebbe mai saputo dire altro se

non che vide l'Enea uscire dalla stalla spingendo davanti a sé due ragazzi feriti, e poi gridare qualcosa a un ufficiale tedesco e agli altri militari, prima di caricare i prigionieri sugli autocarri e andarsene così, buttando verso la gente del Prataio un «Imbecilli» come ultimo saluto al luogo dov'era nato e dove lasciò come eredità un grumo di morti in terra e lo sgomento in chi era sopravvissuto a tanta furia.

Ancora inginocchiata, l'Annina si guardò attorno stordita, vide l'Ettore gettarsi urlando sul corpo inanimato della Didone e la Filomena venire verso di lei piangendo, e solo quando l'ebbe tra le braccia si svegliò da quel sogno e si ricordò di Natalia e del nipote che portava in grembo. Col cuore in gola corse verso la vecchia stalla, dove la trovò in lacrime, appoggiata a "Libertà" imbrattata di sangue.

Si infilò dentro il meccanismo costruito dal figlio a chiudere gli occhi all'altro ragazzo morto, e poi tornò ad accarezzare quella sua giovane nuora, per cercare di rincuorarla e di negare quello che lei stessa ormai temeva: Sole fu infatti arrestato la sera stessa e tradotto in carcere assieme all'Oreste e ai due disgraziati che aveva nascosto nel ventre di "Libertà".

Lo presero mentre scendeva dal treno, pochi minuti prima che le bombe degli aeroplani cadessero dal cielo a cancellare le rotaie, l'edificio della stazione e quasi tutte le nuove case che il Maestro aveva visto nascere quando era arrivato al Colle. Le antiche costruzioni del borgo furono invece quasi tutte risparmiate da quella pioggia di esplosioni concentrate verso la ferrovia: venne giù soltanto la vecchia loggia della Filarmonica, che di fronte a tanto trambusto si coricò su se stessa quasi sdegnata.

L'unica bomba che venne meno alla precisione miracolosa di quel lancio piegò verso le mura e scelse di distruggere la casa della vedova Bartoli, cancellando per sempre dalla topografia del paese il luogo dove l'amore tra lei e il Maestro aveva fatto sognare gli abitanti del Colle per un respiro di tempo troppo breve, illudendoli che nulla sarebbe riuscito a scalfire la loro natura svagata.

In barba a quell'amore leggendario, qualche anno più tardi, la guerra ormai dimenticata, l'istituto di credito che era proprietario del terreno pensò bene di realizzare al suo posto una stazione di servizio per rifornire e riparare le auto ormai sempre più numerose, segno evidente di una nuova prosperità, di un'epoca distratta e sempre più accelerata.

Ideale si risvegliò lentamente, avvolto dal calore e dagli odori di cucina. Per un attimo pensò d'esser volato al Prataio, e allora cercò di aprire gli occhi. Voleva abbracciare l'Annina e poi correre alla stalla a lavorare su "Libertà". Si ricordò del giunto, della corsa sulla neve, dunque si guardò le mani e vide che stringevano una radice contorta, mezza bruciata.

Poi vide le donne, attorno al tavolo, e loro videro che lui si stava svegliando. La più vecchia si avvicinò al letto e gli disse qualcosa con la faccia seria, indicando la radice che ancora lui stringeva. Dunque non era né morto né volato al Prataio. L'avevano raccolto nella neve e portato dentro quel riparo. Si chiese se l'avessero preso prigioniero, se ora l'avrebbero consegnato all'esercito, torturato, ucciso. Le donne parlavano fitto tra loro. Ogni tanto indicavano la radice che lui teneva ancora in mano, ogni tanto i suoi piedi. Fu allora che si accorse del fuoco che glieli stava bruciando. Di scatto si drizzò sul letto lanciando un urlo, pronto a gettarsi a spegnere le fiamme, ma i suoi piedi se ne stavano al loro posto senza ardere. Li vide avvolti da bende lacere, e nelle parti che restavano scoperte avevano un orribile color prugna.

Erano al loro posto, spenti, eppure qualche animale se li stava mangiando, o quei diavoli russi avevano fatto qualche maleficio che gli stava rosicchiando la carne. Ideale urlò nuovamente. Le donne fecero un balzo indietro, spaventate. Una tentò di dirgli qualcosa, proprio

276

mentre lui vedeva chiaramente un serpente avvolgersi attorno al suo alluce e morderglielo con forza. Un altro urlo. Un altro ancora. Chiuse gli occhi: non aveva più intenzione di guardare quelle bestie cibarsi dei suoi piedi, e quelle donne schifose assistere mute a quello spettacolo. Bestie anche loro.

Quando li riaprì vide accanto a sé un vecchio. Aveva una lunga barba bianca e gli ricordò il Mero che l'Annina gli descriveva nei suoi racconti. Il vecchio gli diede una carezza sulla testa, poi gli porse una striscia di cuoio, dicendo qualcosa in quella sua lingua strana. Ideale non capì. Allora lui mimò quello che avrebbe fatto. Indicò i piedi e le fasce, e l'unguento che teneva in una mano. Poi prese la striscia di cuoio e la mise tra i denti e li strinse con forza, quindi la passò a lui.

Ideale guardò i piedi. Vide che i serpenti se n'erano andati e capì. Ricordò tutta la fatica della marcia, le giornate passate a camminare, le piaghe e quella puzza orrenda di carne putrefatta. Sentì la nausea che montava e subito lasciò cadere la radice, prese la striscia di cuoio e se la infilò tra i denti, e non appena il vecchio cominciò ad armeggiare su quello che rimaneva dei suoi piedi, masticò il dolore che sentiva arrivare salendo dalle gambe fino a invadere ogni millimetro del suo essere, forte, rotondo, perfetto come il movimento infinito che avrebbe voluto imprigionare nelle sue macchine.

Lo ingoiò, lo azzannò con tutta la rabbia che sentiva dentro di sé per il macello di cui quel dolore era il monumento che lui riusciva a erigere, sdraiato al caldo di una casa ucraina sconosciuta. Lo afferrò per sbranarlo, per non farsi vincere nello stesso modo in cui aveva visto vinti e sbranati dalla stupidità migliaia di suoi compagni, seduti sulla neve con lo sguardo perso, ghiacciati dalla tormenta, marciti di piaghe e di fame. Lo triturò con la forza che ancora sentiva finché non gli sembrò di averlo inghiottito tutto, e si abbandonò sfinito.

Socchiuse gli occhi solo per vedere ancora il vecchio fargli un sorriso comprensivo e dargli un colpetto sulla spalla come a congedarsi, poi si lasciò scivolare in un torpore beato che, pensò, forse era l'anticamera del paradiso. Non era sicuro di resistere ancora a quella sofferenza, ma neanche sapeva come fare ad arrendersi – perché arrendersi in quel momento gli parve l'unica soluzione. Arrendersi a tutto e a tutti, ché tanto tutto e tutti gli erano lontani, e lui si sentiva perduto in mezzo a gente sconosciuta, senza piedi, senza parole, senza nessuno.

Strinse le palpebre per fermare le lacrime, ma queste già andavano da sole e in quel momento si sentì disperato. Poi, a un fruscìo di voce si voltò, e vide una giovane donna seduta accanto a lui con una tazza fumante in mano. La lingua gli era sconosciuta, ma quello che lei stava dicendo no, perché era una musica di nostalgia, di comprensione, qualcosa che avvolgeva e consolava come una coperta.

Nel cuore dell'Ucraina, sdraiato su un letto, i piedi mezzo mangiati dal gelo, Ideale Bertorelli tornò a vivere piano piano al suono di quelle parole sconosciute, aggrappandosi al cucchiaio di brodo caldo che la ragazza gli porgeva come un neonato si aggrappa al seno di sua madre, e quando, dopo l'ultimo sorso, lei gli sorrise, e indicando se stessa disse «Natalija», Ideale capì il vero segreto del movimento perpetuo, l'immobilità perfetta con la quale tutto ritorna, scorre e rimane dentro di noi per sempre.

Così ricambiò il sorriso, ripeté quasi tra sé quel nome familiare e sentì d'essere finalmente arrivato a casa.

Natalia e l'Annina tornarono assieme verso il giardino, dagli altri. La Rina era in un angolo, in lacrime, stretta alla Penelope e alla Filomena, l'Ettorre se ne stava in silenzio vicino al corpo della Didone, l'Ecuba a un garzone ferito a una gamba che si lamentava, mentre diversi corpi giacevano senza vita, stesi sul ghiaino. Telemaco si aggirava senza requie: sembrava sperduto, cercava di dire qualcosa, di tranquillizzare gli altri o se stesso, parlava senza che nessuno facesse cenno di ascoltarlo.

L'Annina lo vide, e si diresse decisa verso di lui, gli mise una mano sulla spalla e con uno strattone lo girò di fronte a sé e alla Natalia.

«Dunque, podestà» gli disse urlando, «ecco il risultato del vostro governo, e del vostro bel modo di essere padre.»

Tutti si voltarono verso di loro, e persino il Prataio in quel momento sembrò non respirare.

«Avessi una pistola vi pianterei una pallottola in capo, ma spero l'ora sia vicina che qualcun altro lo farà.»

A quelle parole Telemaco si voltò per andarsene, ma l'Annina fece un passo e di nuovo lo trattenne, mentre accanto a lei si mise il fratello di uno dei garzoni uccisi, come a darle man forte.

«E ora ascoltate bene, che ho da dirvi una cosa che mi sta a cuore» gli disse minacciosa l'Annina, il dito puntato contro la sua gola. Ancora Telemaco tentò di scansarla, ma anche l'Ettorre arrivò e corse a mettersi accanto agli altri così che Telemaco si dovette appoggiare al muro di casa, e annuire.

«Di quello che sarà di voi non mi importa nulla, ma pretendo la vostra vita contro quella del mio Sole, dell'Oreste e di quei disgraziati che il vostro eroe ha dato in mano ai tedeschi» gli urlò contro con una rabbia che la sorprese.

Telemaco provò un'ultima volta ad andarsene, ma altri corsero a ingrossare il drappello che lo circondava, e lui capì che non avrebbe avuto altra scelta che trattare.

«Avete voluto che i miei figli fossero dei Bertorelli» riprese l'Annina «e così ho dovuto sputare sul nome del loro padre. Di questo peccato ne sconterò io quando sarà l'ora, ma adesso Sole è un Bertorelli e voi avete l'obbligo di tirarlo fuori dai guai in cui l'avete cacciato.»

Telemaco iniziò a replicare qualcosa ma l'Annina l'incalzò:

«Io feci due contratti con voi e li ho rispettati, e Dio solo sa quanto mi è costato farlo. Di fronte a tutti ve ne propongo un altro e a pagamento metto la vostra vita, perché se volete lasciare il Prataio e sperare di tornarvi ancora con le vostre gambe adesso alzate i tacchi, prendete tutta la vostra autorità di fascista, di ex podestà, di decano di quel covo di serpi in camicia nera che mi hanno ammazzato il marito, e andate dove dovete andare, e di là tornate con mio figlio e con il figlio dell'Ettorre» gli urlò in faccia.

L'Annina ormai era una furia e non attese che lo zio replicasse.

«Ho un ragazzo che per piacere del vostro Duce s'è perso da qualche parte nella Russia e un altro, appena sposato e con una sposa che attende da lui un figlio, un cristallo nelle mani di un branco di canaglie fanatiche, senza contare il mio Oreste a cui voglio bene come a un fratello e le povere anime della Didone e degli altri che avete sparpagliato davanti al Prataio, farabutto di uno» disse indicando i corpi che giacevano sul ghiaino.

Quasi tutti s'erano ormai stretti attorno a lei, e per la

prima volta la gente del Prataio vide Telemaco Bertorelli fare un gesto di umiltà, abbassare la testa, rimanere in silenzio per qualche secondo, e poi, a voce bassa, dire soltanto:

«Certo, capisco. Andrò subito in città, al Comando.»

L'Ettorre sbottò.

«Vengo anch'io, posso pagare.»

Telemaco riprese forza, e lo zittì con un gesto:

«No, tu stai con la Rina e le ragazze, che ne hanno bisogno. Poi si girò verso Natalia e disse:

«Piuttosto sarebbe opportuno che venisse la moglie e tu, Annina, e chissà che non riusciamo a farli ragionare.»

«Sta bene» concluse lei dopo uno sguardo d'intesa con la ragazza, «quello che è detto è fatto, ma ricordatevi di far la vostra parte se intendete continuare a vivere perché io ho sempre rispettato ogni nostro patto.»

Telemaco fu di parola e nelle ore successive usò tutta la sua influenza per ottenere un colloquio col Comando. Nei molti anni che la morte ancora le lasciò, l'Annina ritornò centinaia e centinaia di volte a quelle ore convulse, alla corsa che assieme a Telemaco e Natalia fece in città proprio mentre le bombe degli Alleati cancellavano dal mondo la Stazione, alle parole con cui, inutilmente, tutti loro tentarono di ottenere clemenza per i loro cari.

Ogni volta passò e ripassò il succedersi degli eventi, cercando in essi una ragione che non fosse lo srotolarsi di una scena già scritta da chissà chi che essi credettero invece di scrivere, diventando così parte essenziale del meccanismo di uno sberleffo.

Inutilmente, nel tempo, l'Annina ripensò a come i fatti si infilarono uno dietro all'altro incuranti della volontà di chi fu disposto a umiliarsi, a sacrificarsi o a dare la propria vita in cambio di niente. E a quel pensiero, ogni volta, le lacrime di rabbia agli occhi, si dovette mordere le labbra per sentire un dolore fisico e scacciare l'infinita sofferenza perfetta che per lei lo scherno di quella tragedia significava.

Tutto accadde per confondere il gioco, i volti adirati dei tedeschi e gli Alleati che bombardarono proprio in quelle ore Colle Stazione, la fretta di andarsene degli occupanti e infine la cartella che il comandante trovò, all'ultimo momento, sul fondo di una cassa già imballata e dalla quale lesse ad alta voce il profilo di Sole Bertorelli, figlio di un noto sovversivo di famiglia anarchica, conosciuto a sua volta per la lunga collaborazione con i fuoriusciti francesi tramite il cugino materno Oreste Bertorelli, tra l'altro già schedato come omosessuale. Ancora, a distanza di anni, l'Annina sentiva rimbombarle nel cervello il rumore di quel fascicolo gettato con forza sulla scrivania, un tonfo che sottolineava la condanna definitiva di coloro che, a quegli occhi, erano soltanto vili traditori.

Tutto accadde come nella peggiore delle trappole. L'ufficiale tedesco che avvicinò Natalia mentre aspettava nel corridoio, e la speranza che, tra le parole galanti, fece nascere in lei, e che lei subito confidò all'Annina non appena uscì dal Comando, affinché Telemaco non sentisse. Forse si poteva salvar la vita a Sole e all'Oreste, perché della vita ormai si trattava, dato che erano stati portati giù alla Bonifica e prima di mattina li avrebbero fucilati assieme a una quarantina di persone. I tedeschi stavano abbandonando la città e non avevano tempo di portarsi dietro prigionieri, le aveva detto l'ufficiale.

Così, i brividi ancora per la schiena a quel pensiero, l'Annina continuò per anni a ripassare quel loro dialogo fitto e tremendo, nel quale Natalia, le guance di fuoco, lo sguardo abbassato, le aveva confessato quello che aveva intenzione di fare, accettando l'offerta, per così dire, di uno scambio, e sempre, nel ricordo, le veniva da urlare come aveva urlato a quel viso disperato:

«No Natalia, non questo!», anche se sarebbe servito a dare la libertà a suo figlio, e a far sì che il nipote che lei aveva in grembo non fosse orfano per sempre, e prima ancora di essere al mondo.

E ancora risentiva Natalia negare, e dirle di sceglier la vita, per tutti, e ripeterle che le mani di un uomo sopra il proprio corpo non son nulla a confronto di quelle del dolore e della morte, e così ancora, dopo anni, se la stringeva tra le braccia, e come allora ripensava alla Rosa e alla sua prima volta d'amore, alle sue domande sul senso di quel tramestare tra uomini e donne, sulle ragioni del mondo, sulle troppe cose che non era possibile capire, sulle persone e sulle bestie, sul perché vivere, sul perché morire, su tutto quello che sua madre aveva cercato nelle ore passate a scrutare dal balcone immaginando la vita là dove gli altri non riuscivano a vedere niente.

«Ma come farai a fidarti, a essere sicura che non ti prenda in giro?» aveva domandato a Natalia.

Lei le aveva messo una mano sulla bocca.

«Basta Annina» aveva bisbigliato, «non abbiamo altra scelta.»

«Ma come farai?» lei quasi aveva piagnucolato.

«Quello che bisogna fare va fatto, ma prometti che resterà un segreto tra noi.»

Finché ebbe luce per ricordare il passato, finché il peso del tempo non le annebbiò del tutto la mente, ripensando a quel giorno l'Annina continuò a stringere a sé Natalia, a baciarle i capelli, e a dirle, tra le carezze, quelle poche parole con cui l'aveva benedetta:

«Ti prego, cerca di essere prudente.»

Poi l'ufficiale l'aveva mandata a prendere, in fretta, da un attendente, e lo scherzo era continuato, era durato tutto il tempo in cui l'Annina era rimasta a guardarla andar via sopra una macchina veloce, e poi anche quando tornando al Prataio tra le macerie della Stazione desiderò che nulla di tutto quel disastro fosse accaduto, chiudendosi le orecchie e recitando una filastrocca, così come faceva da bambina quando con la Mena passavano davanti al cimitero. Ma neanche quella litania magica sapeva annullare la distruzione che vedeva attorno, raddrizzare i monconi di case fino a poche ore prima familiari e ora irriconoscibili, e dare vita alla gente rimasta travolta da quella bufera.

Allora era tornata a casa per stringersi alla Filomena, ad attendere che quel gioco assurdo finisse e sul ghiaino ancora macchiato di sangue si sentissero i passi di Sole e dell'Oreste che senz'altro sarebbero arrivati per mano a Natalia, per cominciare un altro pezzo di vita. Ma mentre la notte passava l'ansia le cresceva dentro, si alzava a ogni rumore, a ogni abbaiare di cane, e aumentava al rombo lontano dei carri tedeschi in partenza, e saliva in lei come una marea al tonfo di temporale delle bombe alleate, montava senza potersi arrestare finché, quasi a mattina, affacciandosi al balcone della Rosa, l'Annina vide Sole scendere dalla collina dei cipressi e andarsene verso la chiusa del Malgardo, proprio quando qualcuno cominciava a urlare che i tedeschi avevano fatto una strage alla Bonifica: allora l'acqua la travolse, e lei corse fuori di casa e si precipitò dietro quel suo figlio disgraziato che ormai aveva attraversato la strada e stava andando a coricarsi là dove lo avrebbero trovato poche ore più tardi, col cuore spaccato.

L'autista la portò all'albergo dove alloggiava l'ufficiale. Tra la confusione di bauli ammucchiati, soldati indaffarati a preparar bagagli, Natalia sperò di sgusciare inosservata. Sentiva esploderle il petto, ma continuava a ripetersi che avrebbe salvato Sole a qualsiasi costo. Il tedesco aprì l'uscio di una camera e la invitò a entrare. Sul tavolo era già pronta una bottiglia di vino.

«Siete molto bella» lui disse.

Lei provò una fitta allo stomaco.

«Ricordatevi» precisò, «io mi sono fidata di voi in quanto gentiluomo, dunque prima di ogni altra cosa mantenete la promessa.»

L'ufficiale la guardò e sorrise.

«Si, è giusto, erano gli accordi, però vi devo dare una mezza delusione.»

Il cuore a Natalia si gelò.

«Non siete l'unica bella signora che ha preso questo tipo d'iniziativa» disse lui con un sorrisino beffardo, «credetemi, avrei esaudito volentieri tutti i vostri desideri, ma sono obbligato a dividere con altri, dunque più di una persona non vi posso... regalare.»

Natalia ebbe un grido soffocato.

«Mi avevate assicurato: una notte con voi per due nomi.»

«Quel che è giusto è giusto» disse l'ufficiale guardando l'orologio, «allora vi propongo quattro ore a partire da adesso per un nome. Sono mortificato, di più non posso fare.»

Lei sentì le lacrime salirle improvvise. Doveva decidere, in quel momento, della vita di una persona.

«Voi mi chiedete di scegliere la morte di qualcuno.»

Lui allargò le braccia.

«Io? La guerra, Mussolini, il generale Patton, il Fato» disse, poi avvicinandosi a lei dolcemente continuò:

«Guardatela così: vi chiedo di scegliere la vita di qualcuno.»

Le lacrime ormai rigavano il viso di Natalia. Lei si lasciò abbracciare dal tedesco e quasi senza accorgersene mormorò al suo orecchio il nome di Sole Bertorelli, del Prataio.

L'ufficiale le accarezzò i capelli e disse:

«Bene, e ora – dopo che secondo i patti avrò comunicato al mio attendente il fortunato oggetto del vostro amore –, vi chiedo di chiamarmi col mio nome, Helmut, e gentilmente di darmi del tu.»

Natalia annuì, lo guardò andare al telefono e parlare in tedesco a bassa voce con qualcuno, una conversazione fitta di cui capì soltanto il nome di Sole e del Prataio. Allora si convinse ch'era salvo e si sentì improvvisamente più leggera, attraversata da una forza ch'era uguale all'amore che provava per Sole.

L'uomo posò il ricevitore e le andò incontro, ma Natalia vide soltanto Sole Bertorelli del Prataio che camminava libero verso l'Annina e verso il figlio che le stava crescendo in grembo, lo vide sorridere, respirare, leggere un libro e fare le piccole cose che tutti chiamano vita, e così si lasciò dare del tu, si lasciò baciare, e si abbandonò alle carezze e agli abbracci dell'ufficiale fino all'ora pattuita.

L'attendente dell'ufficiale partì subito dopo la telefonata diretto verso la Bonifica dove arrivò che la mezzanotte era già passata. Andò dal capoposto e gli consegnò un pacchetto. Quello l'aprì e annuì, poi lesse il biglietto che l'altro gli aveva fatto scivolare sul tavolo, accanto al piatto di minestra che stava ingoiando, e fece un mezzo grugnito. Salutò senza neanche guardarlo l'attendente e passò il foglietto a un soldato, berciando un ordine con la bocca ancora piena. Lui lo prese, e andò verso la sala grande dell'idrovora dove avevano rinchiuso i prigionieri. Alla sentinella davanti alla porta disse di aprire, che ce n'era un altro da tirare fuori: «Speriamo l'ultimo così almeno si finisce il lavoro». Quello acconsentì e disse che bisognava sbrigarsi a partire, aprì e lo fece passare, poi tirò una leva e la luce inondò lo stanzone nel quale erano ammucchiati almeno una quarantina di uomini.

L'Oreste se ne stava accucciato in un angolo e teneva sulle gambe la testa del cugino che s'era appena assopito. Li avevano picchiati entrambi, e a lui avevano riservato anche un trattamento speciale quando avevano letto sulla scheda che era omosessuale. Sole era tornato nello stanzone bianco come un cencio, con il naso che sanguinava e tenendosi l'addome, la faccia gonfia per gli schiaffi. Lui l'aveva chiamato vicino a sé, l'aveva fatto stendere e se l'era appoggiato alle gambe cercando di tamponargli il naso con un fazzoletto. L'aveva accarezzato, rincuorato, e dopo dieci minuti gli era sembrato che s'addormentasse, così se n'era rimasto immobile sperando in quel riposo ristoratore.

Quando la luce si accese lo sentì sobbalzare e si chinò su di lui per tranquillizzarlo, così non sentì con chiarezza il nome urlato in una pronuncia distorta. Gli parve Sole Bertorelli, di sicuro sentì Prataio, ma poi capì di aver sentito bene vedendo qualcuno dei prigionieri girare impercettibilmente lo sguardo verso il suo angolo. Era una scena già vista, poiché li avevano tirati fuori una prima volta chiamandoli per nome, li avevano portati dentro la stanza accanto, interrogati e torturati e poi ributtati come verdura marcia dentro quello stanzone puzzolente. Da un po' avevano chiamato di nuovo nomi per cinque o sei volte, ma a differenza di prima, dopo essere uscito nessuno era più tornato indietro.

I compagni francesi già gli avevano spiegato il meccanismo. L'Oreste sentì una stretta al cuore e capì che questa volta a non tornare sarebbe stato Sole. Così non si scompose, posò delicatamente la testa del cugino per terra, gli dette un'ultima carezza e poi si avviò verso il soldato. Quando gli fu di fronte questo ripeté l'urlo di prima e lui disse che sì, era Sole Bertorelli del Prataio. Il soldato lo spinse fuori e la sentinella spense la luce e richiuse la porta.

Camminando tra i due militari l'Oreste si stupì. Stava andando verso la morte, torturato, fucilato, chissà che cosa gli avrebbero ancora fatto, eppure non provava paura. Schifo, rabbia, delusione, ma non paura. La sentinella aprì il cancello dell'idrovora grande, e fece passare lui e il soldato, poi richiuse e salutò l'altro. Di fronte al cancello c'era una vettura militare: il soldato fece cenno all'Oreste di salire, poi si mise al volante e partì a tutta velocità.

Durante il tragitto, ancora convinto che quello sarebbe stato il suo ultimo viaggio in auto, l'Oreste guardò con attenzione dal finestrino la Bonifica che scorreva veloce accanto a lui, e poi la Piana e la Pieve, cercando di imprimersi bene in testa quanto vedeva, per portarlo con sé in qualsiasi posto sarebbe andato.

Si fermarono al Grand Hotel, dove il soldato lo fece

scendere, lo accompagnò nell'atrio, gli indicò un divano e gli ordinò di aspettare seduto. L'Oreste continuò a credere di trovarsi alla fine, in uno di quei famigerati posti dove sarebbe stato torturato da qualche sadico inquisitore, dunque ripassò mentalmente, per l'ennesima volta la versione da ripetere.

Non aveva capito, l'Oreste, e quando dopo oltre due ore d'attesa vide scendere dalla scala Natalia rimase di stucco, e ancora di più nel vedere con quanto sgomento lei gli si avvicinava. E soltanto quando fu accanto a lui, e in lacrime gli si buttò al collo sentendo che tra sé ripeteva «Mio Dio, hanno liberato te» come un rosario, allora all'Oreste all'improvviso fu chiaro che sperando di salvargliela aveva invece rubato la vita a Sole, e lanciò un urlo strozzato come se fosse stato colpito da una pugnalata, e chiese scusa a Natalia, maledì se stesso, maledì Dio, il mondo, e tutto quanto, e prese per mano la ragazza e insieme cominciarono a correre fuori come due matti, a correre verso la Bonifica, a piedi, a cavallo, in auto, col pensiero. Corsero, volarono, trovarono un modo di arrivare all'idrovora grande per assicurarsi che quell'incubo non fosse ancora vero.

Poco dopo mezzanotte la sentinella riaprì la porta dello stanzone, ma non chiamò nessun nome. Latrò qualcosa agitando il fucile e non ci fu bisogno di traduzioni. I prigionieri si alzarono con fatica e seguirono i gesti degli altri militari che li scortarono fuori. Andavano lentamente, la maggior parte di loro era ferita, e molti dovettero farsi aiutare a stare in piedi. Fu così per Sole, che aveva gli occhi gonfi, il naso spaccato e un orecchio sanguinante.

L'orrenda corte dei miracoli sfilò lungo il muro dell'idrovora illuminata dalla luce delle torce dei militari, una processione di morte che prese l'argine del canale per quasi duecento metri e accanto alla chiusa grande si fermò dov'era un avvallamento usato a volte come sfogo per l'acqua da irrigazione. I due soldati all'inizio della fila fecero cenno ai primi prigionieri di scendervi. Qualcuno, più indietro, tentò una fuga disperata inseguita da urla improvvise, da una raffica di lampi e da due lamenti strozzati. I militari cominciarono a gridare, qualche prigioniero a piangere, a pregare, a invocare pietà.

Sole non aveva capito dove fosse. Era intontito, non riusciva a reggersi bene in piedi e inoltre aveva un timpano spaccato e uno sciame d'api nella testa. Però percepì il rumore di spari vicino a lui, alzò leggermente il capo che gli pesava come un macigno e alla luce delle torce elettriche, dal basso, vide sull'argine i militari che sparavano dentro la fossa, verso di lui.

L'ultima cosa che scorse fu un albero di nocciòlo ch'era cresciuto accanto al bordo, e ancora una volta, per un istante, invidiò suo padre per quel volo fantastico che l'aveva salvato, poi una collana di proiettili gli passò il torace, divise in due il suo cuore e gli prese la vita.

I soldati finirono di sparare, aprirono la chiusa dell'avvallamento poi se ne andarono, e i corpi di quei disgraziati lentamente scivolarono portati dall'acqua nel canale grande, e da qui si sparpagliarono per tutta la Bonifica, obbligando gli abitanti del Colle a cercarli nei fossi e tra le chiuse per tutta la giornata seguente, proprio mentre le avanguardie delle truppe alleate giungevano trionfanti alle porte del borgo.

Fu così che, a causa di quella pesca penosa, i liberatori non trovarono quasi nessuno ad accoglierli, ad agitare bandiere e ad accettare cioccolata e sigarette. Transitarono infatti quasi inosservati tra le antiche strade quasi deserte, tra i pochi che non si sentirono in lutto e in dovere di rincorrere i morti negli anfratti dei canali.

Sole fu trovato dal Nardo, sei chilometri distante dall'idrovora, verso la chiusa del Malgardo, agganciato al pontile di fronte al quale, molti anni prima, suo nonno aveva dato vita alla scuola popolare. Se lo vennero a prendere l'Oreste e Natalia, per portarlo alla Pieve accanto ai suoi zii secondo il volere dell'Annina. Lei, come al solito, non volle accompagnarlo. Preferì restare al Prataio cercando di reggere il peso di un altro abbandono, seduta sulla collina dei cipressi, a piangere, a raccontarsi quell'assurdo sberleffo e a dividere col ricordo di Cafiero la sua incapacità di tenersi vicino le persone amate, a bestemmiare il destino e i liberatori che non erano riusciti ad arrivare in quella mezza giornata in cui i tedeschi le avevano ammazzato Sole.

L'Oreste la raggiunse la sera, dopo la sepoltura, si sedette accanto a lei come un tempo, le passò un braccio attorno alle spalle e insieme assistettero all'arrivo del Comando alleato che per un paio di giorni si fermò nel salone dell'Ettorre a consultare le carte della regione prima di proseguire il cammino verso il nord.

«Finalmente sono arrivati, e forse sarà la pace» disse lui.

«Sarà» rispose l'Annina, amara, «ma a me la gente che arriva in ritardo non mi piace.»

Molti anni più tardi, un pomeriggio mentre rammenda-
va, l'Annina si addormentò e sognò sua madre. Vide la
Rosa ormai vecchia, mezza sdentata, quasi cieca, e accanto, ritto come un maggiordomo, aveva il suo amore
in marsina azzurra, anche lui un vecchio decrepito ma
sempre pronto a porgerle il braccio per una passeggiata.
Nel sogno il vestito della Rosa era lo stesso con il quale
si era allontanata dal Prataio, ed era consunto, rattoppa-
to, in alcuni punti persino strappato. In cattivo stato
sembrava anche la marsina del medico, e quando lui le
aprì l'ombrellino per ripararla dal sole questo risultò ormai bucherellato, le stecche sfoderate o spezzate.

Era una scena che sarebbe potuta sembrare penosa,
ma invece trasmetteva un senso di dignità e d'amore
commovente. La Rosa era sdraiata in una specie di giardino di sabbia, sul tetto di una strana costruzione da favola, in un paesaggio contornato di alte case dipinte
con colori sublimi. Il medico le teneva con pazienza
l'ombrello sul capo per ripararla da un sole di fuoco. La
Rosa, l'Annina la vide bene, aveva gli occhi semichiusi
e le rughe che segnavano come canali un volto ancora
bellissimo. Nel sogno le girò attorno con lo sguardo, così vicina che avrebbe voluto toccarla.

Era un sogno senza parole. Si vedevano le persone
muovere le labbra, ma non si sentiva alcun rumore, così
lei si sforzò di leggere la scena, e con trepidazione vide
sua madre sorridere a qualcuno che le stava al fianco, di

cui si poteva scorgere ora una mano, ora un braccio. Sembrava felice, la Rosa, rilassata e beata, come se stesse ascoltando e fosse accarezzata dalle parole della persona che le parlava.

Poi finalmente la scena cominciò a girare, e lo sguardo dell'Annina, ruotando, si allargò, e allora vide suo fratello Sole, seduto accanto alla Rosa, tenerle con dolcezza una mano e capì che le stava raccontando tutto quello che lei non avrebbe mai potuto ascoltare. Provò un senso d'invidia e di piacere assieme. Avrebbe voluto chiamarli, fermarsi, ascoltare, ma mentre loro restavano in quel giardino sabbioso lei continuava a girare intorno e intanto si allontanava, così cercò di aggrapparsi al bordo della scena per impedire che continuasse ad allargarsi, e chiamò, urlò, finché si ritrovò dritta sul letto, in mezzo all'eco di un grido e con la Filomena che arrivava di corsa, in pigiama, spaventata.

Quel sogno la lasciò nella nostalgia. Più invecchiava più il peso del passato si faceva ingombrante, doloroso. Le facevano male tutte le assenze che doveva sopportare. Soprattutto la perdita dei suoi ragazzi perché, aveva pensato, una madre non dovrebbe sopravvivere mai ai propri figli. Aveva sperato di abituarsi prima o poi alla loro assenza, come a quella di Cafiero, della Mena e di tutti coloro che se n'erano andati. Aveva creduto di poter sopportare una vita da sola, sostenere il peso del mondo senza la persona che amava accanto a sé. Aveva desiderato Cafiero fino a sentirsi male, una volta l'aveva persino insultato, e aveva desiderato dimenticarlo. Ma invece, giorno dopo giorno aveva visto crescere l'assenza, diventare più dura la solitudine, finché aveva deciso di arrendersi e s'era abbandonata ai ricordi; il sogno accrebbe così una nostalgia che già traboccava, che lei riusciva a sfogare soltanto nei lunghi racconti al suo ultimo nipote, anche lui un Sole, il figlio orfano di Natalia, nato proprio il giorno in cui avevano cominciato a ricostruire la Stazione.

All'inizio solo la cura di quella nuova vita all'Annina

sembrò potesse dare un senso alla pena di affrontare ancora il tempo che le si parava davanti, un tempo nel quale sarebbe stato necessario curare le ferite della guerra, ricostruire case e rapporti distrutti, ricominciare a sperare. Ma quando Natalia decise di rimanere al Prataio con lei, continuando a vivere nella camera che aveva occupato con Sole durante il loro breve matrimonio, anche la sua presenza diventò una ragione per continuare a vivere e a ricordare.

Giorno dopo giorno l'Annina ricominciò ad affrontare il tempo, e salì sulla collina a parlare con l'Oreste finché questi decise di tornare in Francia. Allevò il nuovo nipote e aiutò Natalia che nel frattempo aveva finito di studiare e aveva ottenuto il posto di insegnante che era stato del marito.

Attorno a lei, dunque, il tempo rotolò, e le cose lentamente cambiarono. Telemaco morì in solitudine, qualche anno dopo che la guerra era finita e, al posto delle case distrutte, alla Stazione erano comparsi palazzi alti come fino allora si erano visti solo in città. Lo trovò l'Annina, che sembrava dormisse seduto sulla poltrona della sua scrivania di mogano, tanto che solo dopo averlo scrollato un paio di volte per le spalle la nipote si accorse che la morte finalmente se l'era portato con sé.

Ai funerali partecipò tutto il Colle, a celebrare l'uscita di scena di un personaggio controverso che, nel bene e nel male, aveva comunque segnato la storia del borgo. Nelle chiacchiere bisbigliate durante la veglia e il corteo aleggiarono i fantasmi delle molte vicende delle quali Telemaco era stato protagonista, dalla costruzione del Prataio alle fortune del suo commercio, dalla sua opera di podestà fino al suo opportuno cambiamento di rotta in direzione del vento che mutava. Ma, su tutti, il fantasma dell'Enea la fece da padrone, con la sua nascita travagliata, la decisione di Telemaco di prenderlo per figlio, il modo d'allevare quel bimbo sciagurato, fino alla ferocia finale che aveva lasciato dietro di sé sangue e lutti. Dopo quel fatto, Telemaco s'era ritirato in se stesso, come se quell'azione sconsiderata avesse spezzato, oltre alle vite delle sette persone che erano rimaste sul ghiaino, la sua autorità e il suo passato.

Da quando la guerra se ne andò dal Prataio, nessuno riconobbe più in lui l'uomo austero e prepotente che era stato e neppure l'abile commerciante che per anni aveva dominato il mercato dei maiali di tutta la Piana. Così com'era successo per l'Ulisse, Telemaco si curvò, si rinsecchì, diventando una sorta di vecchio rottame sempre più indifferente alla sorte delle cose.

Non solo non si interessò più di politica, ma neppure il commercio sembrò dargli soddisfazione, tanto che, quasi con sollievo, colse l'occasione del matrimonio della Penelope per cedere al marito di questa, un giovane imprenditore della città, l'attività che da sempre era stata la vita della famiglia.

Da quel giorno si limitò a uscire ogni tanto per lunghe passeggiate solitarie, finché il peso della vecchiaia non cominciò ad annebbiargli il cervello e lo accompagnò verso un orizzonte indefinito e lattiginoso, dal quale emergevano fantasmi del passato che lo obbligarono a strenue lotte e discussioni con se stesso senza costrutto durante gli ultimi anni della sua vita.

Più di una volta dovettero andarlo a riprendere oltre il Malgardo o verso il Portale, dove s'era avviato per immaginari affari, oppure lo trovarono sporco di fango o della sua stessa lordura, addormentato sopra l'argine della chiusa, là dove Sole aveva aperto gli occhi per l'ultima volta, o di notte lo sentivano berciare contro chissà chi, facendo rimbombare d'urla il Prataio, riempiendo la sua notte di grida e pianto.

Inizialmente l'Annina assistette a questo suo sgretolarsi con la stessa indifferenza con cui sua madre aveva visto impazzire l'Ulisse. E in quel dannarsi attorno ai morti, in quel vagare senza pace in passeggiate senza meta, scorse il giusto contrappasso per quanto lo zio le aveva fatto patire. Ma nel tempo, continuando a vederlo sempre più dimesso e indifeso, udendo quei berci dispe-

rati che tanto le ricordavano la sofferenza del padre, l'Annina cominciò a sostituire al rancore la pietà, e alla pietà
una pena sincera per il modo in cui la vita stava sconcian-
do quell'uomo. Così, come aveva fatto la Mena con suo
padre, non lesinò le cure a quell'anima annebbiata e ormai sola, pensando al suo mangiare e al vestire, preoccupandosi di cercarlo quando non tornava dalle passeggiate o per troppo tempo non si faceva vivo.

Come suo uso non volle accompagnarlo al cimitero, e
mentre i parenti e i compaesani rendevano l'ultimo saluto a quel pezzo della loro storia, l'Annina scavò una buca
vicino alla tomba della Mena e della Didone, e vi piantò
un piccolo nocciòlo, e accanto a quel fusto giovane come
il marito che la prepotenza di Telemaco le aveva rubato
finalmente pianse, rise, pregò e imprecò, aspettando il
rientro dei parenti per continuare la sua vita.

Il tempo tornò, dunque, e continuò attorno a lei stem-
perandosi di nuovo nelle incombenze quotidiane, nel
pulire, nel cucinare, nell'allevare il nipote e badare a Natalia, in tutte quelle piccole cose che l'Annina chiamava
"questa vita", mentre poi coltivava come un fiore segreto
la vita dei ricordi, delle storie del Colle, del Maestro, della vedova, dei sovversivi, di Nocciolino, di quello che cominciò a raccontare a Sole durante le passeggiate, nelle
lunghe ore di pioggia dell'autunno, aspettando che una
febbre passasse, accanto a un fuoco per vincere il buio e
la neve.

Così com'era stato per suo nonno quando ancora era
un feto, quel bambino diventò ragazzo e poi uomo conoscendo attraverso le parole la vita che un tempo era passata dal Colle, i suoi personaggi e il suo spirito che due
guerre, una dittatura e la fretta degli uomini avevano ormai definitivamente sgretolato. Sulla collina dei cipressi,
Sole si abbandonò alle storie dell'Annina e vide ancora
luccicare il Padule là dove gli altri vedevano solo terra e
case, sentì la fatica del lavoro e l'ingiustizia che i suoi disgraziati avevano dovuto patire per anni, si emozionò
sognando un uomo con il suo stesso nome partire verso

quell'Oriente che lui riuscì a vedere con chiarezza appena oltre la sagoma del Malgardo, sobbalzò agli spari che avevano tolto la vita al Maestro e pianse le stesse lacrime di sua nonna trascinando il corpo martoriato di Cafiero.

Accompagnato da lei volle salire fino alle mura a immaginare la casa dell'amore dei suoi nonni, oltre le pompe di benzina che ora ne occupavano il posto, e tenendola per mano, con il fremito incuriosito dei bambini di fronte al mistero, restò per ore a contemplare la macchina di Ideale ancora ferita dalle pallottole dell'Enea. L'interno di quel prodigio diventò il rifugio preferito nel quale passò ore a leggere e a fantasticare, a seguire con lo sguardo l'intreccio di tubi e bandelle quasi volesse cercarne l'inizio e la fine, il senso, il cuore, finché la macchina non glielo rubò, e lo fece innamorare così com'era stato per il suo zio disperso in Russia.

Quasi quell'amore fosse rimasto impigliato tra gli ingranaggi, per nulla intaccato dalla violenza degli spari e della morte, Sole lo raccolse e lo fece proprio. Passò così molto del suo tempo negli stessi studi e negli stessi sogni di Ideale, per tentare di cogliere con l'intreccio dell'acciaio e degli elastici il senso di un movimento che sembrava allontanare sempre di più la vita da quel luogo, desiderando di carpirne il segreto e finalmente rendere eterno e infinito il rotolare di tutto quello che l'Annina gli aveva raccontato.

Sole crebbe dunque come l'ultimo depositario di quei segreti, e fu per questo che l'Annina, dopo aver sognato la Rosa, quel giorno andò verso il cancello del Prataio per aspettare il nipote al ritorno dall'officina e raccontargli, come sempre, parte del suo mondo. Si mise accanto al cancello, all'inizio del viale che portava alla provinciale, e si sedette sul muretto in attesa.

Fu dopo qualche minuto che vide l'uomo arrivare dalla strada, camminando lentamente, appoggiandosi a un bastone. A vederlo così, da lontano, pareva un vaga-

bondo straccione, la barba lunga e due bisacce a tracol-
la. Quello venne avanti ancora un po' e poi, quando fu a
una ventina di metri dall'Annina, si fermò in mezzo al
viale.

Lei vedendolo immobile gli lanciò una voce, domandando se avesse bisogno d'aiuto. E poiché l'uomo continuava a tacere e rimanere fermo, l'Annina si alzò e lentamente, come le sue gambe le permettevano, si avviò
verso di lui. La Penelope, che stava aiutando la Filomena a potare le rose in giardino, la scorse mentre s'incam-
minava e fece cenno alla cugina di fare attenzione.

La Filomena si sporse e vide l'Annina andare verso lo
sconosciuto, così disse alla Penelope che era meglio andare a vedere. Intanto l'Annina era ormai arrivata vicino all'uomo, e ancora gli stava domandando se avesse
bisogno di qualcosa senza ottener risposta.

Stava già per ripetergli la domanda quando si accorse che l'uomo era completamente ricoperto di polvere,
di fango incrostato, di una strana patina che sembrava
composta da differenti materiali, da limatura, sabbia,
terriccio, sudicio, non avrebbe saputo dire. E da quella
specie di scultura spuntavano, azzurri e profondi, due
occhi indimenticabili che la fissavano e le annodarono il
cuore.

«Mio Dio» gemette, «sei tornato…»

Poi gli si buttò al collo mentre già la voce le si stroz-
zava in gola, e quando anche lui finalmente la strinse a
sé, persa in quell'abbraccio così tante volte sognato
l'Annina risentì l'odore di viole che l'aveva sempre accompagnato e finalmente riuscì a piangere, e a sentirsi
troppo piccola per contenere tutta l'emozione che stava
provando.

La Filomena stava arrivando e non capì. Vide sua
madre aggrappata a quello straccione, e da lontano le
gridò qualcosa. Accelerò la corsa, chiamando a rinforzo
la Penelope. Poi sentì piangere sua madre e scorse quel-
l'ammasso di stracci che l'abbracciava, così si precipitò
a separarli, si mise tra loro cominciando ad alzare la vo-

ce, minacciosa, e si zittì soltanto quando l'Annina, ur-
lando più forte di lei, gridò:
«Smettila, è mio fratello, Sole!»
Fu come una fucilata che tramortì anche la Penelope.
Entrambe la guardarono incredule, poi guardarono
l'uomo, poi ancora l'Annina e finalmente la Filomena,
indicandolo, sbottò:
«Ma sei sicura?»
«Per Dio, è mio fratello!» l'Annina urlò.
La Filomena si avvicinò all'uomo, lo guardò e gli do-
mandò brusca:
«Lei è Sole, il figlio dell'Ulisse?»
Quello rimase in silenzio.
«Si sente bene?» continuò lei.
Nessuna risposta.
La Filomena si stava girando per dire alla Penelope
che secondo lei quello era un povero scemo, ma già
l'Annina l'aveva preso per mano e lo stava accompagnando verso il cancello del Prataio.
Le due cugine si guardarono di sottecchi, uno sguardo che diceva tutto. Ricordavano gli scherzi che l'età
gioca alla circolazione del sangue nel cervello. Già Telemaco aveva passato gli ultimi anni della sua vita a far
mattane, e l'Ettorre cominciava a perdere più di un colpo. Così si misero a fianco dell'Annina a domandarle
che cosa avesse in mente di fare.
«Lo porto in casa, bestie che siete» rispose lei piccata,
senza fermarsi, «son quasi cinquant'anni che non ci ve-
diamo e che dovrei fare, lasciarlo sulla strada? È stanco
morto, non vedete?»
La Penelope disse di aspettare lì, che andava a chiamare i suoi genitori. L'Annina borbottò qualcosa tra sé,
poi fece sedere l'uomo sull'unica panchina che era rimasta del vecchio giardino, ormai mezzo distrutto per
far posto al parcheggio delle auto.
Arrivò l'Ettorre e si avvicinò allo sconosciuto, con
una certa diffidenza lo scrutò e poi disse che sì, avrebbe potuto anche essere Sole, ma va' a sapere, dietro tut-

to quello sporco. La Rina invece non osò neanche avvicinarsi.

L'Annina desiderò d'andarsene. Prendere Sole per mano e portarlo lontano da quegli occhi che lo esaminavano neanche fosse un animale. Il volto del fratello era una maschera di tempo e polvere, e con una stretta al cuore pensò agli anni, ai luoghi, alle cose che doveva aver fatto e visto prima di tornare al Prataio. Seduta accanto a lui vide di fronte a sé il gruppo dei parenti, la loro diffidenza, l'aggressività della Penelope e l'indecisione della Filomena, mentre al suo fianco percepì la pena di quell'uomo silenzioso, stanco, che si trascinava dentro un universo sconosciuto. Così s'accorse d'essere la linea di separazione tra due mondi troppo distanti e differenti, e all'improvviso s'alzò, disse che erano tutti una manica di imbecilli, che lei il suo fratello lo riconosceva dall'odore e che adesso li lasciassero in pace, bestie che non erano altro.

L'Ettorre se ne andò seguito dalla Rina brontolando tra sé che lei poteva fare quel che voleva, ma erano passati troppi anni e lui si ricordava un bel ragazzo alto, biondo e non questo rimasuglio di uomo.

«Comunque» disse rivolto alla nipote prima di rientrare in casa «ti conviene che non sia il tuo Sole. Non vedi che questo è un muto mezzo scemo?»

Lei non disse niente, prese l'uomo per mano e se ne andò verso l'altro lato del Prataio, inseguita dalla Filomena e dalla Penelope che cercavano di fermarla, ma non ci fu bisogno di far nulla perché lo sconosciuto, arrivato davanti alla porta di casa, si arrestò e non volle proseguire. Si guardò attorno come per orizzontarsi, e poi puntò deciso verso la collina dei cipressi.

«Vedete» disse l'Annina raggiante, «va a salutare la Mena», e lasciò le due donne a rimuginare sul da farsi, mentre lei raggiungeva l'uomo che intanto s'era seduto accanto alle tombe e con lo sguardo fissava quella di marmo nero, su cui i nomi della Didone e dell'Isolina spiccavano scritti in lettere chiare.

«È una storia lunga, fratello mio» gli disse l'Annina arrivando, «e sapessi quante altre te ne devo raccontare...»

Seduti accanto alle tombe, ai piedi della collina dei cipressi, i due fratelli restarono a lungo abbracciati. Sole li trovò ancora così, dopo aver affrontato l'irritazione della Penelope e l'ansia della Filomena che l'avevano assalito con una miriade di supposizioni e allarmi non appena era giunto al Prataio.

Le aveva ascoltate, aveva cercato di calmarle con poche parole quindi, in preda all'emozione e alla curiosità, si era avviato impaziente di conoscere il protagonista di tante storie che la nonna gli aveva regalato. Nel breve tragitto dalla casa alla collina la mente gli si affollò delle sensazioni, dei ricordi, dei passi con cui aveva immaginato quel parente leggendario attraversare i deserti dell'Asia, dello stupore con cui aveva senz'altro ammirato la cupola d'oro di Gerusalemme, degli occhi che avevano guardato i palazzi di sabbia di San'aa, del silenzio che aveva imparato nei monasteri del Tibet, del volto con cui per anni aveva disegnato quel viaggiatore solitario mentre l'Annina gli raccontava di lui, così che quando gli arrivò di fronte, ansimando neanche avesse fatto quei cinquanta metri di corsa, si trovò davanti proprio all'immagine che per tanti anni aveva sognato, esattamente come l'aveva pensata e desiderata, incrostata dalla polvere di quel tempo che lui avrebbe voluto ingabbiare con un meccanismo, e si spaventò.

«È proprio lui» disse all'Annina neanche l'avesse realmente conosciuto, e poi scappò, questa volta davvero correndo, verso la casa, oltre le stalle, oltre i campi e oltre la paura di sapere che dentro di sé già conservava le città, gli infiniti tramonti, gli oceani, le differenti lingue, gli abiti, i colori, le storie e tutta la gente che il suo prozio era andato a cercare in Oriente.

Ma mentre correva si accorse che anche ogni luogo di

quella fuga era già immerso dentro di lui. Quei prati che calpestava erano gli stessi sui quali si era allontanata la Rosa tenendosi al braccio del medico dei balocchi, e prima del Malgardo, vicino alla chiusa, incontrò il pontile dove s'era incagliato il corpo di suo padre, proprio di fronte alla scuola popolare che il Maestro aveva fondato tanti anni prima. Così continuò a correre, e passò a fianco della Pieve dove riposavano i suoi cari, e tornò indietro, verso la Stazione, e dopo il ponticello vide il cippo che ricordava l'assassinio di Cafiero e così continuò a correre tentando di scappare, finché fu notte e, alla luce della luna piena, da lontano gli apparvero le case del Colle, e ancora gli sembrarono bianche, magnifiche e antiche, piene di una vita che lui non avrebbe mai potuto evitare, neppure se avesse corso per mille anni, all'infinito, in un moto perpetuo.

Così rallentò, si incamminò verso la ferrovia e si fermò accanto ai binari, proprio sotto al nocciòlo dov'era andata a concludersi la piroetta leggendaria di Nocciolino. Guardò a quei rami come a un rifugio, ci si arrampicò sopra, ci si incastrò e finalmente iniziò a dormire.

Quella notte anche l'Annina s'addormentò sfinita, dopo aver raccontato anni di vita al fratello appena tornato. Accanto a lei, senza mai dire parola, Sole aveva ascoltato quei racconti guardando verso un orizzonte lontano, come se cercasse oltre le tombe e la collina dei cipressi le persone, i fatti e i luoghi che lei gli stava descrivendo.

All'Annina apparve come un vecchio saggio e pacato, molto diverso dal narratore brillante che aveva conosciuto in gioventù. Solo gli occhi erano gli stessi di allora, mentre il resto del corpo pareva una carta geografica disegnata su una pergamena rinsecchita, coperto da vestiti logori, fatti di polvere e fango. Eppure, a stargli accanto, lei riusciva a sentire il peso del tempo che quel corpo conservava dentro di sé, le distanze che aveva percorso, tutto quello che aveva visto e conosciuto e che adesso, probabilmente, non aveva più bisogno di raccontare con le parole, ma custodiva negli occhi.

Così non gli chiese mai di parlarle. Semplicemente rispettò quel suo silenzio come avrebbe rispettato quello di una chiesa, e finché non lo vide, stanco, piegarsi su un lato e sdraiarsi sull'erba accanto alla tomba della Mena, non cessò di dividere con lui il peso di tutto quello che la vita aveva deciso di caricarle addosso durante quei lunghi anni. Quando finalmente lo vide addormentato, si alzò e se ne andò in casa a cercare invano riposo da quella giornata straordinaria, e nel sonno fu invasa ancora dai ricordi, dalle emozioni, dai fantasmi evocati poco prima.

Mentre ancora lei lottava con i suoi ricordi, la Penelope e la Filomena s'erano già levate e avevano iniziato a mettere in atto il loro progetto. Se proprio quello era un loro parente da accogliere al Prataio come s'usa tra persone civili, allora l'avrebbero lavato e pulito, sbarbato e ordinato in modo che fosse presentabile al mondo, non quel cencioso che era, da vergognarsi persino a farlo veder da lontano. Così andarono alle stalle e recuperarono una grande conca smaltata che un tempo era servita ai maiali, la riempirono d'acqua e andarono a svegliare l'uomo che ancora era sdraiato accanto alle tombe.

Con gentilezza lo presero e lo portarono alla vasca, dove tentarono di convincerlo a entrare. Riluttante, quello si teneva ai bordi rifiutando di muoversi, così che le due donne dovettero spogliarlo con grande fatica e quasi prenderlo di peso per metterlo in acqua. E quando questa lo toccò, lui levò un lamento acuto, lancinante, come qualcuno che, invece di essere insaponato e passato alla spugna, fosse scorticato vivo.

A quelle urla Sole e Natalia arrivarono di corsa e iniziarono una discussione con le donne per convincerle a fermare quella che più che un'opera di pulizia pareva una tortura, ma mentre la Filomena difendeva le ragioni della decenza la Penelope, incurante dei lamenti dell'uomo, continuava a spazzolarlo con foga levando lo strato di fango e sporcizia che lo ricopriva. A ogni passata le setole e il sapone scrostavano la sua pelle come l'intonaco vecchio di un muro, e l'acqua gettata a pioggia lavava del tutto il residuo di anni, di chilometri, di terra e di tempo che lui aveva raccolto in Oriente, fino a che dalla schiuma scivolata via con l'ultima doccia emerse un volto che non avrebbe potuto avere più di vent'anni, identico a quello del ritratto che l'Annina conservava assieme alle foto di Cafiero e del Maestro. Tutti tacquero all'istante, e il Prataio risuonò soltanto delle grida strazianti di quell'essere fradicio e indifeso.

L'Annina aveva lottato coi ricordi tutta la notte, presa nella confusione di persone amate, di lutti, di guerre e nascite che le avevano urlato nella testa durante quel sonno agitato, in un frastuono sempre più alto che alla fine la svegliò. Ma quando fu sveglia si accorse che le urla non provenivano dal suo sogno, bensì dal giardino, e assieme a quelli che parevano toni di un litigio un grido acuto, straziante li sovrastava e la feriva al cuore direttamente, perché aveva la voce del suo stesso sangue. Così neppure si vestì, e in camicia da notte si precipitò di sotto.

Da lontano vide la gente del Prataio radunata a capannello, e fra tutti Sole e Natalia che stavano discutendo con la Penelope e la Filomena, chiusi attorno a qualcosa che non riusciva a distinguere bene. Fu mentre si avvicinava che le discussioni cessarono all'improvviso e soltanto l'urlo di suo fratello lacerò l'aria del Prataio come un pianto d'animale ferito, un coltello che le passò la carne rigandole la pelle e gettandola nell'ansia, così che quando arrivò davanti a quel muro di persone per un attimo sperò che nessuno la lasciasse passare, che nessuno si accorgesse di lei e che tutti continuassero a fare scudo con i loro corpi allo strazio che quel grido lasciava trapelare.

Ma Natalia la vide, e non appena si scostò, nudo, seduto in quella vasca da maiali, l'Annina si trovò di fronte a Sole, al suo volto uguale a quello che aveva visto il giorno in cui l'aveva abbracciato per l'ultima volta, prima che partisse, quando aveva chiuso dentro di sé la voglia di trattenerlo, di impedirgli di andarsene e spendere tutto il suo tempo per cercare, granello dopo granello, il senso di una vita che un po' d'acqua e di sapone avevano sciolto in due minuti.

La Rina, davanti a lei, si segnò, mentre un tremito attraversava l'Ettorre che sembrava impietrito.

«Mio Dio» ebbe solo la forza di dire la Penelope, prima di gettare spazzola e spugna e fuggire a chiudersi in casa.

Gli occhi dell'Annina incrociarono quelli del fratello e nel suo sguardo disperato lei vide il dolore di chi si sente morire, e avverte la propria vita sgretolarsi, sciogliersi e scivolare lontano, incurante dell'amore, delle volontà, dei sogni e di tutto quello che costruisce il passo degli uomini. E Sole, suo figlio, in quel guardare affannato vide il meccanismo dell'esistenza incrinarsi dentro l'acqua e la schiuma, e percepì l'incagliarsi del movimento che l'aveva portato lungo il tempo come un'onda porta una barca a fracassarsi contro una scogliera di dolore. E Natalia vide in quegli occhi il suo amore impossibile, uno eppure diviso tra le pallottole di un tedesco e il bianco delle steppe innevate, fissò il ghiaccio di chi uccide e sentì il morso del gelo diventare calore, e poi la fitta del piombo nel petto, e infine il calore trasformarsi in un dolore avvolgente, circolare, perfetto.

E tutti e tre, feriti da questa perfezione, videro la pelle di Sole lentamente raggrinzarsi e creparsi, e la gioventù che l'acqua aveva riportato in superficie scomparire come sabbia sollevata dal vento, tanto che in pochi minuti quel ragazzo tornò a essere il vecchio incerto e tremante che qualche ora prima aveva attraversato il cancello del Prataio.

Sole morì così, seduto in una pozzanghera sporca, lo

sguardo inondato dal dolore. Spazzolata dalle mani della Penelope, la sua vita restò nell'acqua della vasca dei maiali per molto tempo ancora, senza che nessuno dei Bertorelli trovasse il coraggio di rovesciarla sull'erba. Lasciata per settimane e mesi all'aperto, il sole la raccolse quasi come omaggio a un uomo che aveva osato portare il suo stesso nome e quella evaporò nell'aria, se ne andò in alto in mezzo alle nuvole, e infine tornò in Oriente trasportata dal vento, dentro milioni di gocce in perpetuo movimento.

Mentre seduto nella vasca dei maiali Sole invecchiava e moriva, l'Annina capì che un pezzo della sua stessa vita se ne stava andando con lui, quella stessa vita che lui era tornato a portarle. Sentiva il suo lamento straziante affievolirsi, e il suo sguardo spegnersi come quello di una candela senza più cera, e dentro di lei, allo stesso modo, avvertiva confondersi le distanze, imbrigliarsi le parole, incespicare i passi, e finalmente i fantasmi dei ricordi scivolare via, quasi presi per mano da quel suo fratello che, andando, li stava portando con sé per sempre.

Da quel giorno l'Annina non ricordò più, e la sua mente, liberata da tutto quel passato, si arrotolò in una nebbia dalla quale emergeva raramente. A nulla valsero le cure dei dottori ai quali Sole e la Filomena si rivolsero, ché tanto questi visitavano, toccavano, guardavano e poi parlavano d'età avanzata e del sangue che arrivava male a dar ossigeno al cervello. Ognuno di loro, camice e aria da professore, allargava le braccia e avvertiva Natalia e gli altri familiari di avere cura e pazienza verso una condizione che l'avrebbe precipitata nella sofferenza dell'arteriosclerosi più nera.

Ma quello che nessuno capiva era perché l'Annina sembrasse felice. Mangiava tranquilla, si coricava, come la Rosa restava per ore immobile alla finestra a guardare verso la collina dei cipressi, senza far nessuna delle mattane con cui l'Ulisse e Telemaco avevano straziato quel che restava delle loro vite. Ogni tanto sorrideva,

l'Annina, ascoltava le chiacchiere delle donne del Prataio e a volte persino rideva, si rattristava, sembrava seguire e capire ogni sfumatura intervenendo con pun-
tualità e attenzione. Quando morì la Rina, per esempio,
pianse e, poco dopo, fece lo stesso quando toccò all'Ettorre, e nessuno seppe se stupirsi che li avesse accompagnati al cimitero o ritenere normale, perché causato dalla malattia, un fatto altrimenti eccezionale.

L'Annina pareva vivere normalmente. Soltanto non
ricordava, non raccontava e non sapeva più nulla di
quello che era stato, e questo sembrava non pesarle, ma
addirittura esserle di sollievo. Per questo quando la lettera arrivò Sole non provò neppure a parlargliene. L'aveva
trovata nella cassetta della posta in mezzo all'altra corrispondenza e subito era rimasto colpito da quella busta
più grande del normale, gonfia, zeppa di francobolli strani, con l'indirizzo e il suo nome scritto in una calligrafia
leggera, certamente di donna. Incuriosito era corso alla
vecchia stalla, era andato a sedersi dentro "Libertà".

Emozionato come un bambino aveva aperto la busta
e letto attentamente i quattro fogli scritti in un inglese
elementare, fitto fitto, e man mano che leggeva gli era
sembrato d'essere davvero al centro di un movimento
senza fine, che nessuno avrebbe mai potuto arrestare
finché ci sarebbero state parole per raccontare. Così
andò a cercare sua madre, le disse che doveva darle una
cosa e la fece entrare dentro il ventre della macchina.

«Guarda» le disse mentre lei ridendo si schermiva
per quel vecchio gioco, e le mostrò la busta.

Lei lesse l'indirizzo e sospettosa domandò:

«Chi ti scrive dalla Russia?»

«Non è per me, è per il babbo.»

Natalia impallidì.

«È della figlia di Ideale.»

Lei domandò quasi sottovoce:

«È vivo?»

«È morto due mesi fa. Ha vissuto in Ucraina per parecchi anni e poi a Kazan, nel Tatarstan» disse Sole.

Quindi s'avvicinò alla madre che aveva chiuso gli occhi per trattenere meglio l'emozione, e l'accarezzò.

«Ha lasciato detto alla figlia di scrivere al babbo dopo la sua morte e di mandargli questa» disse porgendole qualcosa.

Natalia guardò, e le sembrò di precipitare all'indietro, trascinata dal movimento del tempo che l'inghiottiva come un tornado. Un fuscello nell'acqua si sentì, un giocattolo strapazzato da un bambino capriccioso, e si lasciò scappare un lamento strozzato per tutto quanto era successo, e lei non aveva potuto fare a meno che succedesse nonostante avesse creduto di poterne determinare il corso. Per l'amore, per la morte, per le pallottole che le avevano spaccato il cuore e per la steppa che se l'era inghiottita, per i giorni di solitudine, i rimorsi e i pianti, per le notti passate a desiderare che tutto tornasse indietro, che il tempo si fermasse e cambiasse direzione e tornasse lì, dentro la busta che suo figlio adesso le porgeva, arrivata dal passato perso in Russia, una busta di un rosa ormai sbiadito, ormai quasi senza colore, ancora sigillata, sulla quale molti anni prima lei stessa aveva scritto sbadatamente il nome e l'indirizzo di Ideale sicura di fermarlo con l'amore.

Ideale stava camminando nel parco, lungo il Volga, appoggiandosi al bastone. In quel punto il fiume era talmente largo che gli ricordava il Padule come l'aveva visto da bambino, prima che le pompe dei Bertorelli lo rendessero terra. Dalla riva, oltre il filo dell'orizzonte, poteva scorgere i capannoni della fabbrica di motori e gli operai sul piazzale che sembravano mille minuscole formiche. Rise a fior di labbra. Una di quelle era sua figlia Anis'ia, la dolce Anis'ia che gli aveva rubato il cuore già il giorno in cui, appena nata, gli aveva sorriso. Natalija aveva sostenuto che era impossibile, che i neonati non sorridono a nessuno. Fanno smorfie inconsulte, aprono e chiudono la bocca senza un senso, ma lui aveva continuato a pensare che Anis'ia l'avesse visto e gli avesse sorriso, e che in fondo i russi dei sorrisi dei bambini non capissero niente.

Lui invece i bambini li capiva. Conosceva cosa si nasconde dietro un loro silenzio, dentro un pianto o una parola ripetuta all'infinito. Dei bambini amava tutto. Amava guardarli muovere i primi passi e camminare incerti così come faceva lui sopra i suoi piedi mangiati dal gelo. Amava ascoltare le loro fantasie fatte di niente, incongrue, spesso arrotolate attorno a un filo esile, a una carta che diventava aeroplano o a un bastone ch'era una bambola o un cannone. Salti di tempo, scambi di persone, identità trasportate dagli oggetti come i sogni che lui aveva cullato dentro "Libertà".

Per questo confidò i suoi pensieri ad Anis'ia fin da quando lei era bambina, le parlò del suo fantastico meccanismo fatto d'acciaio, in grado di imprigionare i desideri e il movimento, e lei l'aveva sempre ascoltato con interesse, a dispetto della madre e degli altri familiari che lo ritenevano soltanto un italiano geniale e mezzo matto. In silenzio, attenta a cogliere il senso delle sue frasi in una lingua incerta come il suo camminare, Anis'ia aveva amato sin da bambina quel padre così diverso dagli altri, pieno di parole e di storie disegnate sulla carta come grovigli di linee e di curve.

Teorie dinamiche dell'elasticità, principi termoelettrici, motori, giunti e snodi cardanici erano stati il mondo bizzarro in cui lei era cresciuta dall'Ucraina fino a Kazan dove, dopo la morte di Natalija, s'era trasferita con il padre quando avevano aperto la grande fabbrica dei motori. Così le era sembrato sensazionale e bello, e persino divertente scoprire come le storie di Ideale potessero tramutarsi in giganteschi ammassi di fili e di acciaio, cuore degli enormi aeroplani che salivano in cielo e attraversavano il mondo.

E altrettanto sensazionale e bello, e persino divertente era stato andarci a lavorare con lui, poter materialmente costruire i labirinti di contatti che permettevano a una turbina di accelerare, di creare il movimento, e poi di arrestarlo, di invertirlo, rallentarlo o farlo ripartire.

Dalla sponda del Volga, quel pomeriggio, Ideale vide la fabbrica dei motori, immaginò Anis'ia arrivare al lavoro e sorrise. Era lontano oltre un chilometro da lei ma le sorrise, pensando che l'amore che sentiva le sarebbe comunque arrivato. La notte precedente aveva sognato il Prataio dove l'Annina stava sognando la Rosa che sognava Sole mentre le raccontava una storia. Lui era entrato in silenzio dentro i loro sogni cercando di non farli evaporare, ma poi tutto aveva cominciato a girare come in un caleidoscopio e alla fine si era ricomposto in un disegno complicatissimo da cui era apparsa "Libertà", e allora se n'era andato felice verso gli ingranaggi, aveva trovato la manovella dell'avviamento e aveva cominciato a girarla.

La macchina s'era messa in moto e, uno dopo l'altro, Ideale aveva visto srotolarsi gli attimi della sua vita, via Pomeraskaja dove viveva e Piotr Ivanov il suo vicino, e poi il parco sul Volga, e il suo lavoro al banco dei motori, e ancora, accelerando, s'erano srotolati i volti di Natalija e dei suoi parenti, le strade del Tatarstan che scendevano verso l'Ucraina e poi, sempre più velocemente, aveva visto scorrere davanti a sé un giorno in cui era stato malato e una volta che era scivolato sul ghiaccio, un abbraccio pieno d'amore e l'isba con la minestra di cavoli di Irina Pavlova, e poi l'odore di ferro della neve, e il sole gelato della steppa e i piedi che gli bruciavano, i cannoni oltre Stalingrado, i treni, il treno che lo portava via dal Colle, Sole con una lettera in mano, l'Annina che piangeva, il bacio di Natalia, l'Ettorre coi suoi disegni stesi davanti, il nocciòlo accanto alla ferrovia, la Filomena che piangeva, le labbra viola di Sole, e mentre queste e altre immagini scorrevano lui aveva capito d'aver sbagliato e aver invertito il movimento della sua vita e così aveva tentato disperatamente di fermarlo, di ricordarsi un principio, una legge, o quale bullone, quale leva tirare per cambiare, arrestare o almeno rallentare quel moto.

Ma già si era visto all'istituto di credito, tenuto per mano dall'Annina quando era andata a discutere dell'ipoteca e ancora non riusciva a fermarlo, e così si era sentito di nuovo in pena per il suo fratello malato, uno scricciolo di bimbo, e mentre smanettava sulle bandelle inutilmente, aveva visto le mani dell'Oreste afferrarlo nell'istante in cui sua madre urlando lo spingeva nel mondo e subito dopo una nuvola bianca, un mare d'ovatta e lui che volava sulle montagne della Svizzera piene di neve, ma non erano la Svizzera. Anzi, erano la Svizzera e allo stesso tempo erano la Piana, il Colle, il Padule e il Prataio con l'Ulisse che berciava, erano i maiali del Portale, la Rosa vestita d'azzurro che fuggiva, la Rocca con San Venanzio, il Malgardo e la chiusa, erano Milano, Sapri e i sovversivi, e lui dall'alto vedeva tutto e non distingueva niente, ma sentiva fortissimo, enorme, l'amore dell'Annina e quello di Cafiero, e l'esplosione dalla quale lui era nato, un colpo di vento, uno schiocco secco e netto che segnava l'inizio e la fine in un lampo che l'aveva svegliato.

Seduto sul letto, la testa ancora piena di quel bagliore, Ideale Bertorelli per la prima volta aveva considerato di dover morire. Non che non ci avesse mai pensato. Aveva incontrato la morte mille volte, sotto la grandine degli obici o dentro occhi ghiacciati dalla neve. L'aveva insultata, l'aveva allontanata, ma il suo carattere non gli aveva mai permesso di considerare seriamente che prima o poi la morte l'avrebbe riguardato. Quella mattina, nella casa di via Pomeraskaja, mentre ancora Anis'ia dormiva, Ideale capì che non era riuscito a imprigionare nulla, e che quel giorno la vita l'avrebbe lasciato. Non era servito innamorarsi della meccanica, e spendere notti e giornate su cardini e pistoni, non era servito trovare il segreto del movimento perpetuo, e lavorare due volte per risparmiare la sofferenza di Sole, così come non era servito lasciare a lui il cuore di Natalia per togliergli il respiro affannoso e il blu dalle labbra. E a nulla era servito rinunciare, andarsene per non incrinargli la vita, e poi non tornare mai più, restare lontano e non intralciare la felicità che aveva pensato di dargli. Allora si era alzato lentamente e sul tavolo della cucina aveva scritto una lettera per Anis'ia, poi era uscito verso il parco sul Volga, a morire.

Seduto sulla riva, di fronte alla distesa dell'acqua che gli ricordava il Padule, Ideale chiuse gli occhi per sentire per l'ultima volta il movimento scorrergli dentro le vene, per sentirlo affievolirsi e rallentare, e finalmente riuscire a scivolare nei suoi ingranaggi come quando lui costruiva "Libertà" e ancora credeva che fosse possibile creare una corsa infinita. Restò seduto in silenzio, sul fiume, ad aspettare che gli si fermasse del tutto la vita.

Natalia fissò il nome scritto con la sua calligrafia di ragazza sul rosa sbiadito della busta, e stordita dall'emozione ascoltò la voce di Sole leggere quanto la figlia di Ideale aveva scritto a un uomo ormai morto da tempo. E mentre lui leggeva, immagini e figure di altre vite si sovrapposero alla rinfusa nella sua mente: i piedi congelati e la chiusa della Bonifica, il treno che partiva dal Colle e i grandi motori degli aerei, gli ingranaggi di "Libertà" e una ragazza chiamata Anis'ia, le mani dell'ufficiale tedesco e un'altra donna che aveva il suo stesso nome.

Seduta nel ventre della macchina che un tempo aveva imprigionato il suo amore pensò alla vita che aveva immaginato, a tutto quello che per anni si era raccontata per vincere dolore, solitudine e rimpianti, avvitando circostanze, volti e parole sopra i suoi desideri così come Ideale avrebbe avvitato con bulloni e virole i suoi meccanismi. Quella vita era stata una linfa speciale per continuare a muoversi, un porto tranquillo per addormentarsi, una compagnia quotidiana e abituale che nel tempo l'aveva rassicurata, sostenuta, e condotta quasi alla convinzione che nulla di quello che era stato era avvenuto per causa sua. Ma ora, con quella lettera tra le mani, tutto tornava indietro, e la sua vita immaginata si sgretolava di fronte all'amore che non muore, che vive e ritorna senza possibilità di nascondersi.

Se pianse, dunque, non fu per la morte di un uomo che in fondo era già morto, ma per quella di un'oasi immaginaria, distrutta dai colpi delle parole che suo figlio le stava leggendo e che la obbligavano ad affrontare ancora il passato senza nessuna possibilità di cambiarlo.

Con la busta rosa tra le mani, oppressa da quel peso, Natalia si arrese e pregò Sole di scrivere in Russia, di chiedere ancora notizie, per conoscere finalmente ogni giorno, ogni parola, ogni respiro di una vita che era andata a incagliarsi tanto lontano da lei, per poter finalmente sapere e piangere di dolore o ridere di felicità, e finalmente allontanare la consolazione di un congegno di inutili illusioni.

Dunque, da quel giorno Sole iniziò una corrispondenza con Anis'ia dalla quale non solo ricevette i particolari della vita dello zio che aveva sempre creduto disperso, ma il ricordo di un Colle che Ideale aveva trasmesso a sua figlia così come l'Annina aveva fatto con lui, conservato negli anni dalla distanza e dalla nostalgia, e anzi restituito ora con una precisione e un amore sorprendenti, tanto che a volte toccò a Sole di chiedere conferma a sua madre o ai più vecchi, giù all'officina, di fatti e persone di cui non aveva mai avuto notizia, o di andare a controllare una strada o una casa che da migliaia di chilometri di distanza Anis'ia gli descriveva con un'esattezza sorprendente.

Nella sua immaginazione, Sole poté così ricostruire la Stazione cancellata dalle bombe alleate meglio di quanto avrebbe potuto fare consultando carte e foto dell'epoca perché, a differenza che in una semplice topografia di muri o vie, nei racconti di Anis'ia le case risuonavano di persone vive, di odori, di storie minute, neanche lei avesse vissuto direttamente tutta quella vita. Allo stesso modo Sole conobbe gli angoli più sperduti dell'officina dell'Ettorre come non avrebbe mai creduto, e punti della Piana di cui non si era mai accorto, e i vecchi fossi della Bonifica ora nascosti da nuove strade.

Leggendo quelle lettere fitte di parole, Sole vide reale, pulsante, ancora del tutto vivo un mondo che Ideale aveva portato con sé nel suo viaggio disperato, alimentato dalla sofferenza di una guerra e di una marcia in mezzo al gelo, scolpito con tanta cura e passione da risultare più vero di quello che aveva lasciato. E nella magìa di quell'universo ricordato, il Colle rimaneva intatto, fermo e immobile in un mondo ormai svanito non solo nei luoghi ma anche nei fatti e nelle persone, e sua madre, l'Annina, la Penelope o la Filomena tornavano ora nelle parole scritte a tanta distanza di spazio e di tempo di nuovo giovani o bambine.

Nel tentativo di liberare Natalia da un'illusione, così come aveva fatto Ideale creando la sua macchina, Sole e Anis'ia costruirono ancora una volta un inganno mediante il loro meccanismo di parole, attraverso una fitta rete di lettere, avvolgendosi nei ricordi e nel desiderio di trattenerli per sempre, stretti tra loro.

Affascinati dal filo dei racconti che li teneva uniti, i due cugini cominciarono a progettare di rompere quella lontananza e toccare finalmente di persona l'affetto che fino ad allora avevano costruito soltanto sulle carte. Oltre alla vita del Colle, nelle stanze di Kazan Ideale aveva lasciato scritti, disegni, progetti che secondo Anis'ia avrebbero consentito di terminare "Libertà", un'eredità che costituiva una prospettiva troppo affascinante perché Sole non decidesse di intraprendere il viaggio.

Fu così che l'inganno si svolse e il tempo srotolò la sua spirale, riportando in Oriente il nipote di quel Sole che proprio da laggiù era tornato con un segreto spazzolato dal sapone e dall'acqua, e del quale ormai non era rimasto più niente.

Nel momento in cui Ideale moriva, nei capannoni dall'altra parte del fiume Anis'ia come ogni giorno stava lavorando alla revisione dei grandi motori. Lavorava svelta, le mani che andavano veloci tra la tastiera del computer e i circuiti che passava al controllo prima di rimandarli al montaggio. Era orgogliosa del suo lavoro, di conoscere i segreti di quegli ammassi di fili e metallo, in apparenza incongrui eppure in grado di sollevare aeroplani grossi come una casa.

Erano orologi, orologi con una potenza da giganti, e allo stesso tempo miracoli di meccanica e di elettronica in bilico sull'energia che passava attraverso migliaia di contatti colorati, scintille che tramite i fili di rame ordinavano alle turbine il movimento, sprigionavano forza e rumore e vortici, muovevano l'aria e le cose, ruggivano.

La mandarono a chiamare e lei subito non capì. Un malore di suo padre, le dissero, ma appena fuori, nel corridoio della direzione, vide un poliziotto venirle incontro con una faccia imbarazzata, e il cuore le si strinse. L'uomo rigirava tra le mani una lettera e, quando gliela porse guardandola dritta negli occhi, Anis'ia sentì il respiro fermarsi, le cose attorno sfuggirle e il mondo, le parole, i movimenti rallentare come se un circuito elettronico avesse all'improvviso invertito il rullare delle turbine che spingevano in avanti la sua vita.

Soltanto più tardi, a casa, ebbe il coraggio di aprire la busta e leggere quello che Ideale le aveva scritto per l'ultima volta. Ingoiò subito le prime frasi quasi per farsi coraggio, convinta di trovarsi di fronte a parole piene di dolore, ma subito riconobbe lo spirito lieve del suo narrare, quel toccare con dolcezza e allegria anche le cose più serie, e dunque frenò la corsa, si asciugò gli occhi e persino sorrise all'idea delle buffe storie che ancora una volta suo padre le stava raccontando. Descritta così come stava facendo lui, la morte non le sembrò crudele nel modo in cui le era sempre apparsa. Sembrava soltanto un contrattempo, il gripparsi di un ingranaggio, un motore che si fermava per mancanza di benzina. Perché era del rallentare della propria vita che suo padre le stava parlando, dell'amore, che per lui era sempre stato un moto, e del suo andarsene dal Colle per riuscire a essere un elastico che donasse forza al motore di suo fratello.

Dentro una busta rosa, le stava confessando, aveva conservato l'energia che l'aveva spinto a cercare altre strade e altri meccanismi, e la felicità di Sole era stata così il suo perno, il punto fisso sul quale aveva avvitato l'esistenza scappando lontano ogni giorno e ogni giorno ritornando col pensiero al luogo e alle persone da cui si era allontanato, in un dondolare che era stato per così tanti anni la sua vita.

E questa si era alla fine consumata in un andare e venire continuo, infrangendo la sua convinzione di averla resa perpetua una volta per tutte grazie alla simmetria perfetta dei nomi e dei rimandi, dei luoghi e delle persone, dei motori e delle distese d'acqua, di tutto quello con cui aveva tentato di costruire quanto ora era impossibile spiegarle in quattro pagine fitte di parole scritte di sbieco, sul tavolo della cucina, mentre la morte già gli posava una mano sulla spalla.

Quella mattina, le scrisse semplicemente, s'era accorto che il suo meccanismo si stava fermando, che tutto quanto aveva avvitato attorno e sopra ai suoi ricordi si era ormai spinto fino al punto massimo dove sarebbe potuto arrivare, e ora cominciava a rallentare, a rifluire tornando definitivamente da dove era partito.

Anis'ia sorrise. L'ultima raccomandazione che suo padre le faceva era il disegno di un giunto, ispirato alla radice che aveva trovato nella steppa il giorno in cui suo nonno l'aveva raccolto mezzo assiderato. Si era attaccato a quel ciocco neanche fosse il baule di un tesoro, e l'aveva tenuto così stretto che i suoi soccorritori avevano rinunciato a toglierglielo, lasciandolo nel letto finché non si ridestò dal suo sonno di gelo abbracciato a quel coso.

Quel pezzo di legno contorto era diventato, alla fine, l'indizio dell'evidente stravaganza di un uomo capitato là da un Paese lontano, il bersaglio di un gioco scherzoso di tutta la famiglia che l'aveva conservato per anni come un amuleto magico della vita. Quella radice, in fondo, era stata la sua prima stranezza, alla quale era seguita quella di una lingua esotica, musicale e piana, e poi il suo disegnare in continuazione linee intricate, grovigli di circonferenze e di ellissi, e l'abilità quasi fatata nel riparare ingranaggi, motori o qualsiasi aggeggio meccanico gli capitasse tra le mani con una perizia e un piacere sorprendenti.

Per questo, terminata la lettera, Anis'ia fu invasa da un senso di sconforto totale, sentendosi annegare al pensiero di una serenità che forse non avrebbe mai più toccato, quasi suo padre l'avesse lasciata sola in mezzo a un mare di circuiti stampati, a cercare di tenersi a galla nel mistero del movimento, tra i congegni della vita senza più la sua presenza confortante a indicarle il giunto di un sorriso, lo snodo di una carezza, il giroscopio costruito sopra una delle sue tante storie.

Naufragata in questo mare, Anis'ia tentò di riprendere il passo della sua esistenza quotidiana nonostante quei primi giorni senza di lui le sembrassero scuri e pesanti, affollati di pensieri confusi. Andò sulle rive del Volga a guardare i capannoni della fabbrica come li aveva visti lui per l'ultima volta, sperando invano di cogliere nell'aria un refolo dell'allegria che Ideale le aveva sempre trasmesso, e poi, ancora più orfana, si presentò al suo banco di lavoro a tentare di cancellare il volto di suo padre posando gli occhi sui labirinti dei circuiti e degli ingranaggi.

Uno dopo l'altro i contatti sfilavano sotto le sue mani, con gli stessi gesti che compiva da anni, uno sguardo ai numeri sullo schermo e uno alle piastre piene di fili che avrebbero trasmesso gli impulsi dei motori. Ma il volto di Ideale si inseriva continuamente anche in questo gioco di sguardi, compariva all'improvviso sui mille puntini illuminati del tubo catodico mentre il luccicare di un contatto zincato le ricordava il baluginare del sole quando lui glielo indicava raccontandole di un suo fratello lontano che aveva la sfrontatezza di portare proprio quel nome, nella lingua italiana.

Il mare della nostalgia, dunque, non abbandonò neanche per un momento Anis'ia, e proprio l'amore per il padre perduto la distolse, la confuse e alla fine la tradì, nascondendole il difetto che il macchinario le segnalava, la piccola luce intermittente che indicava, nel pezzo che stava controllando, un'anomalia pericolosa, l'inghippo di un percorso che avrebbe potuto impedire all'energia di portare un comando a una turbina, ordinandole il senso della rotazione, imprimendole all'improvviso il movimento.

Sciolta dentro lo sguardo di suo padre, Anis'ia non vide. Mentre i numeri sullo schermo le indicavano l'errore, lei si distrasse per scacciare con un dito una lacrima dalla guancia e subito lo posò sulla tastiera avallando il difetto. Poi prese la piastra e andò a rimontarla dentro al motore.

Una sola lacrima bastò. Quel gesto rapido, fatto quasi di nascosto per non dispiacere a Ideale, lui che gocce di pianto sul suo volto non ne aveva mai potute sopportare, fu sufficiente ad avvitare un altro piccolo pezzo del meccanismo che, senza sapere, Anis'ia stava costruendo attorno alla vita di un cugino di cui non aveva mai sentito parlare, un'ombra vaga con la quale, di lì a poco, avrebbe condiviso parole, ricordi e il desiderio di capire il movimento del labirinto delle cose, e di poterlo finalmente imbrigliare.

La sera prima della sua partenza, Sole passò parecchio tempo dentro il ventre di "Libertà" a pensare. In mano aveva i disegni che Ideale aveva lasciato a suo padre prima di partire soldato, gli stessi che fin da bambino l'avevano affascinato più di una misteriosa mappa del tesoro. Ormai li conosceva a memoria, linea per linea, e sapeva capire come un tratto di matita si tramutasse nella macchina in una bandella d'acciaio che trasmetteva il movimento.

Accanto ai disegni, là sotto, nell'unico spazio libero del pavimento, quella sera aveva steso anche una carta geografica, e ora si divertiva a immaginare il volo che l'indomani avrebbe compiuto sopra le pianure segnate di verde, o i monti prima disegnati in beige e poi in un marrone sempre più scuro, e i fiumi, piccole vene azzurre che la attraversano proprio come fosse un corpo umano.

Sorridendo pensò che probabilmente il prozio dal suo stesso nome, molti anni prima, aveva percorso lo stesso tragitto verso est, e allora un solo centimetro di quella carta era stato un tempo diverso, ogni granello di colore un prato da attraversare, ogni filo d'azzurro un fiume da oltrepassare. Lui avrebbe volato su tutto questo, come si fa nei sogni, spostandosi in un attimo da un'altra parte, guardando le pianure e le montagne dall'alto, con la sufficienza dei giganti.

Appoggiò la testa all'acciaio della macchina e chiuse gli occhi per immaginarsi meglio quel balzo prodigioso. Quello sarebbe stato il suo primo volo, e lui fu felice che la destinazione fosse, in qualche modo, il suo passato, la vita di Ideale ch'era ricomparsa all'improvviso come per rimettere in moto qualcosa che s'era arrestato, e ora aveva ancora il volto e il nome di Anis'ia. Un passato che sapeva di futuro.

Quando Natalia arrivò lo trovò così, abbandonato nel suo fantasticare tra quei capricci del tempo. In silenzio si sedette vicino a lui com'erano soliti fare quando si divertivano ad ascoltare il respiro di "Libertà". Non si parlarono per un po', finché lei iniziò a raccontargli della notte in cui aveva deciso di scrivere due lettere a due fratelli che amava.

Gli parlò di loro e della sua indecisione, di quanto lei fosse attratta dall'energia di uno e dalla dolcezza dell'altro. Parlò dell'amore con cui Sole l'aveva avvolta, della sua fragilità di cristallo, e poi della forza di Ideale, una folata di vento e di acciaio. Gli descrisse la linea sottile delle mani di uno e il suo respirare aspro, e poi gli raccontò degli abbracci appassionati dell'altro, dei suoi baci che la stordivano mentre sopra di loro la macchina interpretava il movimento.

Cercò di spiegargli la febbre, l'agitazione e la paura di ferire mortalmente Sole e il desiderio di abbandonarsi a Ideale, e di come arrivò a pensare di dover decidere lei il cammino delle cose.

«La lettera rosa fu soltanto un errore» gli disse infine con le lacrime agli occhi, «e per anni ho pensato d'essere stata io a determinare tutto quello che è successo in seguito con quella distrazione.»

«Ideale invece non aprì neppure la busta. Così in realtà fu lui a decidere, e a rimanere in Russia per la felicità di un fratello che ormai era già morto da tempo.»

Sorrise.

Sole allora si alzò in piedi e le indicò due cinghie elastiche uguali, messe ai capi opposti della macchina.

«Vedi queste? Ognuna di loro regola un movimento diverso, ma senza l'una l'altra non funzionerebbe e "Libertà" sarebbe un ammasso di ferraglia immobile e senza senso.»

Poi indicò quegli stessi pezzi sul disegno.

«Ideale ha chiamato i pezzi portanti del congegno con dei nomi precisi, e quelle due cinghie si chiamano come lui e suo fratello.»

Natalia si avvicinò, e lesse infatti i nomi, e accanto a quello di Sole vide scritto anche il proprio.

«Ci sono anche io» disse stupita.

«Tu sei questo giunto qui» le indicò il figlio, «e sei collegata al babbo da questo snodo, che ovviamente io ho chiamato come me. Lo zio s'è messo lassù, e forse per quello se n'è rimasto in Russia» concluse sorridendo.

Natalia era esterrefatta: sull'enorme disegno del progetto, accanto all'intrigo di linee, si potevano leggere con chiarezza i nomi di tutti i Bertorelli, della gente del Prataio e persino della Piana e di quello che una volta era stato il Padule. C'erano la Mena e il Mero, c'erano l'Ulisse, Telemaco e l'Ettorre, e poi l'Isolina, e tutti i loro figli, anche quelli morti di spagnola, e la vedova Bartoli, il Maestro con i suoi figli e persino la Rosa e il medico dei balocchi, e ogni pezzo era collegato all'altro secondo una logica, come in un enorme albero genealogico d'acciaio.

«Qui c'è tutta la vita del Colle, e quando tu metti in moto il meccanismo» le disse Sole dando un giro alla manovella «ogni pezzo fa la sua parte.»

Madre e figlio restarono immobili a guardare quel portento animarsi e produrre un sibilo che sembrava, in tutto e per tutto, il respirare di una persona.

«Anis'ia mi ha scritto che Ideale ha altri disegni e altri studi sul movimento e dunque quando tornerò dalla Russia forse avrò altre soluzioni per raggiungere finalmente il moto perpetuo.»

Natalia, gli occhi lucidi, lo abbracciò, e insieme uscirono verso casa. Prima di ritirarsi, lui volle salire sulla collina dei cipressi e da là guardò il Prataio stendersi ai suoi piedi, e sullo sfondo la Bonifica e il filo della riviera con le insegne dei ristoranti già accese, mentre dall'altro lato la luce del tramonto sfiorava le antiche case del Colle.

Per un momento nulla si mosse. Non un alito di vento, non un volo di uccelli, neanche il tremolìo di una foglia e così Sole avvertì, profondo, il contrasto tra quella fissità e il movimento che aveva appena avviato nella vecchia stalla. Un brivido di agitazione lo attraversò. L'indomani sarebbe partito anche lui verso Oriente, e avrebbe in qualche modo chiuso un percorso che in quel momento gli parve l'ennesima voluta di una spirale senza fine che a lui spettava adesso trascinare ancora in alto per permetterle di arrivare all'apice e poi inabissarsi procedendo di nuovo in avanti con il suo avvitarsi su se stessa.

Il giorno seguente, dal finestrino dell'aereo, mentre questo rullava sulla pista, cercando di distinguere Natalia tra le persone sulla terrazza dell'aeroporto, l'immagine di quel movimento vorticoso gli tornò ancora davanti agli occhi, insistente e forte come un allarme che volesse richiamare tutta la sua attenzione. Era quasi sul punto di serrare le palpebre per abbandonarsi a quella corsa immaginaria quando la velocità lo incollò alla poltrona e i motori spinsero lui e gli altri passeggeri verso l'alto, quasi che l'aria li risucchiasse in direzione del cielo sopra di loro.

Così Sole si lasciò andare al piacere di librarsi per aria come mai aveva provato, e con la curiosità di un fanciullo guardò dal finestrino cespi di nuvole venirgli incontro fino ad avvolgere la fusoliera, e un sole accecante comparire all'improvviso sopra un mare di bianco. Più avanti, quando quella distesa si infranse, si divertì a osservare il mondo dall'alto, a guardare da quella diversa prospettiva tutto quanto compone la scena della vita quotidiana degli uomini.

Poi, proprio come un bambino, stanco di quel nuovo gioco si appoggiò alla poltrona, chiudendo gli occhi per raccogliere il pensiero su quello che invece si teneva dentro: la nostalgia per un padre mai conosciuto, l'amore dolcissimo di Natalia, le storie dell'Annina ormai perse nella nebbia della sua amnesia, e poi il Prataio e il

Colle che sentiva scorrere dentro di sé proprio come il sangue; e Anis'ia e il filo che li legava, tirato molti anni prima da Ideale, un filo che lui ora stava seguendo a ritroso come Teseo dentro il labirinto.

Impastato di questi pensieri, il sonno lentamente scivolò su di lui, e nel limbo imperfetto che precede i sogni quanto Sole stava immaginando sembrò mettersi in moto in un vorticare che spingeva avanti tutta la sua vita. Come in un lampo vide allora il Colle e la sua storia riprodotti dentro "Libertà", ma per la prima volta, mentre la macchina respirava nel suo movimento, avvertì nitidamente il dolore delle pallottole che gli squarciavano la schiena e i pugni di un feto che gli grattavano il ventre, il paradiso dentro due occhi azzurri e il cielo della Svizzera pieno di nuvole, sentì i calci e le bastonate degli squadristi, e il fuoco di un bacio dato dopo due anni di galera, e il collo stirato dalle budella di una scrofa, e l'acqua del Padule che scompariva come la vita morsicata dalle ruote di una locomotiva. Toccò il tepore di una caldaia di ghisa e fu avvolto dall'odore pungente delle stalle. Udì le urla dei tedeschi e i lamenti dei feriti stesi per terra, si perse nella follia e si sentì cuocere per la febbre spagnola. Si sciolse in un abbraccio davanti al cancello del Prataio e si affannò sopra i pedali di una bicicletta nera, masticò l'angoscia per l'attesa di un figlio, di un marito, di un amico e tremando scrisse su una busta rosa un nome sbagliato. Sentì il boato dei cannoni russi e il vento gelato della steppa che gli bruciava i polmoni, e mentre già il cuore gli stava scoppiando come quello di suo padre attraversato dal piombo s'accorse di essere ormai nel vuoto, sparato verso il cielo dall'esplosione dell'aereo così come Cafiero lo era stato dalla corsa del treno, in una spirale che in quel momento gli sembrò infinita, roteando verso le nuvole, verso l'Oriente e verso il passato che lo stava aspettando, senza neppure i rami di un nocciòlo a salvargli la vita.

L'Annina se ne stava seduta in giardino, immobile. Come tutti i pomeriggi, dopo pranzo, aveva messo la sedia all'aria aperta, accanto alle tombe della Mena e dell'Isolina, e se ne stava là a guardare davanti a sé, finché la Filomena o Natalia non sarebbero venute a far due chiacchiere o a chiamarla per la cena. Le mani appoggiate alle ginocchia, da sola e in silenzio osservava quel poco che accadeva al Prataio, voltandosi ogni tanto verso la provinciale attratta da qualche rumore improvviso.

In quella sua particolare serenità l'Annina navigava i suoi giorni, sospesa in un tempo provvisorio. Osservava, guardava, se qualcuno le rivolgeva la parola ogni tanto parlava, e non sempre a proposito, ma soprattutto sembrava galleggiare sopra un mare tranquillo, al riparo ormai dalle folate della vita, come se una sorta di lastra di cristallo attutisse i rumori di quello che avveniva dall'altra parte, quella degli altri, là dove la gente continuava ad amarsi e a tradirsi, a piangere, a litigare, a combattere e ad arrendersi.

Dalla sedia, vicino alle tombe nelle quali non si ricordava neppure chi fosse sepolto, l'Annina vide la Filomena uscire di casa gridando qualcosa verso Natalia che stava innaffiando le rose, e poi Natalia correre verso di lei ad abbracciarla, mentre arrivava la Penelope con il marito e altra gente. Tutti erano concitati, entravano e uscivano, si agitavano, parlavano ad alta voce, ma a lei tutto quel trambusto non interessava, perché aveva visto suo nipote Sole scendere dalla collina dei cipressi e andare verso il nocciòlo che aveva piantato il giorno del funerale di Telemaco.

Il ragazzo la guardò, e lei alzò appena la mano seguitando a osservarlo mentre si accostava all'albero. Lo vide fare un balzo e sollevarsi sui primi rami, e poi arrampicarsi fino ad accucciarsi tra le foglie, e da lassù agitare il braccio per chiamarla verso di sé.

L'Annina si sentì felice di quell'invito, così si alzò e si incamminò verso il nocciòlo. Quando fu di fronte al tronco alzò la testa, però non scorse più traccia di Sole. Fu in quel momento che, come in un lampo, rivide davanti a sé la casa col pino, la Mena che pregava appoggiata alla madia, e sua madre partorirla urlando mentre suo fratello la spingeva fuori, nel mondo.

Avvolta dall'odore intenso delle viole, l'Annina all'improvviso ricordò, e la forza di quella rivelazione la colpì così intensamente che dovette appoggiarsi al nocciòlo per non cadere.

«Ma guarda» disse appena, allargando un sorriso di fronte allo spettacolo della sua vita che si stava allontanando da lei lungo il sentiero di ghiaino e lambiva la collina dei cipressi proprio da dove se n'era andata anche la Rosa, verso il Malgardo, carica di tutto quello che lei aveva provato giorno dopo giorno, di quanto aveva cercato, e amato, e perso, inseguendolo fino a vederlo svanire dentro a un dolore perfetto, completamente evaporato nella nebbia.

Tutto quanto ora, invece, l'Annina ricordava con chiarezza di avere vissuto.

Nota

Molti anni fa, mia madre mi portò a vedere una macchina del moto perpetuo. Arrivammo da alcuni parenti, forse lontani cugini, che abitavano certe casette basse dove ogni famiglia conviveva con un telaio meccanico, arnesi che sparavano spolette di tessuto da una parte all'altra dell'ordito provocando un rumore assordante. In quel frastuono d'inferno, una di quelle persone ci fece strada attraverso un corridoio buio fino alla porta di una stanza che ci fu aperta come l'entrata di un santuario: là in mezzo vidi un enorme congegno, un intrico di ruote e contrappesi, che ai miei occhi di bambino parve un giocattolo fantastico. Il suo artefice era un tipo allampanato, schivo e mal vestito, il quale quasi schermendosi ci illustrò il funzionamento dell'invenzione che avrebbe dovuto produrre il movimento senza fine.

In quella stanza, nelle scarne parole di quel lontano parente e nel cigolare del marchingegno, forse per la prima volta percepii il senso dell'utopia, la vidi fatta dai fili, dalle ruote e dagli snodi, da tutte le altre povere cose che riempivano quel locale e la vita di un uomo di cui oggi non ricordo neppure il nome.

Forse questa storia è nata quel giorno e io, nel tempo, ho poi giocato a costruirne il meccanismo usando le parole dei racconti di mia nonna, di mia madre e di mio padre, immaginandomi le vite di avi che non ho mai conosciuto, i luoghi dov'erano vissuti, i loro sogni e le loro speranze, avvolgendole come fossero un filo di lana attorno alla sensazione che avevo provato di fronte a quel macchinario.

Arrivato alla fine del gomitolo, desidero allora ringraziare Claudio Novelli per la consulenza storica e il conforto del suo giudizio, Alessandro Scarpellini che mi ha fatto conoscere gli anarchici pisani fornendomi un prezioso aiuto bibliografico, e infine Giulia Ichino per il suo eccellente lavoro.

U.R.

«Il dolore perfetto»
di Ugo Riccarelli
Collezione Scrittori italiani e stranieri

Arnoldo Mondadori Editore S.p.A.

Questo volume è stato impresso nel mese di luglio dell'anno 2004
presso Mondadori Printing S.p.A.
Stabilimento Nuova Stampa Mondadori - Cles (TN)

Stampato in Italia - Printed in Italy